JN136096

東亜新秩序の先駆

森恪

上巻　董陶を活かした男

樋口正士

東亜新秩序の先駆　森恪

上巻　薫陶を活かした男

目次

第三篇　実業界飛躍時代—政界に入るまで—

付記

はじめに

我が国の大正昭和の政治史、外交史上に大きく印されている人物に森恪がいる。そして、彼を除外してはこの間の歴史は形成し得ないのである。

森は、自らの政治力行使のノウハウについて「三井物産勤務時代や中日実業時代の対支経済交渉を通じて身に付けた。金の作り方も知っていたし、目先も利き、交渉力も決断力もあった。しかし最大の問題点は、その主な交渉相手が支那人であったゝめか、日本の支那通といわれた軍人達と同様、支那を対等な交渉相手と見ることが出来ず、いわば切り取り勝手次第の太閤秀吉流冒険主義に陥ってしまった」と振り返る。

そうなれば、先ず森恪の幼少の頃より、大志を抱き支那に渡り、その国士的活躍により政治に志し、帰朝するまでの彼の思想確立の過程を見るのも、彼を理解する上に必要ではなかろうかと思われる。即ち、それが森の政治家としての準備期間であったからである。

辛亥革命前後に次ぐ、第二革命下の排日・排日貨運動が声高に叫ばれていた国情定まらぬ支那、その上実業家に覆いかぶさる幾多の条令などの下での現地での活躍は、単なる困難であったろうでは済まされぬ実情を知ることが出来る。

しかし森は、それらも生まれ持った気質と幼少よりの幾多の薫陶を活かし、励まされ、人一倍強い気概を持し未開の事業に挑戦したのである。

資料１　森恪（出典：山浦貫一編『森恪』）

第一篇　少年時代

――支那に渡るまで――

第一章　生い立ち

現在では知る由もない森恪の生い立ちなので、山浦貫一氏の著書を通して紹介しよう。

一　出生

恪は一八八二（明治十五）年十二月二十八日、大阪市西区江戸堀北通一丁目一三番地に森作太郎の次男として生まれた。父作太郎は二十九歳、母サダは二十五歳であった。

しかし戸籍によると誕生は一八八三（明治十六）年二月二十八日となっている。これは一八九五（明治二十八）年に大阪西区役所が火災に遭って戸籍原簿を焼失し、のち新たに作成した時に誤って原簿に記載され、数年後に父作太郎はこれを知ったが、原簿の修正が煩わしかったので新しい戸籍原簿に由るとしたことに由来する。恪も勿論そのまゝに従ったのである。

恪はツトムと読む。父の友人高木勤（つとむ）氏が命名したもので、「恪勤（かっきん）」の恪を採ったものと言われている。恪はカクが通称になっていた。恪自身もカクと言い慣わしていた。後年、人から恪の読み方を尋ねられ、自らカクと称するに至った理由を「本来はツトムだが人は皆カクと読む。かねて三井物産ニューヨーク支店に在勤した当時、サインするのに簡便なのでカクとした。爾来カクで通している」と語ったという。森は終生、印鑑を用いず欧米流にサインを用いる習慣を通した。

恪はサダの五人目の子供だった。先の四人は生後間もなく、又は数年ならずしていずれも早世した。四人目がうめといって、育ちそうに見えたので両親も今度こそはと希望を持って愛し育てたが、これも不幸にして八歳で死んだ。両親が結婚したのは作太郎十九歳、サダ十五歳の時だったし、生まれてくる子供らが次々といずれも虚弱で育ち難いのは早婚の故だったかもしれない。

次いで五人目が恪であった。最早両親には養育し得る自信が無かったらしい。生後間もなく京都府大原郡八瀬村の百姓某に預けられた。いっそのこと百姓の家で育てられたら丈夫な子になるだろうと両親は考えて、最愛の幼児を里子に手放したのも、この子こそはと一縷の希望を賭けた親心であった。

京都の田舎における恪の発育はしかし案外不良であった。これは確かに、農村の清澄な空気と農家の質実純朴な気風のみを考えた両親の失敗であった。百姓某は馬鈴薯とトウモロコシを常食とする貧しい小作人で、その妻女には満足な乳も出なかった。従って幼児恪は胃腸を損ね、発育どころか衰弱する一方であった。

四歳の春までそこに居たのだが、二歳位の子にしか見えなかった。百姓某も責任上預かった幼児を衰弱に任せる訳にもいかず、かといって施しようもなかったので、大阪の作太郎に宛て恪の容態をありのまゝ報告し、この上は引き取って欲しいと手紙で訴えて来た。両親としては我が子ながらそんなにまで衰弱した子を今更手許で育てる自信はまるでなかった。

思案の挙句にサダが思い付いたのが「足柄の伯父さんに頼んでみてはどうでしょうか。あの伯父さんの家には子供の頃私も何年か預けられて育ったけど。恪もあの伯父さんが引き取って下さったらきっとよく育つと思います」。

そこで作太郎は早速神奈川県上足柄郡下怒田の加藤彦左衛門に依頼状を書き、京都の百姓からの手紙を同封した。

彦左衛門は直ぐに大阪に向かい作太郎に会って、丈夫な子に育てようという親心からとはいえ大切な我が子を一面識もない水飲み百姓に預ける不心得を戒めた。

「よろしい。わしが面倒見よう。必ず育てゝみせる」〔一八八六（明治十九）年〕

二　森家

森家の先祖については今更調べようもない。森家は旗本であったが、幕末の引き続く戦乱に嗣子を失い、養子を迎えたがこれもまた戦没し、かくして何番目かの養子として森家を継いだのが恪の祖父に当たる貞宣であった。

貞宣は江州彦根藩士飯島春平の次男として生まれ、青年期に森家を継いだもので、初め鐘次郎と名乗った。貞宣と改めたのは明治維新からのことであったらしい。

鐘次郎は彦根藩の斥候隊長として江戸に駐在していた。隊長といっても役柄の割に小禄であった。それでも職務柄羽振り良く交際も広く遊びもよくした。従って始終貧乏であった。彼は六尺豊かな巨漢であり、酒豪で、乱暴者で、しかも性極めて闊達の上、いわゆる豪傑肌であった。その気骨と才略が用いられて次第に出世した。

維新前後の風雲に際しては頻りに京阪地方を往来、特に長州征伐には幕軍の一隊長として奮戦活躍した。

幕府倒壊に当たっては彰義隊に馳せ参じて上野に奮戦したが、既に大勢の赴くところを察知して官軍に帰順し、戊辰の役には小隊長に抜擢されて会津に転戦して功あり、廃藩置県に際しては地方官に任じられて二、三の県を転歴している。のち更に内務本省に転じ、次いで警察署長として神戸に赴任した。

これより先、鐘次郎は幕臣塚田正富の家に出入りし、正富の世話で塚田家に奉公する加藤サヨと結婚している。

サヨは神奈川県上足柄郡福沢村字下怒田の百姓加藤家から出ている。加藤家には三人の兄妹があった。兄を彦左衛門といゝ、次はサヨ、サヨの次にもう一人妹があった。

サヨは、気丈な冒険好きで、意志の堅い積極的な女に育った。

ある時、サヨは兄彦左衛門に、

「私は江戸に出たいのです。畑を耕し、筵を織って、母や祖母さんや先祖の人々がしたような、同じ一生を終わりたくないのです。私はまだ家の祖先の誰もしたことのない一生を送りたいのです」

「お武家に奉公したいのです」

「お侍が天下国家の事で忙しく働く時世に、百姓の家に生まれた自分を悲しく思います」

「せめてお屋敷に奉公して、お侍たちの中で暮らしたいのです」

サヨは一旦心に決めるともうその志を曲げはしなかった。毎日兄に許しをせがんだ。その熱心さに遂に兄も負けた。サヨの勝ち気で一徹な性分を良く知っていたからである。兄の許しを得るとサヨは雀躍して直ちに出発の用意にかゝった。

兄妹三人は水杯を交わし、十六年間住み慣れた我が家と、野良の、鎮守の、小川の、数々の思い出を後に、足取りも軽く出立したのである。

懸念された途中も恙なく遂に目指す憧憬の江戸城下に到着。直ちに伝を求め幕府の大官の屋敷に奥女中として奉公することが出来た。それが旗本塚田家であった。

田舎から出たばかりの百姓娘だが、飯炊き女ではなくいきなり奥女中に抱えられたことからみても、サヨが人並み優れた利発であり、幾らかは礼儀作法も知った娘であったことが充分に伺える。

塚田正富は幕臣で、大名暮らしのできる相当重要な地位に居たものと考えられる。のちに明治維新まで日光の吟味役をした。山岡鉄舟や勝安房（海舟）とも懇意であったという。


塚田正富が日光吟味役になる前の未だ江戸勤務だった頃、江戸詰の彦根藩斥候隊長森鐘次郎が始終塚田家に出入りしていた。豪快な気質が互いに相投合したのである。兄弟の如く遠慮のない交際をしていた。

鐘次郎はまだ独身であった。塚田家の奥女中サヨは器量といゝ、作法といゝ、教養といゝ、百姓の娘とは思えなかった。侍の妻女として恥ずかしくないと思った。

ある日、塚田から、もう嫁を貰ってはどうかと話された時に鐘次郎はきっぱりと言った。

「拙者はサヨ殿を所望いたす」

正富はハタと膝を打った。

「流石は森じゃ。芸妓遊びの猛者だけあって、女を見る眼が高い。拙者はほとほと感服いたした。実はサヨを貴殿の嫁御として拙者から勧めたかったが、サヨは百姓の出なのでいさゝか遠慮していた次第じゃ。しかしサヨは御承知の通りどこから見ても侍の妻女として引けを取るものではない。いやむしろ侍の娘でもサヨほどの出来物はめったになかろう。拙者もサヨには特に目をかけて読み書きから作法まで侍の妻女として持つべき一通りの教養は仕込んだ筈じゃ。こう申すと自慢がましく聞こえもしようが、拙者はただ玉を磨くのに力を貸したまでのこと、凡石ならば磨いても光らぬ。それを見抜く貴殿の識見は流石である」

サヨは、主人正富の口から、森鐘次郎から嫁に所望されたと聞かされた時、胸は弾み上がった。

鐘次郎は交際が多く始終貧乏だったので、塚田家で一切の世話を引き受け、結婚式も塚田家で挙げた。勿論塚田正富の媒酌であった。

長女サダ（恪の生母）の生まれたのが一八五八（安政五）年である。子供が一人きりしかいなかった。鐘次郎はたびたびの戦乱に従事し妻子を顧みる暇がなく、サダは十歳、一八六八（明治元）年の頃、母サヨの生家足柄山麓の加藤家と塚田家に一時預けられて育ったという。それは長州征伐の出征の時、妻サヨを戦地へ帯同した時と思われる。

サヨはその後の諸所の戦乱には始終鐘次郎と共に出征し、勘定方すなわち今でいう兵站部の仕事に携わった。いずれにせよ、兵士と共に山河を跋渉し、或は野に伏し、硝煙弾雨の中に立ち働いたサヨは豪快鐘次郎の妻女にふさわしい女丈夫であったに相違ない。

塚田家にも娘があった。サダよりも一つ年上である。二人は姉妹のようにして育てられた。この塚田正富の娘は後に岐阜の人高木勤氏に嫁した。前述した、恪の命名者である。

サヨは、一八七四（明治七）年八月二日波乱に富んだ生涯を終わっている。享年四十六歳であった。

サダは十四、五歳にして父を失い、十七歳にして母に死別した。

鐘次郎には嗣子がなかったので友人旗本三田守勝の次男作太郎を養子にもらい、のち間もなく鐘次郎の死後、サヨは作太郎を一人娘のサダに娶(めとら)した。時にサダ十五歳、作太郎十九歳であった。これは即ち母サヨの死ぬ前々年の事である。

三田家は代々徳川家に仕えた旗本で守勝の代には大阪城番士という役であった。大阪城警備のため在番する役である。森鐘次郎は京阪出張中に守勝と懇意になった。

守勝は彰義隊に駆け参じ、上野から函館へ転戦する時に、その子、作太郎・守常の兄弟を鐘次郎に託した。守勝は転戦するうちに戦死した。そこで鐘次郎は自分には嗣子がなかったので作太郎を養子に迎えたのである。

作太郎が養子になったのは一八六八（明治元）年、齢十五歳の時である。

後年の事であるが、三田家では守勝三男にして作太郎の弟である守常に嗣子なく、のちに恪の末弟直吉が継いでいる。

三　父・作太郎翁

恪の生涯に根本的な影響を与えた人物こそ父親の**森作太郎**である。この作太郎を語らずして森恪は解する事が出来ず、幼少期より晩年に至るまで、父作太郎自身及び作太郎関連の人脈の及ぼした影響は多大なるものがある。

作太郎は夙に法律を志し、帝国大学の法律科の前身というべき学校に学んだ。一八七六（明治九）年には司法省に出仕している（二十三歳）。間もなく大阪地方裁判所、大阪上等裁判所（後の大阪控訴院）の判事を歴任し、一八八一（明治十四）年二十八歳にして官を辞して代言人（後の弁護士）となった。

爾来一九一九（大正八）年まで弁護士として大阪法曹界に意気を示した。官を去って弁護士となったのは高木勤氏の薦めによったものと言われている。

高木勤氏（塚田正富の女婿）は岐阜の人で先代は大阪で有名な薬種問屋であった。氏は幼くして学に志し早くから京都に出て漢学で有名な山本塾に入った。維新の大業成り、明治天皇が東京に皇城を定められて行幸の折には氏は随行して江戸に出、のちに司法省に入り、大審院判事となり、神戸その他の地方裁判所長を経て函館、宮城の控訴院長を歴任した。高木勤氏は中日実業株式会社参事官高木潔氏の厳父である。

作太郎はまた関西地方自由党の有力者として知られた。欧米文明の新知識欲に燃え、洋書を通じて彼の地

資料２　父・作太郎（３０歳頃）と母・サダ（出典：山浦貫一編『森恪』）

の法律・政治引いては民主思想の影響を受けた若き学徒作太郎が、時恰も天下年少気鋭の青年らがルソーの民約論やベンサムの功利説を基礎にフランス革命やロシア虚無党(きょむとう)の運動の刺激によって自由平等を唱え、自由民権に渇仰し、糾然として板垣退助の傘下に集まる時、民選議院設立を建議し国会開設を請願して板垣退助らの愛国社運動に共鳴したのも敢えて不思議ではなかろう。

国会開設の詔勅(しょうちょく)が煥発(かんぱつ)されたのが一八八一（明治十四）年一月十二日、この大詔(たいしょう)煥発を伝え聞いた自由民権の使徒は意気大いに上がり、直ちに国会期成同盟会を解散し、第二の闘争に移るべく同志を東京に糾合して政党を組織した。即ち自由党である。

時は同年同月の十八日であった。作太郎が官を去ったのはこの年である。

一九一〇（明治四十三）年三月に発行された板垣退助監修、宇田友猪・和田三郎編纂の『自由黨史』には作太郎の写真が載っており、しばしば催された自由党関西有志大会出席者の中にもその都度彼の名が見えている。特に一八八五（明治十八）年の大阪事件として有名な自由党関係の大井憲太郎、小林樟雄、磯山清兵衛らの朝鮮改革陰謀事件〔註：一八八五（明治十八）年に起こった自由民権運動の激化運動の一つ。朝鮮に政変を起こし、日本国内の改革に結び付けようという発想に基づくもの〕では弁護士として法廷に立っている。

また早くから大阪市議会議員として重きをなし、特に一八九二（明治二十五）年から一九〇二（明治三十五）年まで引き続き市議会議長を歴任し、大阪市政に尽くすところ大であった。

市議会議員歴

明治二十四年一月二十九日　西区三級補欠当選

同二十八年五月三十一日　満期退職

同二十八年六月四日　西区二級当選

同三十四年五月三十一日　満期退職

同三十四年六月三十日　西区一級当選

同三十五年三月十四日　満期退職

市議会議長略歴

明治二十五年一月二十三日　当選

爾来改選毎に当選

明治三十五年三月十四日　市議会議員退職と同時に退任

平将門を祖とする豪勇三田家の血統を引き継ぎ、長じて自由党員として熱血板垣退助の傘下に重きをなした憂国の士作太郎は、温厚徳実の一面、気骨稜々、古武士の風格があった。彼はかつて三井物産大阪支店の顧問弁護士だった。

ある時、三井では京都本願寺に百万円を貸し付けたが、本願寺では再三の催促にも言を左右にして容易に返済の気配もなく、三井は困却の揚句作太郎に依頼した。作太郎は一日鳶の者数名を雇い、彼らを本願寺に派して屋根の瓦を鳶口で剥ぎ取らせた。これを見た本願寺当事者は周章狼狽し、愴惶として借金を返済した。即ち機知気概その如きものがあった。

彼は逸斎と号し、学を好み、書を東西古今に漁って厭わず、常に知新の乾坤を開いた。一九〇〇（明治三十三）年にははるばる欧米視察に巡遊している。

『時事小言』〔一九二八（昭和三）年〕、『心霊研究と新宗教』〔一九二八（昭和三）年〕などの二、三の著書がある。両著は共に作太郎翁没後その遺志によって出版されたものであり、『時事小言』の緒言に作太郎翁はこう書いている。

緒言

予は明治三十三年欧米を巡遊視察し始めて欧羅巴文明の価値に対して疑を抱き帰来この事につき潜心思考したるに、たまたま欧州大戦勃発するあり、その過程及その終結を見るに及んでいよいよ欧羅巴文明の貴ぶに足らざるものなることを覚知し、且その文明は既に極盛に達して既に衰頽期に入りしことを認識せり。然るに吾国人の欧米文明に対する崇拝熱が昂進して少しも冷却せざるを観て黙示するに忍びず、大正十年この書の稿を起こして直ちに出版し、同十一年多少の増減修正を施して印刷に付せしが大震火災に遭い発行所に於いて烏有に帰せしかば、大正十四年更に印刷発行したれどもその印刷誤膠多くして意に満たざるを以て、没後更に印刷に付せしむ。これ唯大正十年の頃に於いてその如き思想を懐かしき者のありしことを後世をして知らしめんがため思考已

逸斎　森作太郎　識

即ち欧州文化の模倣、その思想の盲信の誤膠を指摘批判し、再び東洋思想に立ち帰り、確固たる日本精神の昂揚と東洋文化の独自的開発を唱え、来るべき世界文明の覇権は東洋文化が握るであろうことを暗示した

のが本書である。

その知識の博さ、思想の深さ、認識の卓抜は、これを貫く烈々火の如き愛国の精神と相俟って言々句々悉く示唆に富んだ快著であり、実に警国の書というのを憚らない。その学問と知識はひとり専門の法律のみに留まらず政治外交経済から社会労働思想哲学教育宗教に至るまで説くとは、真に驚嘆に価するものがある。

かつては自由党の中堅分子として活躍した彼が、自由民権主義から飛躍するに当たっては、歴史の認識の深さが窺われて興味多いものがある。彼はイマヌエル・カントの理想主義哲学を根拠に、自由の意義を次のように解釈している。

「自由とは、決して無秩序混乱の自由にあらず。自己の良心に照らして決定したる規範意識によって自己の行為を節制すること、即ち自律自制することが自由である。完全なる自由人というはその如く自律自制する者をいうので、世俗でいう自由とは殆ど反対の意味である。故に自己の良心に従って行為せざる者には自由というものは無いことになる。然るに世の自由を主張する論者の多くは良心により制限せられざる欲望と感情とに従って恣に行動することを自由と称し自由主義とい丶、以てその我欲放縦の行為に理由を付して居るのである。人類を堕落せしむるものは実にいわゆる自由の思想である」

更に彼は欧米を風靡しつ丶ある自由平等主義・民主主義を極力排斥し、遡って往時ヨーロッパに於いて自由平等論の最高潮に達したフランス革命、新興ブルジュア革命を痛烈に批判している。かつては一代の風雲児板垣退助が率いる自由党の旗の下に駆け参じた彼が、かくして「自由」の再認識によって民主主義から飜然として飛躍したのであった。

彼は有名なる歴史家D・ランゲヴィーシェの言葉を引用して言う。

「私的利益の追求を以て文明の原動力となす思想は、今日の文明を向上せしめたるに相違なしと雖も、利己主義的思想の発達は益々唯物主義に偏傾せしめ、世代を経るに随って人々の経済的条件の差異を大ならし、更に一国民をして文明的に全く相異なる相離反する幾多の団体に分裂するに至らしむると同時に、国民中の無教育なる劣悪なる部分をして遂に教育ある優良なる部分を圧倒するに至らしむるのである。古代の文明国は皆この如くにして滅亡したのである。欧米の文明は恰もかくの如き径路に進みつゝあり。今のアングロサクソン人種の勃興したる時代には、地球上尚大に開発すべき余裕を存したるを以て私的利益の追求即ち利己主義を奨励し功利学説を基本として大に国民を鼓舞作興し遂に今日の偉大を致したるものなれども、日本の場合に於いてはしからず。今日に於いては地球上肥沃豊饒の地は殆んど彼らの皆占領に帰し、残る所は気候寒冷にして温暖国民の殆ど棲住に堪えざる所か、又は住民多くしてこれが開発に支障多き所なるのみならず、それとても或一国の独占独行を許さず。現に日本が欧州大戦中、亜細亜大陸にて少しばかり彼らの真似をなしたりとて、彼らは忽ち目を凝らし声を励ましてこれを抑制せんとす。されば今頃アングロサクソン人のなしたるところに倣うて富強を致さんとするは時世後れで、啻にその目的を達することが出来ないのみでなく、たまたま禍を招くに足るのみである。故に今日に於いて人民の私的利益の追求を以て国是となすときは、最早外に向かってその利己主義を用いること能はざるを以て、内に於いて階級闘争となり、内訌となり、忽ちにして国内の秩序を破壊し、遂に国家の覆滅を促すに至るであろう。何時でも柳の下に鰌が棲んで居るものと信じて濫りに人の真似をなすときは結局失敗に終わらざるものは稀である」

かくして作太郎翁は早くも欧米の民主主義文明の凋落を卓見し、その模倣の誤謬を指摘した。そして彼の思想は、己れの属する民族・国家に立ち帰り、そこから新たに出発している。

この時に当たって、彼が、オトマル・シュパンやアルフレート・ローゼンベルクと共に近来全体主義の哲学的根拠となったと言われているオスヴァルトゥ・シュペングラーの哲学理論に共鳴を見出したのは蓋し当然であろう。

「シュペングラーの哲学の根本概念は、個々の文明は、それの勃興と衰亡との期を有し、そうしてその文明は一つの確定せる寿命しか有して居らぬという、古より言い伝えられたる思想である。彼は一切の人類は一大発展乃至進化をなして徐々に完全なる文明に向上するということを信ぜぬのである。彼は全然近代の文明史家とその説を異にし、個々の大文明は各自別々のもので、そうして又各自に完成して居るものであり、それ故に文明の復興というが如きはその文明の精神に対する嘗てその文明を作為したる国民乃至それを解釈せんとする史家の一大誤謬である、各国の文明の根本事実はその魂魄(クルツーアゼーレ)であるといゝ、一々歴史についてその例証を挙げ、その結論は、今日の西欧の文明は已に衰頽の途上にあり、そうしてそれは唯物主義と社会主義との中に枯凋し破壊しつゝあると断定した点にある。

蓋し西洋と東洋との文明の根底に現に在るが如き大なる径庭を認め、又古来の歴史を通観して静思黙考すれば、シュペングラーの説は否定出来ぬようである。上下五千年の歴史上に顕れたる事実によれば古来の文明民族ひとつも永遠にその盛運を保ちたるものはなく、長短はありても一度盛なるものは必ず衰ふるの時ありしを観れば、独り現時の文明民族のみこれ経験的法則の例外であるとは如何にしても考えられぬ。特に文明を以て誇る欧羅巴民族が唯物主義を尊奉し、物質的利益争奪のためにかゝる大戦を激生し、その結果いよいよ競うて物質的利益を追求し、その唯物主義より発生したる社会主義が又現在の唯物主義の社会を覆して更に新たに自己の利益なる唯物主義の社会を興さんと努力して居るに由これを観れば、シュペングラーの言う個々の文明は各自別々のものであるということ、並び今日の文明は既に衰頽の途上にあり、そうしてその衰頽は唯物主義と社会主義との中に醸成せられつゝありとは真実なりと肯定せねばならぬ。その衰運に傾かんとする欧米の文明に憧憬して一意これを模倣せんとするは衰頽の跡を追わんとするもので愚者の行為である」

即ち彼は、資本主義は言うまでもなく利己主義であり、社会主義も又その実は個人主義に立脚せる偽社会主義であり、共に国家を滅ぼすものなることを喝破している。

作太郎翁のこのような思想は更に発展して次の如き国家主義となっている。

「国家とは民族を中心として統制せられたる一つの社会である。そうして個人及び個人の集団を包容し、これを超越して別に民族意識精神を有する全体をいう。プラトーは人間の魂を個別人としてでなく、寧ろ国家に於いて認識することが出来ると言うている。国家に於いては人間は個別でも無く単一人でも無く又多数の個別人でも無く、人間は今や全に属している。この全てに於いて人間は始めて精神を獲得するのである。

（中略）

要するに個人主義は資本主義に堕せざれば共産主義に陥る。予は資本主義にも賛せず、又共産主義にも左祖せず、日本に於いては皇室を中心とする社会本位主義（個人主義に立脚する偽社会主義と区別してかく称す）即ち国家本位主義を主張するものである」

かくして作太郎翁の到達した思想は、言い換えれば民族文化の独自なる昂揚を理想とする国家主義に他ならない。

前にはフランスのルイ四世に苦しめられ、後にはナポレオン一世に窘められて滅亡に瀕したドイツが、鉄血宰相オットー・フォン・ビスマルクによって遂にフランスを破りドイツ帝国を建設する事を得たが、ビスマルクの蹶起はヨハン・ゴットリープ・フィヒテらの指導によったと言われている。作太郎翁はその国家主義論に於いて、

「ドイツの勃興及び建設が、如何にフィヒテら先駆者の獅子吼に負うところ多かりしやは歴史上明らかなところである。国民特に進歩の途中にある国民は訓練を要す。そうしてその訓練は学者、政治家、先駆者らの指導によらずんばあらず。然るにもしその指導者たるべき者が一にも二にも人民の意思国民の輿論に従う可しと称して、反って衆愚に指導せらるゝ様ならば国民の真純なる進歩は停止して病弊百出し国家は遂に衰亡すべきのみ。されば一面に於いては哲学的説明にて真正の国家主義を国民の脳裏に銘刻し、而して他の一面に於いては各種法律の制定及び奨励によってこれを統制強要することを要す。シュタムラー曰く、『強制力によらざれば社会生活の合法性は決して完全に実現し得らるゝものにあらず』と。洵にしかり」

と説いている。即ち国家主義実践に際しての手段としての全体主義的立場から統制主義の必要を述べている

のである。

作太郎翁は更にその国家主義的見地から論を進めて「日本の東方亜細亜政策」に及んでいる。即ち、

「**日本は支那あっての日本で、支那が滅ぶれば日本は無きに斉し。日本の運命は支那の運命に連繋せり**」

と、日支関係の不離な所以を説き、支那国民の智見を開らき、支那の経済的地位を高め、支那人を文明に導き得るものは世界中日本の他にはないと断じ、そのための政策として支那内地の門戸開放を叫んでいる。かくして彼の理想が国家主義を通じたる東洋民族文化の建設にあったことは以上によって明らかなところである。支那事変を契機として我が国に於いても漸く問題となりつゝあった全体主義的方策の必要を、その約二十年も前に早くも今日あるを卓見して説いた作太郎翁の識見を偉大なりと言わなければならない。

《作太郎翁の思想と森恪について》

作太郎翁がかゝる国家主義思想を抱くに至ったのが欧州大戦前後であった事と、恪が多年の実業家としての支那生活を打ち切って帰朝し、初めて代議士となって政界に乗り出したのが欧州大戦終結直後の一九二〇（大正九）年であった事との間には、かなり重要な関連があったことを見逃してはならない。

何故ならば、一九二〇（大正九）年以来、一九三二（昭和七）年にその五十年の生涯を終わるまで、形の上では外務政務次官となり、内閣書記官長となり、或は大政友会の幹事長となり総務となり、また実質的に

は時代を左右するような政治力を発揮した恪の政治的行動には、父作太郎翁の思想が一貫して底を流れているからである。

恪はそもそも資本主義発達の初期に青年となり、我が国資本主義に於ける一大王国たる三井物産が支那にその触手を伸ばした当初に於いて支那大陸に渡り、彼の地にあること十有余年。三井社員の唯一の理想とされていた三井の重役には何らの執着も羨望も覚えず、その卓抜な才腕と輝かしき将来を惜しまれつゝ早くも弱冠三十三歳にして決然と三井物産を去ったのも、ひとつには父の感化たる国士的風格のしからしむるところである。

恪は、日常人に向かって「**何事にも信念を持って当たれ**」と教えた。また自らも常に強い信念を持って行動した。即ち恪の信念とは、これ要するに父作太郎翁であり、作太郎翁の思想であったとするも過言ではあるまい。

作太郎翁が弁護士の職を去って東京大崎で悠々自適老後の生活に入ったのは一九一九（大正八）年、恰も恪が支那を引き揚げた年に当たる。

恪とは別居していたが殆んど三日を空けず恪に手紙を書いた。一日に三度書き送ったこともあった。しかもその手紙はいずれも巻紙に細字で認められた長文であった。父より恪に与えられた手紙にして今尚遺族の手に残っているものだけでも三百通余を数える。この子に対しこの父の如く懇切にしかも多数の手紙を与えた父親も稀であろう。

ある時は時の政治外交を評し、ある時は経済問題労働問題を論じ、また政党の行動に対し厳正なる批評を下し、或は恪を訓戒し激励し叱咤し示唆し示教している。しかも説き教えるに一々東西古今の事例を挙げている。その懇切丁寧にしてその知識蘊蓄の豊富、その思想の高遇なることは驚嘆すべきで、この父の思想哲学、そして温情は恪を大成させるのに与って力あった。

一九二一（大正十）年は作太郎翁がその著『時事小言』を初めて上梓した年である。尚、恪もその頃に『必要主義経済論』を書いた。近頃の言葉でいうと「計画経済論」である。これ又父作太郎翁の示唆によって書かれたものであることは察するに充分である。

作太郎翁は一九二一（大正十）年にその国家主義を骨子とした『経済論』も書いている。その論旨は、大戦後の未曽有の経済恐怖対策として全体主義的管理統制を唱えたものである。恪の『必要主義経済論』も全体主義的統制の必要に基づく計画経済を説いたもので、その論旨は、彼の第一回立候補の挨拶状に用いられた。それに共鳴して、慶大の教授気賀勤重氏が応援演説に立ってくれたという。

かくの如くして作太郎・恪父子は実に一心同体であった。蘇峰・徳富猪一郎（註：明治から昭和にかけての日本のジャーナリスト、思想家、歴史家、評論家。『國民新聞』を主宰し、『近世日本国民史』を著したことで知られる）がこの父子を評して「情は父子にして誼（よしみ）は実に師友を兼ぬ」と看破したのは蓋し至言である。

森恪君は逸斎作太郎先生の麒麟児也、先生帰函の後君は先生の君に与えたる一書を齎らし来りて曰く、希くは一言を題せよと、余之を一読再読三読々毎にいよいよ涕涙の迸りて吾臆を霑すを禁ずる克はす、窃に惟らく人皆母性愛を説く然も父性愛ここに到る更に幾層の超越を見ると、嗚呼父性愛哉、森君は矯々たる跅弛の士眼中無一物但尊府君に対して恭敬奉承情は父子にして誼は実に師友を兼ね、而して府君の君に於ける更に甚だしき者あり、その情懇款その意慇勤その君を愛重する至れり盡せり蓋しこれ大に君に嘱望する所あるがためのみ、世上皆森君の眼快手利萬人の敵たることを説く然も余の君に待つ所は天下の経綸に在り、余不幸にして逸斎先生を知らず、しかもその猛志篤信濟世の心一日も休歇せず孤々兀々学を好んで倦まず単に温故に安着せず獨往萬里知新の乾坤を開拓し老と病と而して死のその身に偪るを顧みざるものその遺著に徴してこれを察するに足る、語に曰く学を知るの父に若くは莫しと、余は先生の君に期待するの偶然ならざるを信ず、君が立身行道大に先生の志を達し大に先生の名を顕はすものそれ何時ぞ、余が吾父淇水翁に於ける聊か相類するものあり、憾らくは不肖碌々皓百雄心空しく江湖に棲遲す、自ら顧みて懺悔轉た切乃筆を投じて慨然久之矣

昭和戊辰十二月十七日　　蘇峰　菅正敬

次は、恪が蘇峰氏に示して再読三読涕涙を催させたという作太郎翁の手紙で、これは当時帝国ホテルを定宿としていた恪が肺炎に罹り一時はその生死を危ぶまれた時のものである。

大正九年一月　　父

恪　殿

この度の大患幸に快癒したるは喜び何物かこれに如ん、一時は、老父不安寝食饋に一両年は寿命を縮め

中候、およそ事業を成すには思慮と努力と機会との三者相合致することを要す、それ既に機会を以て一要素となすが故に人の寿命が事業に大関係たること論を俟たざるなり、故に大事を成さんとするものは最も生命を惜しみ健康を愛せざる可ならず、君の母は三十四歳にして早世し、父は六十六歳迄生存すと雖も自若多病唯だ思慮と努力とのため故に僅にその残喘を保つのみ、その間に生まれたる君が強健の資質に非ざること可知のみ、況んや喘息なる痼疾ありて疾ある毎にその害をなすに於いてをや、決して健強を以て誇る可らず、何卒老父生存中は力めて養生を以て老父の心を安んぜよ至嘱々々、ついては全く回復の後醫の許可あり次第何れかの海浜（熱海を推奨す）に赴き数十日間静養せん事を望む、肺炎の後養生を怠りて肺結核に陥り遂に不治の病を得たるもの頗る多し、慎む可きなり

一九二七（昭和二）年作太郎翁は尿毒症に罹り、東京市外上大崎長者丸八二八の自邸に於いて療養に努めた。この時恰も森は、田中内閣の外務政務次官で日夜政務多忙であった。作太郎翁は五月頃病改まるを知るや自ら死亡広告の文案を草し、恪を枕頭に招いて「**政治は力である。但しその力は正しからざる可らず。その力は愛より起こったものでなければならぬ。何事も軽挙妄動はこれを慎み、事に当たっては熟慮考究し、行動に臨んでは断乎勇往邁進せよ**」と懇々数言に及んだ。

かくて再び起たず一九二七（昭和二）年十二月二十四日、作太郎翁は烈々たる憂国の志に燃え通した七十有余年の全生涯を終えたのである。

四　生母（サダ）の血

生母サダは早婚でしかも二十五歳にして恪が生まれるまでに既に四人も子供を産んでいる。恪の生まれた頃には長男の裕、三女のうめがいて乳児たちの養育に手が廻り兼ね、恪を思い切って田舎に預けたのだが、殆ど手塩にかけなかった五人目の恪だけが成人する結果となった。

父貞宣（鐘次郎）の闊達な素質と、母サヨの利発で勝ち気な気性を受け継いだサダは、明朗で、竹を割ったようなさっぱりした気性で、しかも才気煥発であった。加えるにこの両親の武士的教育は、彼女に一層女性らしい謙譲と武士の娘としての凛とした気質を植え込んだ。しかも戦乱下のご時勢の下で少女期を過ごしたサダはその気迫のように身体も頑健であったと想像されるが、母ほど健康ではなかった。ただその気凛に於いては母に劣らない女丈夫であった。

サダは常に慎ましく、何事にも差し出がましいことはしなかった。しかしどちらか去就を決するようなことになると逡巡しなかった。先ず熟考し、いよいよ行動に当たっては速やかに決断した。そういう人であったから人望があったし信頼された。

恪はその性格を父よりもむしろ母から受け継いでいる。サダは何か問題の込み入った時に、これを解決する鮮やかな才能と、人に信頼させてこれを同化する力を持っていたが、恪はそれを受け継いでいた。

恪がかつて栄枝夫人に母を語ったことがある。

「何か問題がこんがらがって困った時には、母に言われたことが頭にピンと来る。母は自信が強く、感化力が大きく、決断力のある人だった」

作太郎翁は同志の会合や演説会によく出かけた。当時自由党員は随分危険に遭遇したものである。東海遊説の途上岐阜神道中教院の大懇親会場で刺客相原尚褧の凶刃に見舞われ、「板垣死すとも自由は死せず」と千古の警句を以て万丈の気焔を吐いた党首板垣退助の有名な岐阜の遭難は、一八八二（明治十五）年四月であった。

その頃は右翼陣営に福地源一郎らの帝政党あり、中間に大隈重信らの改進党あり、改進党と左翼の自由党とは互いに反目排撃し合いその対立抗争が激しかった上に、帝政党一派の巧みな宣伝は世人をして自由党を恰も反逆の賊徒の如く盲信させようとしていた。

ある時サダは作太郎に従って演説会場へ行く書生の袴にポケットを縫い付け、そこに短刀を忍ばせて持たせてやった。万一の周到な用意である。志士の妻にふさわしい心遣いであり、朝の匂やかな花のような貞女のゆかしさが偲ばれる。

厳しい反面にゆかしい優しさをもった淑女である。徒々には琴を弾じ和歌も詠んだというが、その和歌が今は一首も残っていないのは残念である。恪は激務の折々にやはり和歌を詠んでいる。この心情もまたサダから享けたものであろう。

昭和三年十一月　御大典に参列のため京都にありて—

このほとり維新の志士や倒れけん木屋町の夜は静かに更けぬ
秋なれど八坂神社にぬかづける京の女に細き雨ふる
高御坐たゝせたまへる大君の邊にこそわれは死なんとぞ思ふ

サダは一八九一（明治二十四）年十二月九日、三十四歳を一期とし大阪で病死した。コレラに感染したのである。恪は時に九歳であった。

恪は生母の死以来、終生生母の好物であった柿と蝦は断ってこれを食さなかった。生母がこれを食べてコレラになったからである。この一事によっても九歳の少年恪にとって生母の死が如何に大きい悲歎であり、深い失望であったかを窺うに足る。

恪が父を尊敬したことは言うまでもない。同時に生母も彼にとって神近い崇高な存在であった。サダは出でては淑女、入っては貞女、子に対しては厳格にして優雅な慈母であった。恪にとって幼少の頃の生母の再び得難い記憶は何れも美しいものであったが、それが長ずるに及んで更に美化されて、終生その胸中に崇高なもの美しく雄々しいものとして生きていた。父は恪の思想であり信念であったし、生母は恪の希望の象徴であった。

サダの亡くなった翌年即ち一八九二（明治二十五）年三月、作太郎は後妻を迎えた。和歌山市新堺町士族横山直臣三女ノブである。ノブは二十五歳であった。

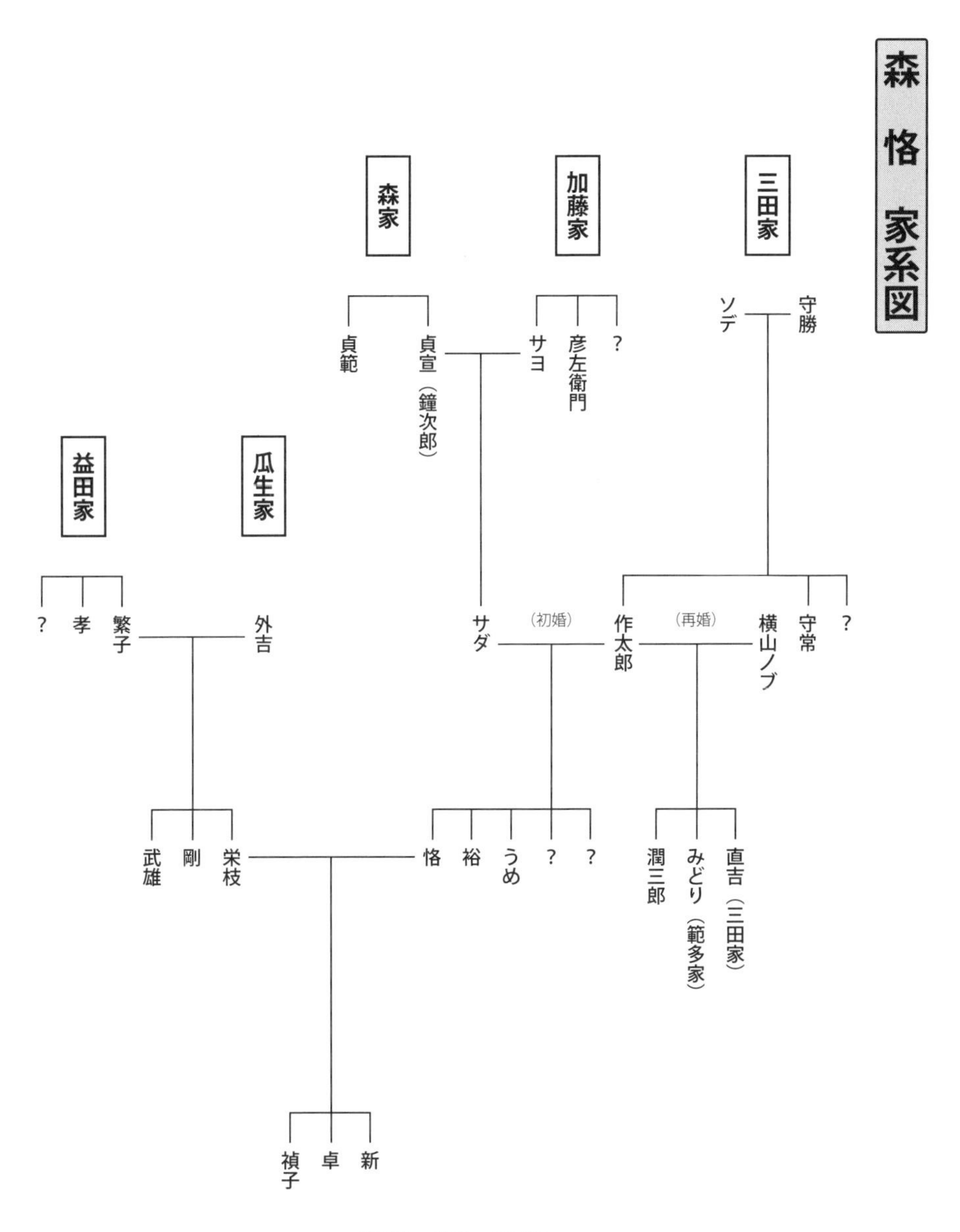
森恪　家系図
三田家
加藤家
森家
守勝
ソデ
?
彦左衛門
サヨ
貞宣（鐘次郎）
貞範
瓜生家
益田家
?
守常
横山ノブ
（再婚）
作太郎
（初婚）
サダ
外吉
繁子
孝
?
直吉（三田家）
みどり（範多家）
潤三郎
?
?
うめ
裕
恪
栄枝
剛
武雄
新
卓
禎子

資料3　森恪　家系図

ノブの実家横山家は江州佐々木苗裔横山伊豫入道久徳から出ている佐々木源氏の一族で、その子孫が紀州田辺藩に仕えた。直臣は直翁と号し、佐藤一斎を師として漢学を好くし、藩主の嗣子に漢学を教えた。

ノブは恪に三人の弟妹を与えた。一八九三（明治二十六）年九月に潤三郎、一八九五（明治二十八）年三月にみどり、一八九八（明治三十一）年八月に直吉がそれである。

五　足柄の加藤彦左衛門

森の生母サダは少女時代に一時、叔父に当たる相州足柄在の**加藤彦左衛門**に育てられ、その薫陶を受けた。図らずも後年その子恪もまた四歳から九歳までこの彦左衛門の膝下で成長する事となり、二代に亘り世話になったのは奇縁というべきである。

恪の少年期に重大な感化を与えた一人としてその彦左衛門の存在は見逃し得ないし、この人の人なりを語るにはその師二宮尊徳の教理を振り返ってみなければならない。

彦左衛門は二宮尊徳翁の門弟であった。

二宮尊徳は道徳と経済とを結びつけた人で後世の思想・経済両方面の学者に今尚数多くの貴重なる研究資料を残している偉人であった。理論家というよりもむしろ実践の人であっただけに、当時に於いてもその門に集まる者二千余を数えたといわれている救世主的徳望家であった。

二宮尊徳（通称・金次郎）は、一七八七（天明七）年相州足柄上郡桜井村字栢山村に生まれた。彦左衛門の福沢村とは同郡であり隣村である。

尊徳は、この世に蟠る悪と闘い、貧困と闘い、自然と闘い、遂に自分の健康を害して惜しまれつゝ一八五六（安政三）年、七十年の生涯を終わったが、その闘いは自然と調和し、人間と人間とが調和し合った一圓（いちえん）融合（ゆうごう）（万物は一つの円の中で互いに働き合い一体となることで初めて成果が現れる、という報得思想である）の一大理想を描こうとする努力に他ならなかった。

彼は恩の一字に生き通したのである。涙多き少年時代から日光山下に永久に眠るまでの七十年、それは唯父母の恩、君の恩、天地全体の恩に報いんがための止むに止まれぬ感謝報恩の「己を捨てつゝ人を恵む」生活であった。言い換えれば彼の一生は世の忘恩者達と闘い抜いたというに尽きる。

尊徳の教え、即ち報徳思想の構成は、一圓一元と報恩から成り立っている。尊徳はこう言っている。

「天地相和して万物を生じ夫婦相和して子孫生ずるが如くに宇宙一切のもの和合せざれば新しき発生も創造もなし、一切の事物は一圓融合すべきものなり」

天地三方の具足も宇宙一圓の存在であると言うのである。

また、

「変化変空元一　常苦常楽元一　本元唯一　神人歸一」

「天不知有晝夜　一天元悟無晝夜」

とも言い、即ち一圓一元であり、二つは一つで、一つは二つであるという。彼はこう詠んでいる。

見渡せば遠き近きはなかりけりおのれおのれが住處にぞある

また、報徳についてはこう言っている。

「本来勤苦を積んで徳を成すなり、徳の異名を恩という、恩の根元は徳なり、徳の根本は勤苦なり、一物をなせば一徳あり、一物を得れば一恩あり、即ち物あれば徳あり、徳あれば恩あり、物の徳を顕揚すれば徳に報ゆるなり」

尊徳翁の薫陶を受けた彦左衛門は、謹厳実直な百姓であり、無欲恬淡他人の世話を良くし、徳望近隣に聞こえた。妹サヨが江戸に邸を新築すると聞けば裏の持ち山から木を伐って送り、後に恪が支那へ渡ると聞いては米を売ってまで旅費を工面してやった。人に仁を施し邪はあくまで排した。これも尊徳の感化である。

尊徳は少年時代寒中に自ら冷水を浴びて己を鞭打ち勉学に励んだ人だけに、自分に対しても人に対しても時としては怒り、激しく鞭打った。彼の厳しさには小田原十一万石の城主大久保加賀守忠眞侯でさえ一歩も二歩も譲ったほどである。従って彦左衛門も厳格の名が高く「足柄の彦左」といわれ、争いごとにはいつも引き出されて調停役をしたほどの顔役であった。

そんな人だったので家庭に於ける少年たちの教育も厳しかった。ある時恪が近所の友達と庭の池に遊び彦左衛門の楽しんで飼っている鯉を釣って友達に呉れてやろうとした。彦左衛門は大いに怒り、恪はじめ二、三の子供たちを庭の柿の木に縛り付けて折檻した。恪が悪戯をしたり、聞きわけがなかったりするとしばしば物置小屋に監禁したり、冬でも裸にして凍るばかりの井戸水を浴びせかけたりした。子供達は雷爺と言って恐れた。

この彦左衛門から恪が教え込まれたのは第一に親の恩である。親への敬愛である。恪が後年、父作太郎翁の思想に傾倒したのは単に理論上からの共鳴からのみではない。あのようにも完全に思想を一にすることが出来たのは恪にとって親は絶対な存在であったがためであり、そのような敬親思想は少年期に早くも彦左衛門によって尊徳の報徳思想を注入されていたことに胚胎している。

恪は妹みどりにしばしばこう言ったことがあった。

「人間として第一の孝行は親や先祖の名を挙げることだ。兄さんもその第一の孝行を志している」

次には奉仕の思想である。己を捨てゝ人に施し世に尽くすのは、即ち己を富まし世を富ます要諦であるという思想を、彦左衛門は尊徳翁から次のような比喩を以て教えられた。

「盥(たらい)の中に水を注ぎその水を自分の方へ掻き集めるには如何にしたらよいか。先ず両手を以て水を手前の方へ掻き集めたらよかろうと考えるのが普通である。しかし実際には手前に掻けば掻くほど水は反対に向こうへ集まって行く。そこで今度はこれを反対に、先ず両手で水を向こうへ押す。すると向うへ押せば押すほど水はひとりで手前へ集まって来る」

彦左衛門はそうした奉仕の思想を恪に植え込んだ。恪が子供の頃人に物を呉れる癖があったのはそのためである。友達が遊びに来て欲しいというものがあれば彦左衛門の物でもなんでも呉れてやった。鯉を呉れようとして叱られたのもそれであった。

なお、恪は後にその長男新（あらた）に訓えている。

「人の物を欲しがるな、人の欲しいというものは何でも呉れてやれ」

こうして少年時代の恪に多大の感化を与えた加藤彦左衛門は一九一七（大正六）年十月、享年八十余歳で死んでいる。

《足柄の恪》

相模平野の西部を占める足柄平野は、北は丹沢山地、東は大磯丘陵、西は箱根外輪山の山々が囲み、南は相模湾に面している。最北部に当たる扇頂部からは丹沢山地から流れてきた酒匂川が平野に入り込み、東に流れた後、大きくカーブを描いて北から南へと貫くように流れている。そして南部には河口が存在し相模湾に注いでいる。西には酒匂川支流である狩川も流れ、平野の中央やゝ南寄りの地点で酒匂川と合流している沖積地である。この沖積地に沢山の村落が散在して足柄郡となっている。

従って一朝豪雨あればその激流は一時に猛勢を以て溢れ、怒号氾濫年々絶えず、古来その例余りに多く、大口堤、天命堤、坂口堤など、土木工業の跡も少なくない。一度決壊するや相模十一万石のうち、足柄五万石が悉く水浸しとなり、村落が水の中に島となって点在する。古くから足柄平野に吉田島、中島など、島と名の付く村落の多いのはそれ故である。

二宮尊徳が堤防工築に働く村民たちに草履を作って奉仕した有名な美談が残っている。その一八〇二（享和二）年六月の洪水の模様を一例として当時の記録を紐解いてみると、

「猛った濁流は株梗木土手を押し破り、上吉田島、天王森上より切り込み、曾比稲荷森西方穴部新田、穴尻へ押掛け、多古、井細田へ掛け、中島を通り、山王原、板橋を押し流して海へ出る。この洪水により足柄西部五万石の田畑田地は或は瀬となり、淵となり、或は砂入り高台と変じ、一粒の実りもなし」

福沢村字下怒田は小田原から三里、京都と江戸の間の動静が東海道筋の街道から噂の風に乗って直に伝えられる僻地の七十戸の小村で、裏は直ぐ山に続いている。

山は全山蜜柑畑である。加藤家でも裏山に蜜柑畑を持っていた。彦左衛門一家の丹精で、胃腸の衰弱が次第に回復すると恪は毎日裏山に登って遊んだ。こゝからは相模平野一帯が一眸の下見渡された。青々と繋った田の所々にこんもりと森をなして村落が散在している。北から東へかけて平野の中を酒匂川が延々と白い帯のように流れている。その向こうに丹沢、大山などの山々が青く霞んでいる。後ろを振り返ると西には足柄箱根の連山が屏風の如くに立てめぐらし、朝と夕にはその上に富士の頂がすっきりと姿を見せる。恪はこ

の裏山からの眺望を愛した。

恪は既に四歳であったが発育が遅れていたため、下怒田に来た当座はまだ乳を飲んでいた。彦左衛門の長男市太郎の妻の乳で育てられていたのである。市太郎にはお春（加藤一作氏母堂）という娘があり、恪より一つ年下であった。恪には右の乳、お春には左の乳が与えられた。お春がもし誤って右の乳にでも這い寄ろうとすると、恪は怒ってお春の髪の毛を引っ掴んで泣かせた。

「坊は賢い子でお春は阿呆じゃ」といって喧嘩するのであった。

足柄山麓へ来てから二、三年するうちに、恪は全く健康を回復して村の子供たちと同じ元気な少年になった。彼は眼に見えてヒロイックな事の好きな少年となった。七、八歳の頃からの彼には早くも祖母サヨから受け継いだロマンチックな血が身内に燃え上って来ているのであった。他人のやれない事でも何かやってみせようという烈しい冒険欲で彼の胸ははち切れそうであった。

かくして足柄の彦左衛門の膝下における思い出多い恪の生活は、四歳から九歳の秋まで約五年にして終わりを告げたのである。

一八九二（明治二十五）年一月、十歳になったばかりの少年の、母を失った悲しみと、勉学への希望との交々に錯綜した心を乗せて、汽車は一路東海道を東へ、帝都を指して出発したのであった。

第二章　修学時代

一　慶応義塾幼稚舎時代

《幼稚舎のチボ》

森の慶応義塾幼稚舎時代の保証人は当時日本橋区長をしていた仁杉栄五郎氏であった。仁杉氏は作太郎翁の懇意にしていた人である。

森は土曜日から日曜日にかけて仁杉氏の家に帰るのが習慣であった。東京で育った生徒たちの中へ入って行ったので異主人のような気がして淋しかった。だから土曜日が待ち遠しく、仁杉氏の家へ帰るのが唯一の楽しみであった。

足柄の田舎言葉と関西弁が混じり、東京の少年たちには聞きなれない言葉だったし、それにその風体がズングリと太って如何にも田舎染みた野趣があったので、初めの頃には言葉をからかわれたり、悪さをされたりした。

森は「チボ」と綽名された。大阪者だからというので大阪言葉で軽蔑的な綽名を付けたのである。学校でも「ツトム」と読まれずに「カク」といわれたらしい。

「チボ」はズングリとした風体へもってきて黄八丈の着物を着ていた。それが一層不調和な感じを与えておかしかった。黄八丈の着物の流行した時代であったが、東京の男の子供らは殆んど着ていなかったからケバケバしく派手で生意気に感じられた。だからそれを顰蹙（ひんしゅく）する感情も含めて揶揄的に軽蔑的に「チボ」とい

資料４　慶応義塾幼稚舎時代（１１歳）（出典：山浦貫一編『森恪』）

う綽名が生じたのであった。

《幼稚舎同窓の人々》

学窓での寂しさはしかしそんなには長くは続かなかった。何といっても環境に慣れ易い少年である。最初に出来た友人は同窓の**澁谷権之助**氏であった。彼は日本橋で問屋をしている豪商の息子で、生粋の江戸っ子で腕白だがさらりとした気性で森とは大層肌が合った。

澁谷氏の家は本石町で、仁杉氏の家は白木屋裏の仲鉄という料理屋の横丁にあり、近かったので土曜日から日曜日にかけて仁杉氏の家へ帰ると、森は自然と澁谷氏と遊ぶようになった。澁谷氏の家へ泊ることもしばしばあった。

浅草へは澁谷氏の案内で二人してよく遊びに行った。浅草公園の食べもの屋のことなどを詳しく知っていた。二人は寿司やてんぷらを食べた。十や十一歳の年頃の二人が酒を飲むことを覚えたのも浅草であった。食べもの屋に入ると森はまるで大人がするように女中にチップをやる癖があった。流石にマセた江戸っ子の澁谷氏もこれには一歩譲らざるを得なかった。幼稚舎の制服は七つ釦だったが、森は小柄なので六つしか掛からなかった。六つ釦の小粒な柄で酒を呑んで遊んだのだから随分オマセな少年であった。

前に述べた高木勤氏の子息潔氏も同窓で、彼とも親しくなった。高木氏の家が団子坂にあって、森はそこへもしばしば泊りがけで遊びに行った。やはり同窓の**田村羊三**氏（後の華北車両社長）の家も本郷にあってそこへもしばしば泊まった。ある夏休み中幾日かをそこへ泊り続けたこともあった。
潔氏の母堂も田村氏の母堂も我が子のように可愛がった。生母に死別し父親に遠く離れている少年が誰の目にも不憫に映った。その後続々と親しい友達が出来ていった。森は後年のあの烈々たる気概と燃えるような覇気を既にその当時から持つ剛情不屈な少年であった。誰にも負けまいとする魂があった。

幼稚舎では年少者六、七人が同室で、中でも澁谷権之助と田村羊三と**小柴英侍**（元小柴印刷所主）が最年少者であった。同窓ではその他に前記の**高木潔**（後の中日実業参与）、益田新世（後の王子製紙重役）、田村壽次郎（市村座主）、その他桜井信四郎（後の三越専務）、和田駿（後の南洋拓殖理事）らの諸氏がいた。

森は幼稚舎時代からの旧友とは終生親交を続けた。いずれも実業界へ進出した人々で、ある時代には互いに事業に協力し合った。例えば市村座再興の他にも、後に森が中心となって興した上海の東華造船株式会社にしろ上海印刷株式会社にしろ小田原紡織株式会社にしろ、いずれも前記の旧友の中の誰かがそれぞれ参画し或は株主となってその経営に協力したのであった。

森は子供心に将来何か大きな仕事をしたいと夢を見ていた。それには先ず金がなければいけないと思った。金を作るのには実業家に限るという考えを持っていた。当時は日清戦争前で我が経済界の躍進時代であった。森少年にもそれが反映しているのであった。もう一つには幼少から父母の膝下を離れ、転々と苦労を積んだ彼が一般の少年たちより早く金の有難さと必要を切に感じさせられたことにもよるのであった。
その当時の事、足柄時代の旧友加藤耕蔵氏（後の医学博士）と将来の希望を語り合ったことがある。

「僕は偉い学者になる」

「僕は実業家になるんだ」と森が言った。

「商人かァ」耕蔵氏は軽蔑的な口吻を洩らした。

「商人ならどうした」恪は肩を怒らして詰め寄った。

「金儲けだろう」

「金儲けがなぜ悪いんだ」

「学者の方が偉いぞ」

「じゃ、君は学者になれ、僕はきっと大実業家になってみせる」

「そんならどちらが先に目的を達するか競争しよう」

「しよう」

二人は堅く約束した。


明治になってから僅かに二十四、五年、士農工商といった封建時代の階級観念がまだ世間一般には固陋として沁み込んでいた当時である。商人というと未だ卑しめられ、金を儲けるとか、実業家になるというと、兎角知識人に軽蔑されがちであった。学問を志す有為の若者は、競って学者か官界を目指すという有様であった。

森もそれを知らないではなかったが、しかし金儲けをしようという望みを堅く持して曲げなかった。幼稚舎を卒業したのは一八九三（明治二十六）年三月、時に森は十一歳であった。

二　大阪師範付属小学校高等科時代

幼稚舎で小学校課程を終えた森は再び懐かしい父の膝下に帰って行った。

「森が大阪へ行っちゃうんだとさ、つまんねえな」

「権ちゃん」の澁谷権之助が寂しそうである。田村羊三も小柴英侍も高木潔もみんな同感であった。

森も又兄弟のようなこの親友たちと別れるのが辛かった。先には足柄の少年たちと別れ、今また東京の友達と同じ思いを繰り返さなければならないのである。

「夏休みには遊びに来るぞ」

新橋駅まで見送りに来てくれた親友たちに、打ちしおれた素振りなど見せたくなかった。

「おい、みんな、偉い実業家になってまた助け合おうじぇ」

動き出した汽車の窓から、森は元気に手を振った。


一八九三（明治二十六）年の四月から、森は大阪市西区江戸堀の父の許から大阪師範付属小学校高等科第一学年に通ったのである。

もう幼年ではなかったので、足柄の小学校から幼稚舎に転校した時ほど悲しさは味わなかったが、東京の少年の生活に馴れた森には大阪の少年の気風や習慣には直ぐには馴染めず、何かにつけては幼稚舎時代を懐かしく思い出すのであった。

同窓には片岡直方（後の大阪瓦斯社長）、吉岡重三郎（後の東宝社長）、小野鑑正（後の工学博士・東大教授）の諸氏がいた。師範付属は秀才揃いだったが、その中でも森の成績は抜群であった。

《漢学を学ぶ》

慶応幼稚舎は東京の小学校中でも進歩的な教育方針を採っていた。特に英語の教育に力を注いだ。従って森も英語は得意であった。父作太郎翁は、常に英書やドイツ書に親しみ、先進諸外国の文明思想科学知識に絶えず接触した人だけに、我が子の外国語に対する知識とその進歩とを喜んだことは勿論である。が、一方では、当時の青少年がひたすら外来新知識の吸収にのみ憧れ、やゝもすると肝腎な日本古来の学問精神乃至は東洋思想の閑却されがちな本末転倒の風潮を密かに歎じていたのであった。

幸い後妻ノブの実父横山直翁は紀州の有数な漢学者で常時大阪に在住していたので、付属に通う傍ら森は直翁の塾で漢学を学ぶことになった。

直翁の許にはノブ、恪、ノブの姉の子供二人と合わせて四人揃いで通った。直翁の不在の折にはノブが代講した。

一時は森とノブの姉の二人の子供が直翁の家に寝泊まりしながら懸命に学び競ったことがある。

当時の直翁の妻（ノブの母）がノブに語ったことがある。

「他の二人はいつも勉強の後でランプを消すのを忘れて寝てしまうが、恪だけはどんなに疲れていてもちゃんとランプを消して寝る」

同じ十歳前後の少年であっても、森は早くから他人の中で育ち、特に幼稚舎で規律正しい経験もあったので、ちょっとしたところにも注意深さが表れたのである。

《日清戦争と海運景気》

一八九四（明治二十七）年四月には第二学年を飛び越えて第三学年に編入された。抜群の成績だったからである。

この年の八月に清国に対して宣戦が布告された。**日清戦争**である。大阪の小学生たちも日々出征兵士の歓送に忙しかった。皇軍は連戦連勝、九月には平壌を陥れ、黄海海戦に敵艦を葬り、十一月には旅順陥落、越えて一八九五（明治二十八）年二月には威海衛を占領し、皇軍の向かう所敵なく、清国は降って講和が結ばれ、四月に至って遂に日清戦役が大勝裡に終結した。

戦争によって押さえつけられていた人心は解き放され、国民は戦勝に酔った。政府は戦後経営と称して財政に軍備に積極的膨張を策した。従って同年後半期に至って早くも株式界は熱狂時代を現出し、一般財界もまた活況を呈した。かくて翌一八九六（明治二十九）年に入るや景気はいよいよ上昇して企業熱は全日本を覆った。

それには政府並びに日銀当局の積極的な企業勃興煽揚政策が与って力あった。その結果鉄道、銀行、綿糸紡績などの事業がそれぞれ目覚ましい発展を示した。当時の調査によって計算されたところによると、鉄道は実に新企業計画全体の五八・三％を占め、銀行は一四・九％、残り二六・八％が諸会社で、その中の少なからぬ部分が綿糸紡績会社であった。

特に華々しい活況を呈したのは海運業であった。戦前に第一次産業革命を経験し国内市場を一応形成した日本資本主義が、航海網をある程度に準備して来るべき海外発展の礎石を築いたのは日清戦争がその契機となっている。

政府は一八九六（明治二十九）年四月、航海奨励法及び造船奨励法を制定して海運業の保護発展に努めた。日本郵船会社の欧州航路が開かれたのはこの時であった。次いで米国航路、十月には豪州航路、支那航路が開かれ、大阪商船会社も同年五月に台湾航路、一八九八（明治三十一）年に南清航路、朝鮮航路を開き、東洋汽船会社も一八九六（明治二十九）年七月に創立され、後に東洋汽船に合併された大東汽船も横浜に計画されているという盛況で、我が国の外国航路は殆んど全てこの好況時代を中心として創設されたのであった。

また一八九四（明治二十七）年七月には日英通商条約、次いで日米通商航海条約、日印通商航海条約、翌年には日露通商航海条約、更にその翌年にはスウェーデン・ノルウェーとの通商航海条約、ベルギーとの通商条約、日仏通商航海条約などが調印締結され、一八九七（明治三十）年には関税定率法、保税倉庫法、重要輸出同業組合法が発布され、金本位制（下巻付記参照）が実施された。かくて海運網の確立と海運業の発展を通じて我が日本資本主義は初めて世界資本主義の檜舞台に登場したのであった。

この未曽有な海運景気、産業の海外発展の様相が当時の青少年の心を刺激し、影響を与えたのは当然といわなければならない。

それが少年森の上にどのような形で現れたのであろうか。

《南洋征服の夢》

森は勉強に厭きたり、暇があると世界地図を広げて眺めていた。赤鉛筆で地図の上に印を付けたりする。世界地図の上に英雄的な空想の翼を広げ、少年らしい雄志の設計に楽しみ更けるのである。日清戦役後の飛躍的な我が国海運業の発展は日本国民の心を広い海洋への憧れへと誘った。

人々は眇々たる太平洋と、その片隅に浮かぶ小さな島が我々の祖国であることを改めて認識するのであった。若い血に燃える青少年たちの夢と憧れは海洋へ翔り、海外雄飛の思想が遍く彼らの時代の流行を色彩った。太平洋、船、南洋群島、未開地、土人、それらを巡って少年の冒険心が躍り、果て知れぬ空想が広がっていくのであった。

学友が遊びに来ると森の部屋は密閉された。

「英語の会話を練習するために日本語は絶対に使わないのだから誰も入って来てはいけない」

叔母や女中の出入りを厳禁するのである。叔母たちがこっそりと覗いて見ると、森は例の世界地図を机の上に広げ、太平洋のあちこちに付けた赤鉛筆の印を示して友達と何やら熱心に密談を凝らしていた。それは太平洋を日本の領海にしてしまおうという素晴らしい計画であった。彼らは今や輝かしい冒険心と英雄的興奮に胸を躍らせ眼光を燃やして夢中なのである。森は自分の部屋を南洋征服の参謀本部とし、自分を首領になぞらえて同志の糾合獲得に活躍していたらしい。

三　北野中学校時代

《森の風貌》

かくして日清戦争の最中に森は小学校高等科を終え、同窓の片岡、吉岡両氏と共に一八九六（明治二十九）年四月、北野中学校に入学した。

彼は東京で江戸っ子の感化を受けはしたが、根強くも彼の中に根を張ったものは野人らしい粗野と無頓着さである。それは大阪の少年たちの中に混じってもやはり失われないのであった。足柄で幼児期を育ったからだけの故ではなかった。第一彼の風体からして野人的で小豪傑的であった。祖父貞宣（鐘次郎）や平将門を先祖とする三田家の血であったかもしれない。

癖のある個性的な森の面貌は、中学生たちに無言の威圧を与えると同時に、一方では物好きで悪戯盛りな彼らの特殊な興味の対象となった。

大阪電気軌道株式会社在勤の浅野茂氏は十五歳の時から作太郎翁の弁護士事務所で書生をしていたが、他にも書生がいる中で森とは同年輩という関係上兄弟のように親しかった。森はある日、次のような心境を和歌に詠んで浅野氏に与えた。

人々我が身の骨格をそしりなせし故その人に与えける
八重一重　花は変えれど山桜　日出づる国の鑑なりけり
心のみは　錦なりけり我が面　磯うつ波に荒みぬるとも

森は浅野氏をある時は水泳に誘ったり、ある時は芝居見物に連れ出したりした。日清戦役勃発以来勇壮な軍歌がはやり、文明開化から以来下火になりかけていた漢詩の吟詠が再び流行し、学生の気風も押しなべて尚武の精神に富んでいた。森は幕末維新の人物の中で最も西郷南洲（隆盛）が好きでしばしば南洲の詩を愛誦した。それから南洲が詠んだ琵琶歌「夫れ達人は大観す、抜山蓋世の勇あるも、栄枯は夢か幻か」というのを朗々と吟ずるのが得意で、一緒に外出すると途中で浅野氏はよくそれを聞かされるのであった。

次に掲げる手紙は、森が十七歳の時、浅野氏に書き送ったものゝ一部である。

男子生まれて四方の志あり、人生僅かに五十年この間宜敷一大事業をなすべし悲しむべし帝国小にして余の志を満たすに地なし然れども独り帝国のみならず宜敷これを天下に求むべしそれ人間至る所に青山あり骨を埋豈墳墓の地のみならんや余は将に兄と共に計あり而し余と兄とは百五十里の地を隔て意を通ずるに便ならず故に余早く学業を終え資を求めざるべからず兄果して余の言うところを入れ以て他日大に成すあらむとせよこれ書を兄に致す所以なり余この小地に於いて小功を争はむより不如将に南洋に領土を占めこれを陛下に奉らんには、もし至尊余の請を入れずんば知らず余これが王となり以て○○（二字不明）たる一王国を建てむとす、豈んや我が小帝国をや、兄それ一大快事ならずや君余の志を知らんと欲すれば、明治三十年六月博文館発行の『太陽』臨時増刊を求め（古本屋にあり）浮城物語を読み特に第六回大事業の一節を見よ君今日のところ兵学校或は東京商船学校に入りその備えをなせ、余兄の返答を聞きこれが手続きをしさん、以上の事余の作るところなり、言わんと欲するところ挿し如し

謹言

明治三十一年四月十七日

恪　拝

茂　君　机下

落　桜

おしけれど　散りゆくならい山桜　うつらふひまに　功をたてなむ

余両親様事務員等に宜敷

この手紙について浅野氏は次のように述懐している。

「この書簡は非常に面白いと思い僕がその後日露戦争に従軍の折も行李の底にあり、爾来手許に保存して置いた。文中にある如く『余の父たりとも洩らす勿れ』とあったゝめ誰にも発表しなかった。僕は日露戦争後再び作太郎先生のお世話になり森家にも親しく出入りしていたが、恪氏は間もなく政界に飛躍し追々境遇の変化によってますます疎遠となった。

然るに、大正九年八月、作太郎先生は小田原で大患に罹られた。今は恪氏も社会的有力なる存在であり、少年時代の恪氏について老先生も興味あることゝ思い、病床を慰めるためこの書簡を先生に送った。小田原の病先生は果たして喜ばれ左の御返事があった。

拝啓　老生病気御見舞被下奉謝候　先月来大患に罹り困難致候　しかし昨今大に快方に赴き候間御休心被下度候　君は不相変大阪に於いて大に用いられ居られるゝ由　老生に於いても相悦び申候　自分は昨年来特に病身に相成り申候　二十二年前の恪の手紙御送り被下難有存候　少年の大志何人も有之候得共これを実現し得る者は甚だ少し、年を取ると追々その志小となるものに候　少年の間は大志ありてそれで年を取るとちょうど良いものに成るが通常に候　但し恪の将来は結局どうなるかまだ未知数に御座候

先日は御菓子頂戴奉謝候　巳上

八月十九日　森

浅　野　様

尚、僕が恪氏に最後の面会をしたのは、昭和六年の十一月であった。朝、千駄ヶ谷を訪問した。氏は『君の事は大軌の種田君と打ち合わせてあるから心配せぬがよい。今に良いことが来るよ』との話であった。大阪方面の事など話し合ったが『犬養を訪問する約束があるから』との事で約二十分にて辞した。今に良いことが来るよと言ったのは政友会が内閣を組織する事であったことが後に判った。

爾来面会の機会なく、遂に悲しい昭和七年十二月十一日が来たのである。十二日に夜行で上京、十三日の

通夜に間に合った。未亡人から、僕宛の書簡が控間に貼り出してあると聞かされた。友人がその控間に案内し、僕を通夜の人々に紹介せられた。通夜の人々は『書簡中にある太陽の浮城物語とはどんな事であったか』と尋ねられたが『何分三十年程前の事ではっきりした記憶はないが、海賊の話ではなかったかと思う』と答えた。すると誰かが『森君らしいところがあるね』と言っていた。この手紙は作太郎先生に送ってから更に十余年後、恪氏最期の時再び見たのである。翌昭和八年二月桜咲く頃、未亡人から送り返されて来た、僕には因縁深い書簡である」

《浮城物語》

十七歳の少年森に南洋征服の夢を抱かせるに至った『浮城物語』は、明治文壇の異彩矢野龍渓の作として一八九七（明治三十）年、博文館創業十周年記念として発行された雑誌『太陽』臨時増刊（第三巻第十二号）に発表、掲載されたものである。

中には当時第一流の作家の小説七編と一つの評論が集録されている。即ち坪内逍遥の『當世書生気質』、饗庭篁村の『當世商人気質』、二葉亭四迷の『浮雲』、矢野龍渓の『浮城物語』、幸田露伴の『大詩人』、森鴎外の『埋木』、尾崎紅葉の『二人女房』と高山蘇牛の大論文『明治の小説』である。

明治文壇の大家たちのしかも今に尚名作として知られている代表的な小説揃いであっただけに、その『太陽』臨時増刊は明治文学研究者たちの間に貴重な資料として不朽の名が伝えられている。

資料５　雑誌『太陽』明治３０年臨時増刊号表紙

さて、問題の『浮城物語』はロバート・ルイス・スティーヴンソンの有名な小説『宝島』の翻案で、明治末期の有名な冒険小説家押川春浪の数多の冒険小説の基本をなしたものと伝えられている程有名である。

森はすっかり魅せられた訳である。この一篇が当時の青少年の血を如何に湧き立たせたかは想像に余りある。

森が浅野氏に手紙の中で指示している「第六回大事業の一節」を抜粋してみよう。

> 第三日は好天気。海上無事。船少しく東南に向かう。午前十一時に至りて、一簇の島髣髴として舷頭に現るゝを認む。間もなくこれに近づけば周囲里余をその最大なるものとし、点々相い連ぬる船その間を過ぐ。航路特に危険なり。最大の島三個相い密接して鼎峙し、その中間は盆の如く一つの良好湾を形づくれり。余の船は中央に乗り込み錨をここに投じたり。海図により船長の説くところを聞くにグリーガン群島の中なりと覚ゆ。南緯二十度東経百四十度七分の所にあり。昨日以来漸々暑熱を覚え、今日は気候恰も日本の旧暦四月の末に似たり。船中の人皆衣を更え服を改む。我が船を囲環する三個の島は所々に灌木茂生すれども一つの大樹なし。船に近き最大島には稍や平坦なる磯辺あり、磯辺より山麓までに方五六町の平地有て海浜に陵夷す。物珍しや思いけん唯海鴎の群飛して頻りに船の前後を廻り翔る他は一物の目を留むべきなく、一個の無人島なりもし船舶を失はば我々はこれ百余人の俊寛（しゅんかん）。翌日は又好天気、この日両先生より、船中一同海辺に上陸すべき命令あり。又後刻酒肴食物を運搬すべき命あり。午前十一時に至り皆上陸す。総員百二十余名。毛布を芝生に並べ団欒環座す。両先生は相並びて洋式の三脚胡床に踞し、余はその後ろに地図二軸を携え蹲踞せり。立花先生一同に向かい、佐良先

生より重要の談話あるべき旨を伝う。こゝに於いて皆々跪座し形を正しくす。この日は晴朗にして風なく、磯打つ波すら唯だ時にピチャリピチャリと苔着きたる岩頭を洗うのみ。衆皆粛然たり。佐良先生胡床を離れ少しく進んで左の物語を説き出せり。

我々の事業は諸君已にその大要を承知するならん。今日まで憚る所ありて我々も未だその詳細を語る得ざりき。今やこゝに於いて委細を説明すべし。諸君が去就を決するも又この時に於いてすべきなり。

それがし熟々考えるに、我々已にこの地球に生まれ来りし以上は、又この全地球を横行するの自由あるべし。豈その日本に生まれたる故を以て、その働きを日本のみに限るべきの理由あらんや。見よ我々の眼前に横たえる海洋はこれ天の我々をして地球を横行せしむるの道路なり。五大州中何れの所か天の我々に蹂躙を許さざるの地あらんや。我々は已にこの地球に生まれ来れり、将にこの全地球を以て一舞台とし、稀世の大業をなすべきのみ。何ぞ必ずしも日本のみに跼蹐たらん。諸君は僅か三百騎のコザック兵を以て亜細亜全州に半ばするシベリアを略有しこれを露帝に献ぜし英雄あるを知れりや。又微々たる一商会を以て印度の大半を略有せし人物あるを知れりや。又僅か二百余人を以てメキシコの帝国を覆せし豪傑あるを知れりや。又六十余の兵を以て白露の王国を侵略せし英雄ピザロウあるを知れりや。今我々の一行は総員多きに非ざるも尚百名の上に出づ。計画苟も宜きを得ば何ぞ大業を成すに難からん。人生朝露の如し。仮令日本の一隅に退縮して黄老養生の道を求むるも、豈能く百歳の命に越んや。骨を埋むる青山いずこにあり、世界何の辺か墳墓の地なからん。西洋人種は地球を以て功名の地となし日本国人は自国を以て功名の地とす。痛歎に堪ふべけんや。昔神宮（じんぐう）皇后、異域を征すと雖もその事藐焉たり、虚実保すべからず。豊公、師を海外に出すも又寸土を加ふる能わず、嗚呼何ぞ古より我が国人の小胆なるや。彼の西洋人種の偉業を立つる者多きを考ふれば日本人は顔色なしと言うべし。日本千古の英雄中、我々の心事を知る者は只だ一個の猿面公あるのみ、他はこれ蠻触、数ふるに足らず。我々今将に全地球を蹂躪して無人の地を席捲し、日本に幾十倍するの大版図を拓て以てこれを、陛下に献じ我々請うてその他を鎮せんとす。もし不幸にして日本の国力これを所有するに勝えずんば、我々諸君と共に自らその地に王たらん。彼れ西人はかつて一兵を置かず唯一竿の国旗を無人地に建てゝ曰く、これ我が版図なりと。かつて一村を植えずその海客一たび足を入るゝの地を目して曰く、これ我が領土なりと。何ぞその傍若無人なるや。我々今さって無主の地を略し、微弱にして自立する能わざる邦国を征服するも何の不可があらん。万国公法は論なり、法にあらざるなり。もし先取を以て所属の権利を定むると言わば、我々は先取るべきの地あり。もし守衛の力以て所有の権利を生ずと言わば、我々の武力以て守るに足るの地あり。諸君それ能く我々と死生を共にしてこの大業に従がうべき乎。

余は諸君の心中実にその好むところを取らんことを欲す。敢えて強いざるのみ。よって今日正午より明日正午まで二十四時間、篤く熟考あらんことを望む。明日正午、甲板上喫煙遊戯室の卓上に一の連判帳を備え置かん。同夜十二時迄に余と死生を共にするの士は各々その姓名を記入あるべし。云々。

作中、佐良先生の説明演説は尚も続くのであるが、その計画というのは、ひと先ず香港に立ち寄り、ルソン、ボルネオ、ジャワ、スマトラの諸島を巡航して船中の荷物を売り渡し、各地の産物を安く買い取ってその間莫大な利益を上げ、更に一隻の新艦を買い入れ、兵備を整えてインド洋に乗り出す。すると南緯四十度東経六十度の地に一島あり、先ずその島を占領する。その島の広さは我が対馬くらいで、これを名づけて海王島と称し、この海王島を根城としてマダガスカルを略有し、更に中央アフリカを侵略しようというので、翌日連判帳が出ると直ぐに部署が定められ、「大統領」とか「陸海兵事総理」などという物々しい役割が決まって、いよいよ海賊兵団が組織される。

森が浅野氏に兵学校か商船学校に入れと言ったのも、浅野氏を海賊船の船長として、森自身は大統領たらんとする空想を描いていたのであろう。『浮城物語』から思いついて計画された森少年の南洋征服の空想は勿論冒険小説的海賊ロマンスとして実現はされなかった。森は南洋の王様にも領主にもならなかった。しかし後年、その空想が彼の抱懐する大陸政策と関連し第三篇第六章第二節「南海漁業公司」に記述するような南洋開発計画となって具現したことを特記しなければならない。欧州大戦後日本の委任統治となった南洋方面に率先して人を派し、漁業工業などの資源調査に着手したのは、即ち往年の小海賊首領森恪であった。

四　商工中学校時代

一八九八（明治三十一）年三月、森は大阪を去って再び東京に出て、四月に商工中学校第三学年に転校している。

喧嘩をして北野中学に居られなくなったのだともいうが、確かな理由は不明である。或は幼稚舎時代に出来た友達ほどしっくりと気心の合った学友が得られず、澁谷、小柴、田村らの旧友懐かしさのあまりであったのかも知れない。

とにかく北野中学を退いた時に、両親が継母ノブの郷里和歌山市の和歌山中学に転校させようというのを、森は見知らぬ和歌山へ行くくらいなら思い出多い東京へ出たいと申し出たのであった。

伯父の森貞範氏が丁度商船学校を卒業し、結婚して麹町平河町に家を持ったばかりの時であったので、作太郎翁は貞範氏に手紙を書き「恪はどうしても東京へ遊学に出るというのだが、お前の家に置いてくれるのなら東京へ出しても良いがどうか」と相談すると、貞範氏は早速承諾し、そこで初めて上京が許されたのであった。

商工中学校は丸ノ内大手町にあった。同校は一ツ橋にある高等商業学校の予備門のような学校で、将来高商を志望する者が多く入学していた。後に一九一七（大正六）年赤坂中学と改称され、更に一九三〇（昭和五）年日本大学第三中学と改称されている。

森は一九〇一（明治三十四）年三月の第八回卒業生である。同窓生には山田（旧姓島田）慶三郎氏（後の南洋アルミ監査役）、稲山常勝氏（後の大正鉱林取締役）、車谷馬太郎氏（後の日本信託銀行常務）、日比谷平左衛門氏（後の相模紡績社長）、**江藤豊二**氏（後の中日実業重役）らがあった。後の東京芝浦電気会社副社長田島繁二氏は一学級下で第九回の卒業生であった。

森は商工中学校時代の成績も優秀で特に英語が得意であった。

資料6　商工中学時代（１９歳）（出典：山浦貫一編『森恪』）

――江藤豊二氏談――

私は森君と、商工中学の同クラスであった。この学校は妙な学校で、先生と生徒とは階級を超越して同じ気持ちで付き合ったものだ。私が三年の第二学期に同じ机に並んだのが森君であった。それで初めて親しく交際するようになったのだが、森君はその当時から異彩を放っていた。当時森君は英語の勉強に特に熱心で、別に個人教授の先生について勉強していた。

《豪語と発奮》

中学課程を終える頃の森の第一志望は海軍兵学校であった。

小学生時代から実業家を夢みていた彼であったが、途中から軍人に憧れるようになったのはやはり日清戦争の刺激によったものと考えられる。しかし近眼だったので第一志望は断念し、高商を志した。

森は二度高商を受験している。入学試験を受けたのは商工中学第五学年在学中の明治三十三年度と、翌三十四年三月に同中学を卒業した年である。

森はしかし二度とも不合格であった。卒業の時は二番という優秀な成績だったのだが、彼よりも成績の悪い級友が数人合格した。

第八回卒業生は六十七名で、そのうち高商に入学したのが七名であった。

試験の答案が殆んど全部出来たのに不合格とは納得出来なかった。一度ならまだしも二度なのだから不審に思った。名前を見落としたのではなかろうかと、掲示場に発表された合格者の氏名を繰り返し繰り返し念入りに調べたがやはり自分の名は出ていなかった。名前を書き落としたのではなかろうかとも思った。

それで学務課へ押しかけて行って、

「満点近く出来たのに合格しないとは何事だ……」と抗議した。

係員が一応調べてみることになった。すると他の学科は殆んど満点に近く出来ているが、習字が悪いので不合格になったことが判った。字が下手なのではなかった。細字の試験だったのだが、元来森は細字が嫌いで堂々と太文字を書いて出していたのであった。

「字を大きく書いたからといって合格しないとは、入学試験とは何と下らんものだ！」

森は腹立たしくて仕方なかった。そんな下らぬ理由でハネるような学校に誰が入ってやるものかと思うのだった。

彼は憤然として学舎を出ると校門の表札に向かって、

「今に見ろ、俺は必ず偉くなって、高商を出た奴らを顎で使って見せるぞ！」

持っていたインク壺をバーンとばかり赤煉瓦の塀に叩きつけ、昂然と肩をそびやかして立ち去るのであった。

中でも癪に障ったのは一学年下の田島繁二氏が見事に合格したことであった。そこで森は田島氏を捉えて豪語した。

「貴様よりも俺の方が学問は出来るのだが、貴様がパスして俺が落ちるんだから、俺はあんな変ちくりんな学校へは入らん。だが貴様が高商に入っても、今に見ろ、俺は必ず貴様よりも先に偉くなってみせる」

森は約束したこと、宣言したこと、決意したことは必ず成し遂げなければ止まなかった。

《伊庭塾に入る》

森が浅野氏に手紙を出すときには必ず和歌を書き添えたように、折に触れて和歌を詠んだ。中学時代には正岡子規の門を叩いて俳句を学んだことがあった。

歌や句に親しんだのは一つには母の愛に飢えた寂しさからでもあった。継母からはどんなに努めても温いものが感じられなかった。一方では、頻りと悪友と交わり小使い銭の使い方も荒く、次第に不良染みた傾向に外れて行き出したことからも想像がつく。詩歌に親しむ純粋な心境とこれとは一見撞着するが如く考えられるが、実はその起因を一にしているもので、要は母のない遣り場なき寂しさが二つの方向に現れたのであった。

不良少年的傾向について森を預かっている大伯父森貞範氏が密かに心配し、誰か確りした監督者の手に委ねなければならぬと大阪の作太郎翁に相談した。これには父作太郎も大いに心を傷め、直ぐに上京して来た。幸い明治の奇傑**笹間洗耳**(ささませんじ)氏が作太郎翁の先輩であり友人であったので、森を伴って笹間氏を訪れた。

「男子は継母くらいで参ってはならぬ」

初対面の笹間氏が森に言った最初の言葉がそれであった。

笹間翁は一瞥して万事を見抜いたものである。この一言には森も肺腑を突かれ、眩しくて翁の顔を良く見られなかった。「自分でも気が付かないでいたのだが、自分がぐれだしたのは結局生母のない寂しさからなのだ。継母に対するひがみに過ぎないのだ。この事は既に『継母』というものに敗北したことになる。これではいけない。男子らしく奮い立たなければいけない」。森少年はしみじみそう考えた。笹間氏との会見は森にとって甚だ意義深いものがあった。森が危ない断崖から引き返したのは笹間氏の感化に与って力があった。

笹間氏は作太郎翁に、

「短所を矯正するのも良いが、それはむしろ応々にして長所を委縮して、その人間の成長を妨げる。長所を伸ばしてやるに如くはない。御子息は聡明な少年と見受けた。不良少年になる心配はあるまい」

といって即座に引き受けた。

その晩笹間氏は家人に向かってこう言った。

「あの少年は見どころがある。今に大成するだろう」

そのうちに森は大伯父貞範氏の家にいるのが次第に気詰まりに感じられてきた。自由な学生生活を監視されているようで煙たいのであった。自分に引き換えて他人の家に下宿している学友の生活が自由に見えて羨ましかった。森はある日大伯父に向かって他へ下宿したいと申し出た。その下心を察した貞範氏は急いで大阪の作太郎翁へ手紙を書いた。

父作太郎からは森宛てに、

「どうしても他へ下宿したいというのなら伊庭の塾へ入れ。所縁もない素人下宿に移ることは許さない」

との返事があった。

森はそれも良いかも知れないと思った。親戚の者達に束縛されずただ我慢放縦な生活がしたいというのではなく、心気も環境も転換させて勉強したいというのが念願だったからである。

そこで森は一年余り寄宿した大伯父の家を去って**伊庭想太郎**の塾に入った。伊庭塾は一刀流の剣道の稽古と精神修養の道場で、門下生は主として旧幕臣の家の子弟であった。作太郎翁も幕臣の生まれであり、森を伊庭塾へ入れたのもその因縁によったのである。

しかし森はわずか一年にして同塾を去った。塾生活が厳格過ぎて居着けなかったがためではなかった。伊庭想太郎を師とするに足らずと観たからであった。果たせるかな間もなく一九〇一（明治三十四）年七月、伊庭想太郎は星亨（衆議院議長歴任。後に立憲政友会の結成に参加し、第四次伊藤内閣の逓相となる。東京市議会議長在職中）を刺した。

その事件のあった時、森は人に語っていた。

「やはり僕の観察は誤らなかった。伊庭先生は偏狭な人であった」

その後、どこに下宿したか分らないが、麹町区飯田町の松岡とみ氏方に数ヵ月間居た事実がある。松岡氏は、後の台湾銀行香港支店長工藤耕一氏の実母で、工藤氏はその関係から森と交際があった。

《大陸雄飛の決意》

父は森の高等商業志望はあまり賛成ではなく、法律か政治を勉強させたかった。父の志を子に継がせたいからであった。

しかし森は第一志望の軍人を断念してからも、第二志望の実業家になろうという希望は頑として曲げなかった。ところが幸か不幸か高商入学試験には二度とも失敗したので、父はこの機会に元来の希望を叶えようとして、大阪江戸堀南通りの関西法律大学へ入学を勧めたが、

「学校へは入らない、商人になるんだ」

と言って承知しなかった。

実業家になるのに学校など要らぬと口には言っても、実は高商入学試験の失敗がひどく堪えているのであった。だから学校出の者には負けまいとすれば、それだけ実際的な修業を積み上げなければならないと思った。

商人に成ると一口にいっても、こんなちっぽけな日本内地では翼の伸ばしようがなかった。内地を地盤にするのにはもう遅い、森は笹間翁からしばしば「**日本人は日本の将来の存立上、支那大陸に発展して未開の宝庫を開発し、支那と提携しなければならない**」と聞かされたことを卒然として思い出し、

「そうだ、支那だ、支那大陸へ行くんだ！」と膝を叩いた。

そして森は父にその決意を述べた。ある日作太郎翁は所用で東京へ出たついでに笹間洗耳翁を訪ねて相談した。

「恪は仕様のない奴だ。もっと学問をさせようと思うんだが、学校は嫌だ、支那へ行きたいと言ってはきかぬ」

笹間翁は、

「しかし学問をするだけが出世の道ではない。有為な人物とするには個々の長所を伸ばすに如くはない。恪君は見どころがある。きっとものに成る、支那へやった方がよかろう」

作太郎翁は初めて、森を希望通り支那へやる決心をしたのであった。


当時三井物産上海支店長をしていた**山本条太郎**氏は作太郎翁の友人であった。そこで、倅が支那で働きたいというが何か適当な仕事がなかろうかと、山本氏に依頼状を書いた。山本氏からは折り返し返事があって、「丁度今、上海支店では支那修業生を募集しているから兎に角それに応募してみてはどうか。合格した後の事は自分が引き受ける」との返事があった。

森は勇躍してその試験に応じた。結果は見事に合格し、直ちに修業生に採用されることになった。

《笹間洗耳翁とその薫陶》

笹間洗耳翁はもと中山鐵太郎といって紀州藩士であった。幼児期に三井寺の雛僧にされたが十一歳の時出奔して江戸へ出て、九段にあった幕末三剣士の一人斎藤彌九郎の塾で十五歳まで修業を積んだ。斎藤塾は厳格の名高き「練兵館」を以て聞こえていた。その中でも彼は麒麟児として多くの先輩を抜き副塾頭に抜擢された。名剣士桂小五郎の名で幕末の風雲に名を謳われた木戸孝允が塾頭であった。
十七歳にして彰義隊に入り、上野で破れて潰走し、榎本武揚の軍艦に投じ五稜郭の海戦も利なく、遂に捕らわれて獄に繋がれた。

既に時代の趨勢を悟り、獄中にあっても専ら海外の事情に通ずることに努め、読書に耽るうち、しばしば蘭書によって、日本も又海外先進国と同じく産業によって国を立てるべきであることを悟り、活然として志を産業方面に展べ以て国に報いようと決心した。先に彰義隊長だった澁澤成一郎氏は後の明治財界の立役者となった人だが、笹間氏の決意には一方に於いて澁澤氏の感化も多分にあったといわれている。

のち釈放されて徳川家冊封の駿府に赴くや、安倍川畔向色地に地を興して茶畑桑園を拓き製茶製糸事業に着手した。今日静岡県下における製茶業の趨勢は清水港の輸出額の巨大と相俟って我が国産業の矜持とされているが、笹間翁はいわばその草分けであり功労者の一人である。

少年時代から斎藤塾の厳格な訓練によって身心を鍛えた人だけに子弟に対する教育法は極めて冷厳であった。翁は体育には一入の熱心家で、また我が国中学校の教課科目の中に兵式教練を加えさせた人である。嗣子清氏の少年時代には、寒中でも晒木綿の肌襦袢に木綿の袷一枚、畳の上には寝せず板の間に薄い夜具を宛がって寝かすという強訓練振りであった。

また品川彌二郎その他の大官らとも昵懇であったし、幾度も官途につくように懇望されたが、官僚嫌いで一徹な翁は頑として辞し通した。

「笹間君が薩長出身だったらなァ」

作太郎翁がかつて歎じたことがあった。笹間翁は幕臣であったゝめに牢固として始終官につくのを潔としなかったのかもしれない。翁は一九二二（大正十一）年七十二歳で歿している。

一九〇八（明治四十一）年、森は六年ぶりで支那から帰朝したが早速笹間翁を訪ねている。その時笹間翁は森に次のような訓戒を与えた。

「三井は大財閥ではあるが、たかが一財閥くらいに拘っていてはならぬ。**およそなすところあらんとする者は常に目標を国家に置かなければならない**」

翁は言葉を継いで訊ねた。

「支那の木材の輸出額はいくらあるか？」

石炭や雑貨の事は知っていたが、木材については何らの知識も持ち合わさなかったので、森は、

「木材は知りません」

と答えた。翁は更に言う。

「いち三井社員ならそれでよかろう。しかし将来大成せんとするにはそんなことでは駄目だ。支那の事は何でも知っている様に心掛けねばならぬ。人に使われるのに、単に人の用事を手伝ってやるだけではいけない。学校の延長として、また知識を得る手段として人に使われるのでないと将来の役に立たない」

この訓戒は森の胆に命じた。笹間翁が支那行きに賛成したのは、森を一生涯三井社員で終わらせようがためではなく、もっと大きな国家的目標からであった。

それを森は初めて知った。


その後も森は東京に来るたびに必ず笹間翁を訪ねた。翁は持論の**日支提携論**を鼓吹し、いち三井社員として終わってはならぬと訓じた。果たせるかな森は天津支店長を最後に、将来を惜しまれつゝ三十三歳の若さで決然と三井王国を去った。また三井在社中の足跡を見ても、社員としての業務以外に、支那大陸を跋渉し、或は産業資源を探り、或は種々の企業を試み、或はその歴史を究め、政情を検討するという有様で、在支十

有余年その席の温まる暇がなかったのも、富を獲ようとする一実業界の業績ではなくして、すべて国策的見地からの国士的所業であったことに想到する時、笹間翁の感化影響が如何に大であったかが推察される。

一九二七（昭和二）年十二月、作太郎翁の通夜の晩、たまたま座にあった笹間清氏（笹間洗耳翁嗣子）の手を握って森は言った。（当時森は外務政務次官）

「僕の目を開いてくれたのは君の親父さんだったよ。今に恩返しする」

森の眼には涙が光っていた。

森君は不幸業半ばにして斃れたが、僕の親父の遺志を継いだのは他でもない実に森君であった。これ以上の恩返しが他にあろうか。

——笹間清氏談——

《森の渡支に彦左衛門の金策》

一九〇一（明治三十四）年も暮に押し詰ったある日のこと、足柄山隴下怒田村の彦左衛門は突然森からの電報を受け取った。国府津まで来てくれというのである。暫らくは音信もなかったし、東京の中学校を終えてからは大阪の父の許に帰っていた筈の森だったので、突然の電報では何のことやら判らなかったが、何を於いても兎に角会ってみようと、彦左衛門翁は慌てゝ国府津へ駆けつけた。

森は蔦屋旅館で彦左衛門翁の来るのを待ちかねていた。見ると垢染みた小倉の学生服を着て寒そうである。それでも元気そうにニコニコしていた。

「どうした、しばらく顔を見せぬの」

「僕は三井物産の修業生の試験に合格したから、これから上海に行きます」

「支那だって？　どうしてまた支那へ行く気になったのだね。お前は小さい時から思いがけないとんでもないことをする子供だったが、支那くんだりまで出かけるとは、気紛れで出来る事じゃない。一体どうしようというつもりなんだね」

「気紛れなんかではありません。将来偉い仕事を成すのには先ず支那を良く知っておかなければならないからです。僕は支那で必ず成功してみせます」

「ウム。お前がそういうからには間違いあるまい。もう決まったことは仕方ない。では体に気を付けて偉くなっておくれ」

「ありがとう。きっと偉くなってお爺さんを支那へ遊びに連れて行くよ。ついては一つ頼みがあります。実は国府津までの切符を買う金しかなかったので、とにかくこゝまでやって来たけれど、もう一文も無くなった。お爺さん何とかして旅費を作ってくれないか」

彦左衛門は勿論その場に金を持ち合わせてはいなかったし、村へ帰ったところで、年の暮であり手許不如意で五十円という金の持ち合わせは無かった。しかし森の立身の第一歩に必要な金であってみれば、彦左衛門は無理にも工面してやらないではいられなかった。

「よろしい、ではこの宿屋で待っておれ」

早速村へ引き返し、先ず米を売ったが、まだ足りないので、村の誰かから時借りまでしてようやく五十円の金をまとめると、それを持って再び国府津へ出かけた。

森は彦左爺さんの恩誼を深く謝し、他日の成功を誓ってしばしの別れを惜しみ、国府津から再び汽車に乗った。門司までの切符を買い、門司からは三井物産の貨物船に便乗して上海へ渡ったのである。

東京で試験を受けたのであろうが、採用と決まっていよいよ日本を去るに当たり、途中で大阪の父の許へ寄ったかどうかは定かではない。支那修業生の志望は父も許していた事なので、支那へ渡るというのに父から旅費が来なかったとは思われないが、彦左衛門翁に金策を頼み込んだことから想像すると、或は東京を発つ時に父からもらった旅費を友人たちとの別離の盃に代えてしまったのかも知れない。

支那で義和団事件のあった翌年の事である。

第二篇　青年時代

第一章　三井物産修業生時代

《支那修業生創設の意義と沿革》

支那修業生の制度並びに起源は、日清戦争後の三井物産が支那で急速な事業の発展拡張、引いては日本資本主義の触手の海外進出を物語る好適な一資料として興味がある。

支那修業生制度の始まりは一八九九（明治三十二）年一月である。しかしそれはその以前からあった支那商業見習生という制度の後身であった。修業生の採用資格は中学校卒業であったが、見習生は小学卒業程度であった。

一八九七（明治三十）年の末に三井の重役**益田孝**氏が支那を視察した際、日清戦争後の目覚ましい事業の進出を円滑に処理しますます発展させるには、支那の商業習慣、言語その他実際的事情に通ずる者を現地に於いて実地に養成する必要があるとの見解を得て帰朝した。これが見習生制度創設の因を成すに至ったのであった。そしてこの益田孝氏の案を具体的に実施したのが、当時の上海支店長**山本条太郎**氏であった。

支那商業見習生は一八九八（明治三十一）年に創設され、修業年限は五ヵ年、それを修了してから更に五ヵ年義務年限があった。この時見習生に採用されたのが山本達三、西宮房太郎、宮崎喜市の三氏で、それぞれ上海、南京、広東の支店に配属された。しかしこれも翌々年には修業生に編入されて、見習制度は改廃されたのである。

一八九九（明治三十二）年に最初の修業生として採用されたのが高木陸郎、横山直康、内田茂太郎の三氏で上海支店に配属され、二ヵ月後に依田猪三二、出島定一の両氏が採用されて天津支店配属となり、更に四ヵ月を経て児玉一造氏が広東支店に配属され、翌年には江藤豊二、上仲尚明、堀部直人、児玉貞雄、綾野磯太郎の諸氏が採用されているし、森の後輩としては一九〇六（明治三十九）年に採用された立川團三氏らがいる。

一　森の支那語と英語

森は一九〇一（明治三十四）年の暮に初めて支那に渡った。三井物産上海支店修業生になったのは翌年一月である。

修業生の修業年限は三ヵ年であったが、森は成績抜群だったので一年短縮され、一年先輩であった児玉貞雄氏らと同時に一九〇四（明治三十七）年に修了して**社員**となった。

修業生には主として支那語、英語並びに商業実習が課せられていた。時には支那の学校又は支那商店へ通わせられることもあった。森ら修業生の支那語補導役になった先生は支那語の大家として有名な御幡雅文氏で同氏から北京語と上海語とを二年間学んだ。社員となった時には支那人との会話では殆んど不便を感じないほど熟達していた。南北両支那語の素地を作ったので、後年森は全支那を舞台に縦横自在な活躍が出来たのである。

森は支那第一次革命直後ニューヨーク支店から呼び戻されて活躍したが、南方人とも北方人とも自在に接触して効果を挙げたのもその語学が与って力あった。

「森君は支那人を懐柔するのが巧みだった」と在支時代の人が言っているが、それも結局は支那語を自由自在に操り、更に支那の民情生活習慣に通じていた故であった。

「彼が支那人に応接するのを見ていると、いかにも自然な親しみを以て、その肩を軽く叩きながら話すのが癖であった。誰にもすぐ親愛を感じさせる態度が支那人にとっては非常な魅力である。森君に肩を叩かれ話し込まれると、どんなに打ち解けない支那人でもぐにゃぐにゃになった。だから難儀な商談でも森君が出て行くといつもすらすらとうまくいった」といわれている。

一方、また英語にも森は力を注いだ。中学時代から好きでもあり得意であったので忽ち上達した。

「森はグランマーを非常に熱心にやった」と上仲尚明氏が言っているくらいで、いわゆる俗に上海英語と称される畸形的な英会話の類ではなかった。

森の英会話については高木陸郎氏も言っている。

「森は英語がよっぽどうまかった。英語を練習するために毎日雑報をデクテートする。ただ読んだゝけでは頭に入らぬというので一々それを書き取る。上海時代にはみっちり基礎的な練習をしていたので、後にニューヨーク支店詰になっても非常に便利だったと森が話したことがある」

森の英語については又、当時三井銀行員であった尾崎敬義氏がこう言っている。これは支那革命に際して森が孫文と会見した当時の事である。

「英語は達者も達者だったが、例の押しでやるから相当なものだった。特に孫文との話なんかは中々勇敢に堂々とやったものだ」

こゝで尾崎敬義氏について紹介しよう。

『三井銀行八十年史』（三井銀行八十年史編纂委員会編　一九五七）によると、三井銀行の創業日は一八七六（明治九）年五月。株式会社となったのは、一九〇九（明治四十二）年となっている。

同行が支那大陸へ発展するにつき、一九一〇（明治四十三）年末から約一年間に亘り同行員尾崎敬義、松元勢蔵らを清国に派遣し、経済事情を調査視察させた。尾崎敬義は、その時の模様を論文『対支放資論』として報告したのである。この論文は後の中華民国への大きな足掛かりを示したものである。（詳細は第三篇第一章「中日実業と森恪」を参照されたし）

二　修業生生活

修業生は無給であったが衣食住その他必要な実費だけは支給された。実費というのは文房具費及び小遣で、高木陸郎氏らが修業生になった当初は月額二ドル、森の当時は三ドルになっていたが、後に森の主唱で高木氏らが会社に厳談した結果一ドル五十セントの増給となって月額四ドル五十セントになった。

資料７　三井物産修業生時代の仲間と（中央）（出典：山浦貫一編『森恪』）
※右：佐原義雄氏、左：山本久蔵氏

高木氏が先輩としていわば塾頭格であった。最年少者は十七歳の上仲尚明氏、次の年少者は二十歳の森でいずれも腕白者揃いであった。

修業生の寄宿舎には監督として先輩の社員が同居していたが、誰もその監督者には従わず、高木氏でなければ一同の取り締まりがつかなかった。寄宿舎は家賃二十五ドルの支那家屋で、二階に畳を敷いて寝泊りした。中でも森が一番の暴れん坊で、それに上仲、綾野の両氏が加わり、この三人には高木氏もしばしば手を焼いたと述懐している。

「うるさくて勉強の邪魔だから森を階下の部屋へ追いやったら、今度はそれをいゝことにして、そこでまた暴れた」

やがて高木氏は修業生を卒って社員となり、一九〇二（明治三十五）年五月に漢口支店詰に赴任した後は、修業生中の年長者内田茂太郎氏が塾頭格になったが、森、上仲や綾野氏らの暴れ者は内田氏の手ではとても取り締まりがつかなかった。

四ドル五十セントの手当は修業生の小遣には充分すぎた。靴や靴下は配給されるが、それだけは何足あっても足りないくらいに減るので修業生たちはその金で大抵靴下を買った。ところがそれを買わずに、その金で食ってしまうのである。それを始終やっていたのが森と上仲氏、綾野氏の三人であった。この三人はいつも靴下を食う仲間で、それだからいつも穴の開いた靴下ばかり履いていた。

しかし修業生は決して怠け者ではなかった。将来内地の学校出の社員たちに負けまいと意気込むだけに、熱心に勉強した。それに上海支店長山本条太郎氏の修業生教育方針はすべて実質主義的でありまた厳格であったゝめに、修業生出身には逸材が多かった。

修業生出身者は後に社員となっても、内地の学校出の社員とはおのずから肌合いが違い互いに対立的な感情が生じた。それだけに修業生は固い結束によって結ばれていた。修業生間に**同志会**という団体があった。これは森の発議で、修業生及びその出身者を以て組織されたものであった。修業生は会費月額一ドル、修業生を卒って社員となった者は本俸の一割を会費として拠出した。この拠出金は将来修業生出身者の活動並びに親睦連絡に要する基金として積み立てられた。するとこの挙に賛同して広東支店に所属する住井氏、戸川氏その他の修業生も『振南』という機関誌を発行して修業生並びにその出身者の連絡団結に資し、意気盛んなものがあったが、後に支那の革命騒ぎでこの同志会は自然消滅の形となった。しかしながら当時これを組織し牛耳った若輩森恪には、既に政治家的器量の現れが見られる。

三　修業生三傑

高木陸郎氏、上仲尚明氏、森恪の三人は**三井修業生の三傑**と称されている。ある人はまた、森を豊臣太閤に、高木氏を徳川家康に、上仲氏を織田信長に例える。三人の各々の性格の特徴を直裁に指摘して興味津々たるものがある。秀吉は天下統一、後は世界征服を夢みる大野心家であった。かつては南洋を征服して自ら王たらんと夢みたロマンチスト森少年が日本の偉人伝の中でも最も愛読したのは**豊臣太閤伝**であった。

秀吉の朝鮮征伐は一五九二（文禄元）年から彼が死去する一五九八（慶長三）年まで、前後七年間継続している。第一回遠征の一五九二（文禄元）年には総勢十三万、一五九七（慶長二）年の第二回遠征には総勢十四万の大軍を朝鮮八道に動かした。彼は朝鮮、支那を征し、支那を根拠地として更にインド、ヨーロッパまでも征服しようという雄大な抱負を持っていた。

秀吉は第一回の朝鮮征伐の大勝によって更に明を滅ぼさんと欲したが、明王来て和を乞い、彼を居ながらにして大明皇帝たらしめんというによって和議をした。しかるに一五九六（慶長元）年、明国使節が「爾を封じて日本国王となす」という国書を携えて来たので、彼は「天に二日なく国に二王なし」と返し、明王から送られた金冠錦衣をかなぐり捨て「直ちに軍勢を催し、汝の国に踏み入り、明王を捉えてわが草履を掴ません」と烈火の如く分怒した。果たして翌年第二回の遠征軍を動かしている。飽くまでも明王たらんと欲したのである。

秀吉のこの雄大な気宇に森は打たれた。森少年の南洋征服の夢は、笹間洗耳翁の薫陶と、秀吉の偉業からの示唆と、後に知った英国の植民地王セシル・ジョン・ローズ伝からの刺激により、東亜を中心とする大陸政策への抱負となって徐々に成長していった。

その政治家的生涯を大陸政策の遂行に献じ尽くした森の後半生を想う時、秀吉の感化を逸する訳にはいかない。

しかしその偉業と雄図によってのみ秀吉を崇拝したのではなかった。一方では秀吉の処世術にも学んだところ頗る多かった様である。共に機略に富んだ人物としては性格的に類似点があったばかりではなく、森は進んで秀吉に学んだといえる。事業家として政治家としてその政略的手腕や、チャンスをつかむに敏且つ果敢だった点など多分にも秀吉流であった。特に秀吉が卑賤から身を起こして太閤となるまでの努力には無限の教訓を得たであろう。

一九二八（昭和三）年頃は経済恐慌から大学卒業者は就職難に襲われた。その不安時代の事であったが、森家に出入りする門下生ともいうべき或る大学生に次の様な訓戒を与えたことがあった。

「毎朝四時頃から竹箒を持って銀座の大商店の前に行って綺麗に掃除をする。それを何回かやっているうちにはその家の主人の目に留まる。その主人は、これは奇特な青年だと感心する。普通の人だったら必ずそういう気持ちを起こす。その時何かきっかけを見つけて、適当な仕事に使ってくれと頼みこむ。すると就職難というようなことはなくて済むであろう」

これはいわば秀吉流の就職戦法であり立身術である。

政治上の駆け引きにも森はしばしば秀吉流の戦法で成功している。一例に「汽車中の朗読」という有名な一幕がある。

―読売新聞より―

機略・汽車中の朗読

大正十一年、横浜で政友会関東大会が開かれた時、汽車の中で宣言決議を起草し、野田、床次、小川、望月ら領袖の前で森恪が朗読して同意を求めた。何しろ轟々と走っている汽車の中だから、何れもハッキリ判らなかったが、例によって例の如きものと、一同もうっかり承認してしまった。大会は開かれた。宣言決議中には、堂々と貴族院改革の一項が揚げられていた。これを見た最高幹部連は周章狼狽、色を失い、特に貴族院操縦係であった時の内相床次氏の如きは憤然席を立ってしまった。勿論これは横田千之助氏の差し金であったことは言うまでもないが、汽車中の朗読とい丶、また何ら恐る丶ところなく火蓋を切ったあたりは、彼にして始めて遂行し得るところのものであろう。

放胆というか、傍若無人というか、何れにせよこの機略とこの果断は、断固とした信念があって初めて成し得るものである。

四　刻苦勉励時代

上海三井物産の修業生寄宿舎における腕白三羽烏のトップを切った森が、その反面には二宮金次郎式な刻苦勉学を以て絶えず己を鞭打ち精進したことは、三ヵ年の修業期間を、抜擢昇進により二ヵ年で終えたことで察せられる。彼が修業生を終了したのは一九〇四（明治三十七）年二月である。

当時上海支店の業務の主たるものは綿花、綿糸、綿布、石炭、人参、煙草その他の輸出雑貨で、支店として三井物産にとっても最も重要な地位にあった。

最初森の勤務は、綿花買出現場監督、綿繰工場現場監督などであった。次いで石炭係となり、石炭荷役監督となり、間もなく今度は艀（はしけ）の操縦監督となった。最初の月給は十六円であった。

石炭荷役監督は、俗にカンカンと言って石炭の均量を量る役で、人夫が石炭を運搬して来るのを秤にかけ、帳簿に記入するのである。

現場の門が開くのは朝六時であったが、森は人夫より早く起きて現場に居なければならない。それで朝四時に起き、四マイル離れた現場へ自転車で通った。彼は毎朝現場の門の開くまでの時間を門の傍で勉強した。時間が来て労働者が入場し仕事が始まっても、仕事の合間には本を目から離さなかった。主として英語の勉強であった。森と英語については前にも述べたが、これからの国際語は英語だから先ずマスターしなければならぬというのが彼の考えであった。特に上海では商売上英米の商人を向こうに廻して競争しなければならぬので英語の獲得は何よりも先決問題であった。森が毎日、日本新聞は読まずに英字新聞ばかり読んだのもそのためであった。後に長沙に出張し、再び上海詰となった時にも、会話を習得するためにロードという米人の家庭にしばらく寄寓したほどの熱心さであった。ロード氏は有名な米国の保険会社カナダサンの上海支店支配人であった。

現場に居ても英語の本を片手に持つ森の勉強振りが、ある日見回りに来た山本支店長の目に留まった。これが山本氏に見込まれたそもそもの始まりであったと伝えられている。

夜は夜で支那語の勉強をした。夜更けまで電灯を点けているのが不経済なので豆ランプを灯して勉強した。「俺が近眼になったのは若い時代に豆ランプで勉強したからだ」と語ったことがある。

昼の勤務と昼夜の勉強で、森は綿の如く疲れた。疲れるとどこでも眠った。目を覚ますと夜中にでも勉強した。

後年森が青年たちに語って曰く、

「誰でも出来る普通の事をしていては人に抜きん出る事は出来ない。俺は上海で初めて社員になった頃には、みんなが十銭の飯を食うところを三銭の飯ですまし、勉強する本を買う金を少しでも多く捻出したものだ」

また、当時を追憶して夫人にも洩らしたことがあった。

「百円の金を貯めるのは非常に困難な事であった」

後に数百万円の巨財を携え、支那を引き揚げて華々しく政界に乗り出した森にも、苦難な時代があったのである。

五　寄宿舎のセシル・ローズ

森が政界に乗り出す前後、東京海上ビルに森恪事務所を持った当時の事。森の事務所の書棚には豊臣秀吉、アレキサンダー大王、ピーター大帝、ナポレオンなど、東西古今の英雄偉人伝がぎっしりと詰まっていた。その中に英国の植民地王セシル・ローズ伝並びに彼に関する数種の書籍のあったことをこゝに特記しなければならない。

森がセシル・ローズを理想の人物として発見したのは修業生時代である。上海支店長山本条太郎氏もセシル・ローズが好きだったので、森がセシル・ローズを読み始めたのは恐らく山本氏の影響であったと想像される。

山本条太郎氏もセシル・ローズを理想の人物としたが、しかし山本氏の薫陶感化を受けた森の方がその気迫に於いてむしろ山本氏以上に烈しく東洋のセルシ・ローズたらんことを理想としたと思われる。しかも森がセシル・ローズを崇拝したのは決して偶然ではなかった。かねて笹間洗耳翁は、森を単に三井の一社員たらしめ、また単に実業家として将来を立身させんがためではなく、将来の東亜経済国策の確立を目指し日支経済の提携という大抱負大目的への準備として三井入りに賛成したのである。

森自身も十六、七歳の少年時代から海賊王となって太平洋を睥睨（へいげい）せんとの夢を描いていたので、いわばこの理想と空想が結合し、やがてそこに明確な指針となり具体的な目標となって出現したのがセシル・ローズであった。

彼はセシルの伝記を座右に置いて親しんだのみならず、セシルに関するあらゆる著書を手に入れて愛読した。またセシルの肖像写真を書斎に掲げて日夜この偉人の風貌に接した。その肖像は森が社員となり上海から長沙、ニューヨーク、再び上海と転勤して歩く度にいつも彼の書斎を飾っていた。

こゝで、その「アフリカのナポレオン」と呼ばれた男、**セシル・ジョン・ローズ**を紹介しよう。

ローズは地主出身の牧師の子に生まれたが、生まれつきの病弱を心配した父は、気候のよい南アフリカに行っているローズの兄の許に彼を送った。健康を取り戻したローズは、兄と共にキンバレーで坑夫としてつるはしを振るった。

資料8　セシル・ジョン・ローズ

彼はダイアモンドを掘り当てゝ作った資金で、ダイアモンドの採掘権への投機を行ったり、採掘場への揚水ポンプの貸出しで儲け、ロンドンのユダヤ人財閥ロスチャイルドの融資も取り付けて、一八八〇年、デ・ビアス鉱業会社を設立した。この会社は、ほぼ全キンバレーのダイアモンド鉱山をその支配下に置き、全世界のダイアモンド産額の九割を独占するに到った。彼はデ・ビアス鉱業会社を通じてトランスヴァール共和国の産金業にも進出して世界最大の産金王にのし上がると共に、南アフリカの鉄道・電信・新聞業をもその支配下に入れるまでになった。

ローズはこの経済力をバックに政界へも進出し、一八八〇年ケープ植民地議会の議員、一八八四年にケープ植民地政府の財務相になり、九〇年には遂に首相にまで上り詰めた。

この間、彼はンデベレ人の首長に武器弾薬を提供し、それと引き換えに鉱山の利権を獲得したり、一八八九年イギリス本国政府の要人を買収して、征服地に対する警察権・統治権をもつイギリス・南アフリカ会社設立の特許を獲得したりしている。

一八九四年、ローズはこの会社を盾に遠征軍をンデベレ人やショナ人の居住区に派遣して、イギリス本国の四倍半にも相当する広大な土地を奪って同社の統治下に置いた。会社はこの地を、征服者ローズの名にちなんでローデシアと命名した。

ローズは首相として数々の政策を行ったが、それらはすべて大英帝国の下に、南アフリカに広大な統一された植民地、南アフリカ連邦を建設することを意図して行われたものであった。彼はまた、ケープとカイロ間を電信と鉄道で結ぶ計画（いわゆる三十政策の一環）を推進した。ローズは将に南アフリカの政治・経済の実権を一手に握り、その威風は帝王を思わせ「**アフリカのナポレオン**」と呼ばれた。

「神は世界地図がより多くイギリス領に塗られる事を望んでおられる。出来ることなら私は夜空に浮かぶ星さえも併合したい」と著書のなかで豪語した。

その得意の絶頂が一つの事件で一挙に崩れることになった。彼は勢いに乗じてトランスヴァール共和国を一気に征服、併合する計画を立てた。トランスヴァール内のイギリス人に密かに武器弾薬を送り込み、反乱を起こさせ、その支援を口実にジェームソンの指揮するイギリス・南アフリカ会社の軍隊を派遣して一挙に併合してしまおうというものであった。しかし、反乱を起こすことに失敗し、ジェームソン率いる会社軍が国境を越えたとの知らせにボーア人は直ちに反撃を開始して会社軍を包囲し、全軍を捕虜にしてしまった。この事件はボーア人の怒りを買うと共に、広く世界中の世論の非難を浴びることゝなった。この世論に押されてイギリス政府もローズを助けなかったため、ローズは一八九六年首相と南アフリカ会社を共に辞めざるを得なくなり、完全に失脚した。

イギリスは世論の沈静化を待って二つのボーア人の国、オレンジ自由国とトランスヴァール共和国に対する本格的な戦争である第二次ボーア戦争（南アフリカ戦争）を開始した。ローズは、ボーア戦争が始まるとすぐキンバレーでボーア人に包囲され、救出されるまで四ヵ月間もかゝった。この間健康を悪化させ、一旦ヨーロッパへ帰り、再度ケープタウンへ戻り、戦争終結二ヵ月前にムイゼンバーグで四十九歳の若さで死んだ。現在のジンバブエのマトボにある墓地 World's View Look out に埋葬されている。

生涯独身を通した彼は、六百万ポンドに及ぶ膨大な遺産の大半をオックスフォード大学に寄贈した。大学ではローズ奨励基金として現在も毎年多くの学生に奨学金を提供し続けている。

ローズは熱心な帝国主義者であると共に人種差別主義者でもあった。彼はアングロサクソンこそ最も優れった。

た人種であり、アングロサクソンにより地球全体が支配されることが人類の幸福に繋がると信じて疑わなかった。

政治家になってからの森の理想的人物は、鉄血宰相オットー・フォン・ビスマルクであったが、それまではこのセシル・ローズを理想としたのであった。森の一生涯を通観する時、我々は右の英独二大英傑の行動に甚だしく類似した幾多の点を指摘列挙することが出来るのである。ビスマルクを理想とした政治家森恪については兎も角として、在支十有余年間の彼はセシル・ローズたらんと念願したものであった。

十六歳にして不治の肺患を宣言され中学を中途退学してはるばるにアフリカに渡ったローズの出発の第一歩は、高商入学を断念して支那大陸に渡った森の出発に似ていて興味深いものがある。

南アフリカは、日中は華氏百六十度で炎熱焼くが如く、たまたま町があっても五マイル以内には立木を見ず、二十マイル以内には雑草もなく、埃と蠅だらけの土地であった。ローズはこれを開発して祖国英国に献じた。それは実に欧州の半分に匹敵する大領土であった。もしも彼に更に年月を与えたならば彼はその宿志の如く全アフリカを征服し、更にその制覇を東洋にまで及ぼしたであろう。しかしながらこの巨大な慧星は五十歳に満たずして忽然と消え去った。森の生涯は丁度五十年（西洋流に数えるとセシルと同じ四十九歳）である。短命だった両者の運命までも似て感慨なきを得ない。

ローズの抱負と生涯がアフリカ大陸にあったように、森には始終一貫アジア大陸があった。

ローズは人を説得するに妙を得ていた。彼と対談する者は不知不識のうちに魅せられた。この説得術が彼の成功を大なさしめたと伝えられている。

森はローズにその説得術も学んでいるのである。森が折衝に当たると如何に頑固な支那人との商談も円滑に有利に展開し解決した。鉱山を経営した時にも森は一流の説得術をもって労働者を悉く心服させた。森はその武器を持って、どんな性格の、どんな才能の人間をも巧妙に使いこなした。猛獣使いと評されたのもそのためである。後年政治家を説得した例に至っては枚挙に遑がないであろう。

ローズが終生『プルターク英雄伝』を身辺から離さずにその感化の中に生活しそれを地で行ったように、森は寸時も『セシル・ローズ伝』を離さなかった。放胆、傍若無人、機略縦横、辣腕、無欲括淡、先取的積極性に於いて近代史中に稀な存在であったローズの巨人的片鱗を森の言動に発見するのは極めて容易であろう。かねて英国人セシル・ローズの胸中に奔騰した大陸への意欲、それはそのまゝ森の意欲であった。

植民地王ローズのデスマスクを飾った修業生の寄宿舎で森は、地獄のような埃の町キンバレーの新開地で酷暑と病患と闘い、ダイアモンドを掘りながら空想していた目玉の青い十七歳の少年の姿を思い描いては胸を躍らせるのであった。

第二章　三井物産社員時代

一　深夜のビジネス

森は暇さえあれば取引関係先の外国商館を回って英米人に接触する機会を作った。一つは英会話を練習するためであり、一つは商人国として我が国に一歩先んじた英米国商人の要領を習得するためであった。そんな関係で外国商人の間に森の顔が次第に知れ渡り、「**スモール・モリ**」という渾名で呼ばれ人気者になった。

ある時、スモール・モリが国際都市上海の商人間に俄然名声を轟かす事件が起きた。

一九〇四（明治三十七）年二月六日、日露が国交断絶して、東郷平八郎大将を司令官とする連合艦隊は命を受けて敵艦撃滅の任に当たり、同月八日旅順港外で衝突して両国の戦端は開かれた。次いで十日宣戦の詔勅降り、陸軍も黒木為禎大将の率いる第一軍を先鋒として陸続の満韓の野に進撃した。皇軍の向かうところ敵なく、南山、得利寺を抜いて長躯遼陽を陥れ、翌年一月旅順の要塞を衝いて敵将を降伏させ、続いて三月、敵を沙河に追って遂に奉天を落とし入れた。

一方海軍は一九〇四（明治三十七）年十月ウラジオストク艦隊を完膚なきまでに撃破し、リバウ軍港を出発して東洋に向かった**バルチック**艦隊を迎え撃たんと意気大いに揚がっていた。

一九〇五（明治三十八）年五月であった。

その日、森は当直であった。夜遅くなって東京の本店から一通の暗号電報を受け取った。

「上海の艀舟を全部至急雇船契約せよ」

との電文であった。森は丁度艀舟操縦監督をしていた。アフリカの喜望峰を迂回したバルチック艦隊がインド洋をシンガポールに向かい、近日中に我が近海に来襲するという情報が盛んに飛んでいる矢先だったので、

「こいつは軍事上の重大な仕事だ、よしッ！」

と起き上がった。

一刻を争う場合だ、明朝を待ってはいられない。そう考えた森は、静まった深夜の街頭に飛び出し、深い霧の中を闇雲につっ走った。森の駆け込んだのは、上海の艀舟を一手に所有しているウィルコック商会の社主英人ウィルコック氏の自宅であった。

ドアを破れる程外から叩く者があるのでウィルコック氏は目を覚まし、ピストルまで用意し外を窺って「誰か」と尋ねた。深夜の訪問者は「スモール・モリだ」と答えた。スモール・モリなら別に怪しむ人でもなかったとホッとしたが、無頼漢でもない三井物産の社員がこんな夜更けに自分を叩き起こした非礼にムッとして、「ビジネスは明日にしてくれ。わしは夜中には誰にも会わぬことにしている」と窓を閉めて引っ込んで行こうとするので、森はすかさず「ビジネスではない。貴下の一身上の問題だから」と叫んだ。ウィルコック氏はそれを聞いてようやくドアを開けた。

さて応接間に寝間着姿のウィルコック氏と対坐すると、森は単刀直入に「上海の艀舟を全部私に貸して貰いたい」と切り出した。ウィルコック氏は一杯喰わされたので最初は怒ったが、「私に一度儲けさせてくれ」と懇々と頼み込む森の熱心さに遂に承諾してしまった。すると森は早速契約書を出して署名を求めた。

「署名は明日事務所でしよう」とウィルコック氏が言うのを、「それでは困る。契約書を持って行かないと支店長が信じてくれないから」と、とうとう署名させてしまった。森は一刻を争う場合だと直感したので深夜も顧慮せず、しかも支店長に謀るに先立って機敏に上海の艀舟を全部借り受ける契約を独断専行したのであった。

翌朝、ウィルコック氏が事務所に出勤すると、本国政府からの訓電を受けたロシアの上海総領事が待ち受けていた。昨夜のスモール・モリと同じ用件であった。ところが三井物産と既に契約済みだと聞かされて総領事はひどく狼狽し、三井との契約金の何倍でも出すからその契約を変更して欲しいと嘆願するのであった。しかし何といっても契約書に署名してしまった後だったので如何ともし難い。総領事は万事休した形で悄然としてウィルコック商会を辞して去った。

七ヵ月という長途の航海を続けて極東へ迫ってきたバルチック艦隊（司令長官は侍従武官であったロジェストヴェンスキー少将）は、我が連合艦隊と相見まえるに当たり、最後の寄港地に予定していた上海に入港して最後の体制を整えようと目論んでいたのであったが、早くも日本の機微周到な手が伸びて港中の全艀舟が奪われたので、食料の補給も、石炭や飲用水の積み込みも、艦隊の修理も何も出来なかった。そのために行動の迅速さを欠き、結局我が連合艦隊に十二分の準備時間を与えたのが、バルチック艦隊のあの大惨敗の起因であったとさえいわれている。

一九〇五（明治三十八）年五月十四日、仏印ホンコーへ湾を出港したバルチック艦隊は、台湾とルソンの間のバシー海峡を通過し、八重山島沖を右回りして二十四、五日には淅江省沖に差し掛かっている。二十五日には義勇艦隊五隻、運送船三隻を上海の呉淞に入港させ、本隊は上海に寄港して休息する暇もなく、そのままウラジオストクを目指して続行する他なかった。

二　バルチック艦隊を発見す

一九〇四（明治三十七）年十月リバウ軍港を出発した太平洋第二艦隊本隊は、ジブラルタルから西アフリカ大陸に沿って左回りし、喜望峰を通過して翌年一月マダカスカル島に到着し、地中海から紅海を通過して来た支隊並びに後発隊と合して三月十六日インド洋に向かった。

我が海軍では敵艦隊のマレー群島到着するに先立ち、支那沿岸並びにマレー群島中の海峡港湾など、その通過若しくは寄泊する疑いのある方面を偵察するため二隻の仮装巡洋艦をその任務につかせた。

敵の作戦に対し、軍令部長伊東裕亨大将は次のように述べている。

我は艦隊をして機を見て有利に発動せしめんには、我が地理上の形勢を利用し、全帝国を通して互いに相呼応し得る如くして敵情を速知することを最も必要なるを諭し、その他要地の防備軍機の保護情報の蒐集等につき違算なからんことを期せり。

―軍令部編集・日本海大海戦史より―

ところが敵艦隊が四月八日マレー半島とスマトラの間のマラッカ海峡を通過し、十二日には仏印柴棍沖で機械を停止して石炭を搭載したことが分かったので、我が海軍では約十海里の速力を以て北航しつゝあるものと推定し、そのまゝ直航すれば十九日朝には敵艦隊は朝鮮付近に達するものと判断したが、幾ばくもなく、敵艦隊は仏領安南のカムラン湾にあり、且つしばしばその近海を游弋していることを知った。

敵艦隊は長途の航海に艦体破傷し、乗組員は疲れ、艦底には牡蠣が繁殖して船脚が鈍り切っていたので、艦体の修理をすると同時に、五月九日入港の予定だった第三艦隊の到着を待って戦闘体勢を構え直す必要があったからである。

——軍令部編集・日本海大海戦史より——

然るに敵艦隊は安南沿岸を彷徨し五月初旬に至るもなほ北上するの形勢見えず、反て浦塩斯徳艦隊の二隻及び水雷艇四隻は五日より数日間我が北海に出現在り而して東郷連合艦隊司令長官はその出動を於いて南方に在る敵艦隊北上の時期近づきたるの兆候となせしが、同月中旬に至り敵の増援艦隊（バルチック艦隊）は十四日を以て安南沿岸を発し北方へ向かへることを知れり。

ところがバルチック艦隊は安南沿岸を出発以来、杳（よう）としてその消息を絶ってしまった。或は台湾海峡から北支那海に入ったのではあるまいかといわれ、或はまたバシー海峡を通って太平洋に出たのではあるまいかと憶測され、我が国朝野の危惧は一方ではなかった。太平洋を右にするか、対馬海峡を左にするか、一度これが偵察を誤れば、領海湾に待機していた我が連合艦隊にとっては戦機の変転測り知るべからざるものがあった。

三井物産上海支店長山本条太郎氏は、取引先の外人を利用し、或は外国船舶と密接な連絡を保つなど、敵艦隊の航路偵察のため裏面的に並々ならぬ苦心をしたのであるが、ある日森を呼んで「**バルチック艦隊の踪跡を探索せよ**」と命じた。これは多分に危険な仕事に相違なかったが、森ならば必ず成し遂げるであろうと信じたからであった。

少年時代から冒険好きな森である。特に今は愛国の血に燃えた血気な彼である。

「よろしい、きっと探索しましょう」

これを成し遂げなければ生きて再び上海の土は踏むまいと心に誓い、雀躍としてこの重任を引き受けた。

「祖国日本のためだ。敵艦隊の航路を突き止めるまでは俺に命を預けた気で協力して呉れ」

森は二、三名の部下を督励して直ちに一叟のヨットに乗り込み、怒濤逆巻く南支那海へと出帆して行った。

森からは山本支店長宛て遂次経過を電報で報告する手筈になっていたが、二日経っても三日待っても何らの音信がなった。そして全く行方不明のまゝに一週間が過ぎようとしていた。その一週間目に森から電報を受け取って山本支店長はやっと愁眉を開いた。小さなヨットだったのでその安否さえ憂慮していた山本氏は「奴さんやっとるわい。さすが森だ」と安堵したのである。この間に森は厦門、澎湖島、マニラと航走し続けた。

かくして苦心の結果、森はバルチック艦隊の航跡を突き止め、一九〇五（明治三十八）年五月十九日に敵艦隊がバシー海峡通過後は絶えず見え隠れにこれを尾行してその動静を探り、刻々の状況を上海に打電し、山本氏はこれを更に我が連合艦隊司令部に転電したのであった。

戦後判明した敵艦隊の航路書によると、

五月十四日　安南沿岸を出港

十八日　早朝北緯十九度三十分東経百十九度四十六分の辺で機関を停止し石炭を載せ、午後五時これを了って再び進航

十九日　未明バシー海峡のバタン諸島付近で石油を搭載

二十日　午前八時バシー海峡を通過

二十一日　正午には北緯二十二度二十六分東経百二十五度五十四分を測る

二十二日　石炭搭載の予定なりしも天候不良のためこれを止め、八重山島沖を右廻りして東支那海に入る

かくして二十二日までは太平洋に出るか、東支那海に左折するかは全く不明であった。しかるに森は敵艦隊が二十日バシー海峡を通過するや、早くも敵は東支那海へ左折して対馬海峡に向かうものであることを推測し、これを山本支店長に打電したのである。これは森が敵の保有する石炭の分量を測定し、コースの距離の測定から、対馬海峡を通過してウラジオストクに向かうべき事を科学的に推測したものであるという。果たせる哉二十二日、敵艦隊は硫黄列島の沖縄島と八重山島の中間を通って東支那海へと進路を左へ取ったのである。山本氏からの転電を真っ先にキャッチしたのが当時第二艦隊に属し司令官として旗艦「浪速」にあって第四戦隊を指揮していた瓜生外吉中将であった。

バルチック艦隊の動静を観察しつゝあった我が連合艦隊司令部は、森の発した情報によって初めて敵の進路を確知し、直ちにこれを対馬海峡に迎えて撃滅せんとの体勢を整えた。即ち、第一、第二艦隊の大部分は

朝鮮南岸加徳水道方面に寄り、第三艦隊の大部分は尾崎湾方面に集結し、第三戦隊は五島の白瀬の北西方を游弋し、仮装巡洋艦「亜米利加丸」「佐渡丸」「信濃丸」「満洲丸」は白瀬の西方に配列し、「秋津洲丸」「和泉丸」は四艦の東方近距離に配置されて相共に哨戒を厳にした。

かくして二十五日の未明、彼の「信濃丸」の歴史的な「**敵艦見ゆ**」の無電発信となって日本海大海戦の火蓋は切られたのであった。

日本海海戦はおそらく世界海戦史上最も完全に近い勝敗であり、各国の軍事研究で広く注目を集める海戦でもある。

最新鋭戦艦四隻を擁し、世界最大・最強レベルと思われていた巨大艦隊が日本海海戦で忽然と消滅した事実は、日本の同盟国イギリスや仲介国アメリカすら驚愕させた。また、この大敗が反ロシア帝政の植民地や革命団を大いに活気づけ、やがてロマノフ王朝倒壊にも繋がった。

かくして日本海海戦の隠れたる功労者の一人として、愛国青年森恪の名は我が国民によって永く記憶されることになった。

三　長沙で商才を謳われる

三井物産漢口支店で荷の受渡係をしていた**松山小三郎**氏に、吉田洋行を経営している吉田という懇意な友人があった。吉田氏は始終上海—漢口間を往復していたが、ある日、

「おい松山君、上海の三井に若くて口八丁手八丁という偉ら物がいるぞ。森恪という奴だ」

「そうかい、それは是非会ってみたいものだ。俺は若くて将来有望な人の部下になって粉骨砕身働きたいと思っているのだからね」

当時漢口支店長は窪田四郎氏で、そこには森よりも一足早く修業生を終了した高木陸郎氏も居た。

松山氏が噂に聞いた森という男が漢口支店詰になって来てくれたらと密かに期待を抱いていると、間もなくその翌年即ち一九〇六（明治三十九）年になって、漢口支店管轄下で湖南省方面の調査を開始することになり、出張員として派遣されるのが図らずも噂に聞いた森恪で、しかも森は漢口を経て長沙に向かうと聞き、松山氏は心を躍らせながら森の到着を待った。

漢口に於ける社員席順は森が松山氏の一つ上であったが、吉田氏に聞いた噂にたがわず、きびきびしてしかも自信に満ち堂々とした森の態度に、松山氏はすっかり敬服してしまった。


森は直ちに湖南省調査出張員として長沙方面に出張した。湖南省は天然資源の豊富な土地でまた鉱山地帯として有名である。石炭、銅、タングステン、亜鉛、アンチモンなどを産する。特にアンチモンの産地として世界的に有名である。世界産額の七割を産するといわれている。長沙は即ち同省の政治的経済的中核都市である。

支那では一九〇四（明治三十七）年に長沙を開港しているが、当時森がこの方面に進出活躍するまでは従来ドイツ商人の勢力地盤であった。日露戦争後一段と目覚ましい進出を示した日本資本主義の一翼として三井物産が早くも同地方に着眼し、開拓の手を差し伸べたのは当然である。

資料９　漢口出張所時代（２４歳、前列右）（出典：山浦貫一編『森恪』）
※後列右より高木陸郎氏、佐原義雄氏

長沙での辣腕家としての頭角を現したのはアンチモンの買い付けに活躍して著しい利益を占めた時である。湖南省は先述した通りドイツ人の勢力範囲といって良いほどドイツ商人の手が入り込んでいた。長沙から東部の石炭で有名な萍郷山（江西省）もドイツ人の開発した炭鉱であったし、長沙に於いても例えばシムソンとかカールウイッチとかというドイツ人の大きな輸出商の店があって、アンチモン、阿片、鉛などをドイツへ輸出していた。この地方から産出するアンチモンは三井物産にとっても輸出品中の優秀かつ重要品のひとつであったので、その買い付けにはどうしてもドイツ人の店を向こうに廻して競争しなければならなかった。

森は支那語が巧みであった上に、支那人に親しく接近してこれを懐柔するのに特殊な手腕を持っていた。それで先ず郵便局の通信係の者と巧みに懇意になることに成功した。そして本国からドイツ商人の店に来る商売上の電報を密かに探知する手がかりを得、例えば買い付けせよと打電してくればそれによってドイツ商人がまだ買い付けせぬ一足先に買い付けするという風に、いつも先方の裏を掻き、先手を打って利益を挙げることに成功した。かくして湖南で有名なドイツの「ヴィッカース」の勢力を駆逐し、これを三井物産の手に占領したのであった。

森は、長沙方面調査の結果報告のため度々漢口へ戻った。ところが支店長の前で報告するその態度が実に堂々たるもので、同輩たちをすっかり感服させてしまった。どの社員も支店長の前に出ると鞠躬如として固くなるのが普通だったが、森はテーブルを挟んで支店長と相対し、少しも臆するところなく対等の話しぶりで堂々とやる。恰も同僚と話すが如く少しも自分を卑下したり、また相手に追従したりはしなかった。松山氏はこれを見て「実に偉いものだ」と讃嘆するのであった。

長沙方面の業務が森の奮闘によって着々開拓されつゝあったので、森には部下が必要になっていた。そこで松山氏は何とかして森の下で働きたいと思い、森に再三頼んだ。森は「よろしい。それでは君を連れて行くことにしよう」と快諾した。

しかし当時漢口支店には十人余りの社員が居たが、いずれも忙しく、松山氏も税関を受け持っていた関係上、支店長は手放すことを欲しなかった。それなのに森は引き受けたのである。一体支店長にどんな交渉をしてくれるのであろうかと、松山氏は心配していた。漢口支店に佐原という会計主任がいた。森は佐原氏を連れて行くつもりはなかったが、実は佐原氏を抜いて行くと差し当たり会計事務の困るのを知っていたから、支店長にはわざと、

「佐原君か松山君の二人のうちどちらか一人を連れて行きたい」と申し出た。窪田支店長は松山氏を放したくはなかったが佐原氏を抜いて行かれては尚更困るので、それではと言い、松山氏を森の部下とし長沙へ派遣することを承諾した。森はそのような駆け引きもうまかった。

《長沙時代の活躍》

森が軍器の売り込みで莫大な利益を挙げた話は有名であるが、それもこの長沙時代であった。邦貨にして七、八十万円に相当する工兵器を湖南省督軍に売り込むことに成功したのである。

森は先ず湖南省督軍の御用商人支那人某氏と売り込み交渉をしたのであるが、商談を進めるに先立って、森はその支那人にコミッションを与えてから取引を進めようとして、二千円の手形を書いて渡した。ところが支那人某氏は堅気な商人でコミッションを貰うつもりはなかったばかりか、何よりも二千円という莫大な金額に度胆を抜かれ、これは受け取ることは出来ないと周章して辞退するのであった。

そこで森は、

「一度出したものは引っ込ませる訳にはいかぬ。どうしても受け取らぬというなら、捨てゝしまおうではないか」

と言うなり、その手形を惜しげなくも火鉢の火の中に投げ込んで焼き捨てゝしまった。

森の見幕と度胸に呑み込まれて唖然としたその支那商人は、森をすっかり信じ込み、そのために取引がすらすらと運んで契約がうまく成立した。支那人某氏は手形を良く知らず紙幣同様のものと思い違いをして、森に一杯喰わされた訳だが、森もまた堂々と一場の大芝居を打って相手を呑んだ訳で、弱冠二十四、五歳にしてこの鬼才、この機略、この度胸は、真に異色ありというべく、後年の政治家森恪の面影の躍如たるものがある。

いよいよ軍器の引き渡しが済んで代金を貰うことになり、漢口の管船局の手形で四十万両を受け取った。森の部下和田正世氏がそれを漢口支店に届けるのに書留便で送ろうかとも考えたが、何しろ大金なので万一途中で紛失しては困ると思い、如何にしようかと森に相談すると、

「書留で送るのは非常な危険が伴う。ご苦労だが君が漢口まで持って行ってくれ」

そう言って、森は自分で白木綿を買い求めて来た。

「これを胴巻にし、その中へ手形を入れ、この上からシャツを着て行けば大丈夫だ」と、自分で胴巻を縫って和田氏に与えた。豪放な一面、その細心な用意周到振りには和田氏もつくづく敬服するのであった。

和田氏については松山氏同様逸話がある。長沙には三井よりも一足先に大倉組が地盤を築いて勢力があったのであるが、当時大倉組の長沙出張所主任橘彌三郎の下に働いている十九歳の少年が居た。**和田正世**氏である。

三井物産の森という出張員が非常な活動家だったので、和田氏もこれと競争する意気込みで懸命に商売に努力していた。するとある日、図らずも商用で森に会し、いろいろ話を交換するうちに森にすっかり心酔し、崇拝の念を越して、こんな偉い先輩の下で働きたいと考えるに至った。

その意を洩らされた森は立ち所に大倉組の橘主任へ交渉し、その結果和田氏は三井物産に転じて森の部下として働くようになったのである。松山氏とい〻和田氏とい〻、また後に部下となった**藤井元**一氏とい〻、この三人は支那時代の森にとって膀肱の臣ともいうべく、後に森恪事務所、それを法人化した中公司（P370参照）と引き続き、森の晩年までも支配人として又は重役として森の事業のために献身尽力した人々である。

一九〇七（明治四十）年であった。東北地方飢餓救済のため、我が政府は支那米を買い込むことになった。そして林権助駐支公使と北京政府との間に湖南米三十万石、安徽米三十万石を輸出する契約が取り決められた。それは丁度高洲太助氏が長沙領事の時であって、林公使は視察のため砲艦「宇治」に坐乗して長沙へ行った。

この時の湖南米の買い付けは三井物産が引き受けたのであった。湖南の現地にあってその買い付けに奔走したのが森であった。この買い付けも機敏に円滑に成功したので、森の商才と敏腕が更に一層高まったのである。

森が長沙に在勤したのは僅々二ヵ年に満たなかったが、その短時日の間に三井物産の特記すべき功績を種々残している。即ち前記のような数々の大取引に成功しているのである。従ってその活動が如何に華々しかったかを察するに余りある。森は留守を殆んど松山氏らに任せて、始終湖南江西の各地を視察し、また勢力範囲以外の上海、北京を飛び回って席の温まる暇もない有様であった。

その頃森は江西、湖南地方の視察調査をまとめて一篇の論文を草し、これを中央公論誌上に載せたと伝えられている。その論文に因んで一つの逸話があるがそれは後述する事にしよう。（p132参照）

三井物産長沙出張所の事務所は裕豊号という米倉を借り受けたもので、そこに森を始め松山、和田氏らが事務所も住居も一ヵ所に兼ねて支那人の番頭や小僧と共に寝起きし、互いに苦楽を共にした隔てのない生活を送っていた。互いに青年同士であった故もあろうが、「それは非常に楽しい生活であった」と松山、和田両氏も懐かしげに語っている。

席の温まる暇もなく縦横に活動した時代であったが、森はその一面、家にあっては常に自己修養に努め、読書や習字に余念がなかった。当時もやはりセシル・ローズを師表としていた。

――和田正世氏談――

森さんの東洋に対する抱負経綸は、その時分から大きなものであった。当時森さんはその所蔵する英書の内でもセシル・ローズの南亜遠征を最も趣味深く読まれた。恐らく森さんの胸には英のセシル・ローズ以上の使命を背負い活動せんとの希望が横溢して居った様に思う。

かくして、三井物産としては未だ殆んど事業場として未開地であった長沙地方が、森が赴任してから俄然その重要性が認められ、出張所開設となって本格的に活動が開始されたのである。言い換えれば三井物産の長沙進出と同地方の事業の基礎を作ったのが即ち森だったのである。

また、それと同時に、森の非凡な商才が確乎として認められ、将来天津支店長に抜擢されるほどの手腕家としての第一歩は、実に長沙時代に於ける彼の目覚ましい飛躍活動にあったのである。この時代の森の活躍こそは彼の三井ライフに於けるスタートであったといえる。快刀乱麻の手腕といおうか、この快腕が忽ちにして弱冠森恪の名を大三井に轟かしたのであった。

この小セシル・ローズの目覚ましい活躍ぶりは、後輩たちに非常な畏敬と羨望の念を以て讃嘆された。

抜群の商才を発揮して、我々後輩を少なからず発奮せしめた。中でも最も我々を刺激したのは湖南省督軍に食い入り、大量の軍器及び軍需品の買い込みに成功して、時の上海支店長山本条太郎氏から非凡な手腕を認められ、一躍月給何十円かを上げられ、社内の麒麟児として評判男となったことである。

―立川團三氏談―

一九一二（明治四十五）年五月二十七日、横須賀にいた婚約者瓜生栄枝嬢宛てに森が上海から出した手紙に、セシル・ローズの伝記を読んだこと並びにローズに関しての所感を述べている。

資料１０　長沙出張所時代（２６歳、後列中央）（出典：山浦貫一編『森恪』）
※後列右は松山小三郎氏

（前略）船上携えるところの『Cecil Rhodes, his private life』と申すを読了致候、彼は近世の人物中小生の好む一人に候。本書の余白に所感を記して曰く真面目なる信念を基礎として一生の理想を樹つる事は既に常人の難しするところ也。況や何らの躊躇もなく、人言を顧みる事なく、世の趨勢に疑懼せず、断々乎として始終初志の実現に全力を傾注す、彼セシル・ローズも又快男児なる哉。この人については一二訳書も有之やに記憶致候。御暇の節御一読可然と存候（後略）

以上の如く婚約者にまで一読を勧めている。

四　熱血山座圓次郎公使と国権に躍る

当時陝西省延長県に石油坑区の問題が起こり、その利権について米国と競争する必要上、森は現地調査のために部下和田正世氏を現場に派遣したことがある。

——和田正世氏談——

丁度、光緒戌申、明治四十年であったと思う。山座公使時代であった。米国のスタンダード石油会社が延長県石油坑を借款したとかするとか、当時は我が国にとっても外交問題、政治問題として相当重要視された。北京駐在公使山座圓次郎氏もこの権利を米国に渡すまいと躍起になっていたし、森さんは、これは国家のためにどうしても米国と競争して利権を我が国のものにしなければならぬと直ちに調査に取り掛かった。我が政府でも調査することになり、外務省の命令で、湖北省武昌の某学堂に教鞭を執っていた渡辺理学士と一人の通訳を延長県に派遣した。自分も森さんの命を受けて武昌にいた松坂という理学士を伴い、政府派遣の一行に加わり、調査のため現地に向かった。

当時はまだ、京漢線の鄭州までしか鉄道はなく、西安までは汽車がなかった。そんな交通不便時代であった。鄭州から陸路潼関などの難関を越え延長県石油坑まで実に五十日間を費やした。

自分が、森さんから命を受けた調査の要点は、

一、現地に行き、同石油坑が果たして米国人の技師によって開設されているや否や
一、噂に伝えられる如き大油坑なりや否や
一、あの交通不便な土地を如何にして運搬するか
一、沿路の地図
一、黄河水運は実際的に使用可能なりや否や
一、スタンダード石油会社の借款が実際に締結されたものであるか否かを西安の省長に会見し確かめる事

などであった。

自分にとっては相当重大な使命であった。やがて現場に到着して目撃するに及んで、自分は想像以上に貧弱な設備であると聊か悲観した。同石油坑が専門的に価値あるものかどうかは別としても、文明的なボーリングを試みた形跡さえ更になく、二、三の井戸を開いた跡が見受けられるのみであった。

帰途には西安に一ヵ月以上滞在し、陝西省長張守正ともしばしば会見した。スタンダード石油会社借款問題は、当時西安駐在の同会社員との間に交渉された事実はあるも、当時宣伝された如くには未だ大借款契約が成立した事実はなった。省長張守正は湖南省長沙の出身で非常に好々爺であった。

西安からの帰途は四川省へ向かうため秦嶺を超え成都へ出て、漢口へ帰ったのは八ヵ月ぶりであった。その間に森さんは上海に転勤していたので、森さんに報告しようと意気込んで帰ったのにがっかりした。それでその報告は高木陸郎氏に頼んでコピーを上海の森さんまで提出した。しかし今日では自分の手許にも残っていないので誠に残念に思う。

右の石油坑問題には森が随分意気込んだことがこれによっても分かるが、一方山座公使もその石油坑の将来の重要性を認め、また氏の抱懐する大陸政策の見地からもその利権の獲得に努めたのであった。しかしながら時の政府当局の反対に遭ってそのまゝ有耶無耶に握り潰されてしまったのは返す返す残念な事であった。

和田氏を現地に派して調査させた材料によって作成した調査書類は、森の手から山座公使に交付し、外務省で保管することにしてあった。それを一九二二（大正十一）年に、森がある必要から書類を一見したいと外務省に申し込んだことがある。外務省からは、どこに保管してあるか不明なりとの回答があった。

「山座公使と僕とでやった秘密の書類が未だある筈だ。中には支那側の正式調印したものもあるのだが、外務省がこれらの重要な国策国権関係の書類保管に粗漏では困る」

森は歎息して言った。余程残念に思ったらしい。

恰もそれは将に支那の戦国時代であった。力ある者は起って快刀乱麻の腕を揮うべき秋であった。一方には支那政界の梟雄袁世凱が北方に蟠踞して、その常套手段である買収、脅迫、暗殺などの悪辣さを欲しいまゝにし、南方には早くも革命の情熱が燃え上がっていた。

然るに我が元老重臣は、支那の君主制が廃されて共和制になることは我が国民思想上悪影響があるとの意見で、政府の対支方針も又むしろ袁に好意を持ち、民間の革命援助の傾向とは対立していた。そのような対支政策の貧困時代に、伊集院公使に代わって駐支特命全権公使に抜擢されたのが外務省切っての支那通にして且つ硬骨鬼才と謳われた**山座圓次郎**氏であった。氏は多年心身を打ち込んで得た支那認識と宿望の大陸外交遂行の使命を感じ、意気軒高として北京公使館に入った。

『山座公使』の著者長谷川峻氏が次のように述べている。

―山座の起つ秋が来たのだ。彼は南北新旧抗争のなか山西省の石炭に目をつけた。更に四川省（甘粛）の油田に着眼した。政府に、今のうちに買収してしまえ、将来我が国の石炭石油の資源問題解決のために絶対必要だから、列国が蠢動しない裡に先手を打て、と強硬な意見を添えて提出した。加藤高明外相は、南北争っている時にかかる重要な提議をする事は、英米仏の反対を招くことは必定というので閣議は反対だ、当分見合わせて欲しいと答えて来た。これを受けた山座は直ちに加藤外相に、そんな弱腰ではいかぬ、現地の情勢から判断してこの二利権の獲得は絶対可能だから政府が賛成する様極力尽力されたいと、連日のように電報で催促した。ところが加藤外相の回答はいつも悲観的だ。到底政府が自己の意見を容れないと知った時、山

―『山座公使』より―

座は公使館の机にガバと身を投げかけ慟哭した。

「こんな馬鹿げた事があるか、みすみす絶好の機会を失うなんて、俺は現地で見るに忍びない。こんな為体なら今後の責任はとれない。俺は罷めて帰国する」

そして山座はいつまでも男泣きに哭くのであった。

賤香夫人は、生涯あんなに泣いた夫を見た事がないと後で語ったそうであるから、熱情児山座が確信を持って放った対支外交の第一弾を闇に葬り去られる断腸の無念こそ共感される。

「罷めて帰る」の電報を見た加藤外相はすっかり度胆を抜かれ、「そんなことは言わずに一度帰朝して詳細に事情を聞くから待っていてくれ」と幾度か慰留の電報を打った。民間の者は山座が、窮していた対支交渉に何か素晴らしいことをやってくれるだろうと期待していたところが、赴任して半年何の活動も聞かれない、依然として眠っていたかに見えるから耐えられなくなった。民間の与論は内情なんか露知らないから、山座の無為を攻撃し始めた。その間の苦衷を、彼は玄洋社の同志浦上正孝に書いて送って来た。

この重大な時機に当たり、中央当局から対支政策上何らの定見なく朝令暮改、大機を失するは遺憾の極みである。余は遠からず帰朝の上、その意見を披歴すべく、聞かざれば再び帰任せざる覚悟である。近来国内の与論が自分を非難攻撃するは国家のため当然のことである。自分は如何に非難されても構わぬ、自分に対する非難によって日本国民の意志が強く現れ、それで政府の決意を促すことが出来れば、それが即ち日本の執るべき態度を間接に後援する作用をなすことである。

堂々と政府の不甲斐なさを衝き、自分への非難攻撃によって政府が強くなれば本望だと悲壮な決意を示して、はるか支那の空から東京を臨み、政府の強力外交発動を翼っている公使山座の髀肉の歎に堪えない無念そうな姿こそ同情に耐えない――

『山座公使』の著者は文中「四川（甘粛）の油田」と記している。四川省か甘粛かが不明であったらしい。しかしこれは森と共に調査した前記の陝西省延長県の油田の間違いであろう。

小村壽太郎侯に次ぐ熱血名外交家と称され、近き将来の外相と目された大陸外交の先駆者山座圓次郎公使と、同じく大陸政策に生涯を捧げ貫いた熱血児森恪が弱冠二十四、五歳にして当時大いに肝胆相照らし意気相投じ、共に提携して国権のために活躍した事実は余り世人に知られていない。山座公使が無念の裡に一九一四（大正三）年五月、俄かに病を得て四十九歳にして北京に客死したのは、我が国の大陸外交にとって一大損失であったこと言うまでもなく、森にとっても蓋し無念無量であったに相違ない。（詳細は拙著『福岡が生んだ硬骨鬼才外交官　山座圓次郎』を参照されたい）

五　七年振りの帰朝

森が俄かに転任を命じられたことは、森の命を受けて陝西省へ出張した和田氏が長沙へ戻った時、既に森

資料１１　山座圓次郎

が上海支店詰になっていたことによって判る。それは一九〇八（明治四十一）年四月で、森は知己となった湖南省の要人らと柳の青く繁った美しい湖南の春とに惜しい別れを告げて去った（二十六歳）。

上海に来てみると、東京の本店から帰朝命令が来ていた。そのため森は渡支以来実に七年振りに帰朝したのであった。

この帰朝命令には逸話がある。

前述した中央公論の森の**論文『湖南・江西地方調査材料によるもの』**が、時の陸軍大臣寺内正毅大将の目に止まり、大臣を甚く感心させた。発行所に問い合わせると三井物産の長沙出張員の執筆と判り、寺内大臣から三井の総帥益田孝男に電話があり、

「君の所に森恪というものがいるそうだが、立派な論文を書いとる」

と讃められた。

ところが益田氏始め他の重役たちも森恪の事を良くは知らなかったので面食らった。そんな傑出した社員がいるのに、三井の幹部として「良くは知らない」では済まされない。早速呼ぼうというので俄かに帰朝命令となったのである。

かくして二十六歳の青年森が一夕陸軍大臣に招待され、膝を交えて堂々と支那を論じ対支政策の意見を述べたのだが、益田氏始め他の重役が森のお蔭で陪食したのだから森の得意や想うべしである。

この時の帰朝では大阪の父、東京の笹間翁、澁谷氏らの知己に会ったことは勿論だが、森にとっては、そ

れにも増して懐かしい人があった。足柄の彦左衛門翁であった。支那へ初めて渡る時には旅費まで工面して貰った。その恩義は一日とも忘れる事が出来なかった。

ある日、足柄下怒田の某氏が耕地見回りに出ていると、向こうから二人引きの人力車が走って来るので、何事かと手を翳して眺めた。それはどうやら吾村へやって来るらしいのである。当時二人引きの人力車は東京でも余程の高位名士でないと乗らなかった。ましてこんな辺ぴな足柄の山麓では殆んど見る事もなかったのである。

「どんな偉い人が村へやって来たのだろうか、何事が起きたのであろうか」

不審に思って見ていたのも無理はない。

やがて人力車がそばまで来ると、車上からいきなり声がかゝった。

「やァ、暫らくだったネ。変わりはなかったかネ」

おャ?と思って見上げると、それは彦左衛門の家の「坊っちゃん」だったのである。

「何だ、誰かと思ったら坊ちゃんか、えらく出世しなさったネ。おったまげただョ」

百姓某氏はびっくりして取るものも取り敢えず村へ駆け戻り、

「坊っちゃんが帰った、坊っちゃんが帰った」

と振れ回ったので、全村五十戸の村人たちがドッと外へ飛び出し、

「やァ坊っちゃんだ、坊っちゃんだ」と手を握って森を歓迎するのであった。森も故郷に錦を飾ったほどの得意さである。恰も凱旋将軍の如くであった。これを眺めた彦左衛門は涙を流して喜んだ。森は早速昔の恩義に酬いる寸志として村人残らずに僅かの金を分け与えた。

資料１２　渡支以来７年ぶりの帰朝（出典：山浦貫一編『森恪』）
※右より恪（２６歳）、森潤三郎氏、森作太郎翁、森みどり嬢、義母ノブ夫人

東京では築地の有明館を宿としていた。澁谷権之助氏が訪ねると、
「今度の帰朝はいろいろな視察が目的だが、差し当たり鉱山の視察に出かけようと思う。一緒に行かんか」
と言う。その後森は澁谷氏同伴で秋田県小坂鉱山に赴いた。

当時、そこの署長は田中という四十年配の人で、こちらは未だ二十五、六歳の若輩なので良い加減にあしらおうとする。と、森は卓子に肱杖をついて堂々とこねつけてとうとう承諾させ、田中所長の案内で同鉱山を隈なく視察した。その時にも森の度胆を流石と思った。

—澁谷権之助氏談—

当時の田中所長は、後の一九二九（昭和四）年、濱口内閣の文部大臣になった田中隆三氏であった。

森氏が日本に出張されて帰店の上、旅行日誌を提出せる瞥見せる際に、同氏が各地に於ける顧客先訪問とかまた東京にて三井鉱山会社幹部または関係各課に打合せたる用件を詳記されたるを、一般の人は只単に旅行日取りと東京とか門司とかの発着、滞在くらいを記述し居るに比して、能く旅行の趣旨を明らかにし、従って同氏の個性の発露に便なるを感じたり。

—向井忠晴氏談—

六　国威のために

上海支店には一九一〇（明治四十三）年十一月まで居た。その間森は石炭係、輸入雑貨係に勤務した。持病の喘息は二十五歳の時、支店社宅で発病したのが抑も最初であったと伝えられている。

日支間に江西鉄道の百万円借款が成立したのは一九〇八（明治四十一）年かその翌年の事で、森が上海詰になってからの事であった。江西鉄道は江西省の九江―南昌間四十九マイルの鉄道である。その鉄道布設に枕木の売り込みをしたのが森であった。これによっても、森はやはり上海に居ても机上で事務を執ってばかりいる店員ではなかったことが判る。

―中日実業・野口米次郎氏談―

江西鉄道布設工事には、技師を日本から聘するか米国から招くかについて最初江西省当局では理屈ばかり言っていて容易に決まらなかった。元来江西省は何によらず理屈っぽい土地である。どうやら米国と交渉して米国から技師を招聘した方が良いという意見が勝ちそうになった。丁度南昌へ枕木を売り込みに来ていた森さんがそれを聞き、日本の国威及び邦人技師擁護の立場から、これは是非日本人説を勝たせねばならぬと乗り出して行って江西省の役人と折衝に当たり、例の調子でギュウギュウやり返し、さすが理屈っぽい役人らを屈服させて遂に日本側の技師長を使わせることになった。それは全く森さんの力であった。

工事は三井物産の手から更に東亜興業に移って着手されたが、私は当時東亜興業にいた関係上、南昌へ赴いた。当時南昌には宿屋がなく、それに丁度六月で、南昌は暑い土地なので民家にはとても泊まれそうもなく、私どもは船を宿とした。南昌は漢口の岸にあって、岸には延々二里に亘って船が泊まっていた。その中の空いている舟を借りて宿所にしたわけである。森さんは省の役所の方へ泊っていたが、暑くて閉口だと言って私どもの船へ浴衣がけで来て、褌一つで幾日も泊まっていった。

当時日本からは工学士本間英一郎氏を技師長に派遣する説もあったが、たまたま南昌の鉄路学校に聘されて教鞭を執っていた工学士岡崎平三郎氏が居たので、結局岡崎氏が技師長として工事に当たった。

森は右のように例えば枕木の売り込みという用務を帯びて出かけて行っても、単にその用務のみを果たして足れりとするのではなかった。常に国威国権の伸長という大局を背中に背負った立場から行動した。その実、単なる商人であったとはいえない。むしろ国士というべきであった。笹間氏の訓戒を忘れなかったのである。ある人は英国のセシル・ローズを評して「膨張英国の象徴」と言った。在支時代の森に「膨張日本の象徴」的姿が見られるといっても、あながち過言ではあるまい。

七　ニューヨークでの株の研究

一九一〇（明治四十三）年十二月、森はニューヨーク支店長室付としてニューヨークに赴任した。ニューヨーク詰となったきっかけに次のような逸話がある。

森はその当時は上海支店で石炭係に居たが、主任と係員との仲が悪く、いつも衝突するのを、ある日森が一人で買って出て、主任と机の上であぐらをかいて大議論した。先輩を散々やっつけたので、上海支店でも森を置けなくなり、その結果ニューヨークへやることになったのであった。

当時は、山本条太郎氏は既に三井物産常務として本店にあり、上海支店長は藤瀬政次郎氏であった。

「君はニューヨークへ直ぐ行ってくれ」

「何の役をさしてくれますか」

「役目は向こうに行って聞いてもらいたい」

「それでは行かない。行くからには何をさせるのかはっきり解らないと行けません。支店長室付なら行くが、そうでなければ行きません」

「ではそれでよろしい」

そんな経緯があったと伝えられているが、如何にも森の面影の躍如たる逸話である。

支店長室付というのは閑職で、いわば「支店長学」見習のようなものであり、将来支店長候補にする箔をつけるためのところであった。要するに遊学に派遣したようなもので、本店の意向としても森を長くニューヨークに置くつもりはなかったらしい。

従って受け持ちの仕事もハッキリと分担が決まっていた訳でなく、名義は支店長秘書のようなものだが、実際は板倉という事実上の秘書が居たので、森は甚だ閑職であった。

「俺は毎日新聞を見て綴じ込みや切り抜きをやるのだが、それも毛唐のボーイに『お前やれ』といった調子

資料１３　ニューヨークに向けて出発（２９歳、左）（出典：山浦貫一編『森恪』）

で一向やらず、外ばかり飛び歩いていた」

　後年森自らそう人に語ったことがあるが、かつて長沙出張所に居た時にも湖南、湖北、江西から上海、北京にまでも飛び回った森としては、支店長の部屋で徒らに腕を撫している退屈には耐えられなかったのであろう。

「何もしないで映画ばかり観ていた」とも漏らしたこともあった。

　これは支店の事務は殆んど執らなかったという意味で、他何もしなかったという意味ではなく、映画も米国の事情や文化や習慣や日常生活などを知る上の便宜として、言い換えれば米国研究の一方便として親しんだことであろうと考えられる。


　何もしないどころか、在米僅か一年の間に森は米国の産業、為替、株などの研究に余念がなかったのであった。森はニューヨークの本屋にある株の本をみんな買い集め、毎日これを読んでいたので、他の社員たちが驚いたほどであった。

　森は山本条太郎氏の影響感化を多分に受けているが、株の研究もその一例である。山本氏はかつて大阪支店長時代に綿の買い込みに失敗して七十万円の大穴を開けた事がある。そんなことから一時ニューヨークへ回された事があった。山本氏はその失敗に鑑みてニューヨーク時代はウォール街のスペキュレーション（相場の変動によって利益を得るための売買、投機）を熱心に研究したと伝えられているが、森もその例に習ったのであろうと思われる。

　株の研究のお蔭かどうか解らないが、ニューヨーク時代に森は綿花の買い付けをやって巨利を得た事がある。ある時、支店で綿花の買い付けをすることになったが、支店の事務には殆んど手を付けなかった森も、この時ばかりは進んでその買い付けの役を買って出た。

米綿の会社に多量の注文を発したところ、先方からは、

「三井物産本店の承認電報を添えてくれ」

とやかましく言ってきた。本店からの承認電報を添えて注文するのが慣例になっていたからであった。

しかし森は、

「俺は買付係として支店に来ているのだから、俺の責任でやるのは当然である。本店から権限を付与されていることだから差し支えない」

と応酬した。それでも先方では、

「前例により本店よりの承認電報がなくては困る」

と頑として言い張った。

ところが、これで引き下がる森ではなかった。

「それは俺を認めないという仕打ちというものだ。権限を与えられていながら今更本店の承認を求めるなどというそんな不見識な事が出来るか。そんなものとの取引は以後一切御免蒙る」

と反駁して遂に相手に納得させ、承認電報なしで契約し、大量の綿花を買い付けた。

するとその翌日相場が俄然跳ね上がって莫大な利益を挙げたのであった。

つまり森は相場が上ると確信したから、本店へ照会電報を発したりしては間に合わぬと考えて機敏な行動をとるために、わざと体面論を持ち出して相手に押し付けて成功したのであった。

八　全米の産業を視察す

度々言うようであるが、森が単なる一商人、また単なる三井物産の一社員でなかったことは彼のニューヨーク赴任の途中に於ける行動によっても察しがつく。サンフランシスコに着いた日取りは予定通りであったが、サンフランシスコからニューヨークに着任するまでに、森は二ヵ月を費やしていた。

「何をしていたか」

支店長瀬古孝之助氏が詰問したというが無理からぬことであった。すると森は、

「鉄道の利用できる限りは利用して、アメリカ全土は勿論のこと、カナダの方面まで詳細に視察して来たから、もうこちらの事情は手に取るように解っている」

と答えた。その視察調査も、森の事だから産業のみならず軍事外交にまで亘っていたことは想像に難くない。

着任してからも始終旅行に飛び歩いていた。全米からカナダへかけての石油の産地は全部視察したとも伝えられている。ある時支店長瀬古氏が本店へ、

「森は旅行ばかりしていて、支店の仕事を少しもしない」

と報告すると、本店の重役飯田義一氏から、

「森の行動は一切束縛するな」

という返電が来たという話は有名になっている。三井物産としても、振り出しの上海時代以来、長沙の軍器

売り込みにしてもまたニューヨークの綿花買い付けにしても、森の活動によって大いに利益を挙げているので、森に小言が言えなかったのである。

「俺は充分儲けさせてあるから、しばしばワシントンへ出掛けたり、各州を旅行して歩いても小言や文句はなかったのだ」

森は当時を回想してそう言ったことがある。

やがて帰朝命令を受けた時にも、森は早速には帰って来なかった。丁度支那には第二革命が勃発した時で、支那の要人に知己の多い森を再び上海支店詰として呼び戻した訳で、上海の藤瀬支店長が苛々して森の着任を待っているのであった。

予定よりも大分遅れてようやく帰って来たので、

「どうしてこんなに遅れたか」

と理由を尋ねると、

「二度とアメリカへ行けるかどうか分からぬので、全米を隈なく見学して来ました」

と答えて藤瀬支店長の前に詳細なアメリカ産業視察報告書を提出した。つまり帰途の旅行を利用し全米の産業状態を視察調査するために日数を費やしていたのであった。

その報告書はアメリカに五、六年滞在した者にさえも不可能なほどの詳細かつ明確なものだったので支店長も驚いて、

「流石森君だ。君はどんな時にも無駄足はしない男だ」と感嘆した。

「全米を歩いた者は俺くらいのものだろう。しかも俺は国家のために働いていたんだよ」

森はそう言ったことがある。

九　志は君国に在り

森は普通の社員とは毛色が違っていたので社員同士しっくりはいかなかった。いわば支店内の異分子の感があった。

普通一般の社員は大抵現実主義者で、受け持ちの事務をスムーズに処理する事のみ専念するといういわゆるサラリーマン型であるのに反して、森は会社の仕事よりももっと遠大なものに常に関心を持ち、始終他の勉強、例えば株だとか為替だとか或はまた政治だとか、思索に耽ったりする理想家型であった。

森君は当時から既に政治家になろうという意志があった如く、政治には多大の関心を持ち、社員が集まって雑談する時にも彼はしばしばアメリカの政治に対する意見を述べたり、大統領の演説を批判したりした。

—井上信氏談—

井上氏は、当時ニューヨーク支店詰であり、後に三信建物の常務となった。

森はまた時々ワシントンへ出かけ、アメリカ政界の大立者であり民主党の長老として知られた国務卿ウィリアム・ジェニング・ブライアン氏にしばしば会見して意見を交換した。

親日家として日米親善を熱望していたブライアン卿に会ってみたいとかねがね念じていたが、三井支店の渺たる一青年社員（当時二十九歳）が米政界の偉人に会見するのは殆んど夢に近い話なのであった。ところが幸運にもある機会を捉えることが出来たのであった。

即ちブライアン氏の許には山下という日本人の秘書がいた。ブライアン山下と通称してブライアン家の一員とされている人であった。森は先ず山下氏と懇意になり、山下氏の斡旋で紹介され、しばしばブライアン氏に会見することが出来たのであった。

今ではブライアン氏との会談の内容を知る由もないが、当時は日米問題、移民禁止問題のやかましい時であった。その年一九一一（明治四十四）年二月には日米新条約が結ばれ移民が制限されている。恐らくそれらの問題を巡って日米親善を説いたらしく、山下氏は、

「森君は日米親善の要を説き頗る熱心であった」と語った。

ブライアン山下とは山下彌七郎氏のことで、氏は鹿児島県出身、若くして渡米し、苦学してネブラスカ大学で勉強中にブライアン氏と知り合った。ブライアン氏は彼の勤勉な努力を見込んで「日本人くらい恩愛の念が厚く信用できる国民はない」と山下氏を我が子の如く愛し、夫人と相談の上同氏にブライアンの姓を与えて家族の一員とした。山下彌七郎氏は、一九三九（昭和十四）年夏東京に帰って、次のように語った。

——　　　　　　　　　　　　　　——山下彌七郎氏談——

明治四十三年だったか四十四年だったか年代は忘れたが、私はアメリカへ幾度目かに行く船の中で、初めて森氏に面識を得た。彼は未だ二十六、七歳の血気な青年であった。森氏がニューヨーク支店詰になって赴任する時だったのである。私がアメリカで長く生活していることを知って、森氏から「自分はアメリカに行っても会社の寄宿舎やアパート住まいはしたくない。アメリカの相当な社会人の家庭に置いて貰いたいと思うが、あちらへ着いたらそれを一つ斡旋して呉れまいか。アメリカ人の家庭に接していないとアメリカが良く分からないから」と、寄寓する家庭の斡旋を依頼された。私もそれは大変良いことだと思ったので、出来るだけ斡旋することを約した。ところが、あちらへ着いて知り合いのアメリカ人の間をいろいろ物色してみたが運悪く適当な家庭が見つからなかった。そんな訳で残念だが遂に私は約束を果たすことが出来なかった。しかしそれが縁でその後森氏と交際するようになった。森氏は支店の仕事は殆んどしないで、いろいろの手づるを求めてはあちらの知名な政治家、財界人に多くの知己を求めることに努めたらしい。私は国務卿ブライアン氏の許に居たので、私が紹介して森氏をブライアン卿に会わせた事がある。その後も二、三回は会ったらしい。会ってどんな話を交わしたかは私は知らない。我が対支問題外交問題などについて二人の間にどんな意見が交換されたかは全く知らないが、当時まだ若い青年ながら森氏は政治家的素質を十分に持っていた。

森氏の渡米期間は極短く、約一ヵ年くらいのものだったと記憶するが、その後も時々私たちの間には手紙の往復は絶えなかった。初対面から私はこの人物は非凡なところがあると感じたし、その後も彼の動静については常に注意して眺めていた。

後年、私は某氏とドイツの財政家シャハト氏の話をした時に、ふと森氏を思い出して、「日本でその人を求めるならば森恪氏である」と話したことがある。シャハト氏は経済学者で同時に優れた政治家である。ドイツの国家経済を立て直し、ドイツをして大戦前のドイツを取り戻させたのは即ちシャハト氏である。

十　滞米中の生活

森の生活は割と贅沢であった。支店の同僚たちは大抵朝食付きで一週七ドルか八ドル程度の部屋を借りて住んでいたが、森は部屋代だけに五ドルも出していた。

支店のあるビルディングの付近に社員たちの昼飯を食べる食堂があった。社員たちが貴族院と呼んでいる食堂は一食一ドルで、そこは支店長級の人々の行く高級食堂である。もう一つ衆議院と呼んでいた食堂は、一般の社員たちが行く習慣になっていて、そこでは一食五十セント程度であった。ところが、森はそのどちらへも行かず、丁度その二つの中間に当たる一食七十五セントの他の食堂で昼飯を食べた。彼はいつも同僚たちから離れて一人でその食堂で思索に耽りながら食事を摂っていた。

当時社員たちは、スポーツとしてはテニスやベースボールをやるのが普通だった。ところが森はその仲間には加わらなかった。彼は当時から早くもゴルフをやっていた。ゴルフ場へ行くと普段は容易に近づきがたい上流の人々とも割に容易に交際が出来る。そんなことを森は考えたのであろう。当時はニューヨークでもゴルフをやる日本人は僅か三人しかいなかった。一人は太平洋横断回数のレコードホルダーとして有名であり且つ東部アメリカの草分けと知られた森村組の御大森村市左衛門氏であり、一人は当時の横浜正金銀行ニューヨーク支店長今西兼二氏で、もう一人は森であった。

森は支店の内部でも目先の利く男として評判であった。普通サラリーマンというものは前述したように概して足元のみを考えているものだが、森は人よりも常に一歩前の事を考えていた。

支店長室付なので、新たに転勤して来る社員のある場合などには森は一番先に分かる。そんな時に普通の人ならば、うんそうかと思うだけでそれ以上の事は気にもしないのだが、森はそうではなかった。転勤して来る者があるとその代わり誰かがどこかへ転任になるか、または馘首されるに相違ないことを考え、それに該当しそうな社員に予め了解の行くように遠回しに因果を含め、未だ支店長から言い渡されないうちに進退伺を自発的にさせ、事が円満に行くようにするという具合で、社員の移動なども森のお蔭でいつも円滑に運んだ。

一本の手紙を書くにも、いつもその結果を幾通りにも考慮し、先手を打って結論を述べるのが森のやり方であった。

第三章　婚約時代

一　益田孝男爵に見込まれる

森はニューヨークから一旦上海支店に帰り、一九一一（明治四十四）年十二月十四日付で本店詰になっている。

一九一二（明治四十五）年五月に再び上海詰となるまでの半年弱の間、これという部署を持たずに本店に籍を置きながら、実は東京と上海方面を頻繁に往来し、支那革命の裏で活躍したのであった。この期間に於ける主要な問題として婚約がある。

婚約者瓜生栄枝は、海軍大将男爵瓜生外吉閣下の第三女で、母は繁子といった。一八九三（明治二十六）年七月三日出生の当時十九歳で、才媛の誉れが高かった。婚約は一九一一（明治四十四）年十二月、森がニューヨークから帰朝して間もなく結ばれたのである。

麒麟児森恪の名は日露戦争の日本海海戦当時から山本条太郎氏を通じて三井の総裁益田孝男爵の耳にしばしば入っていた。瓜生大将も又大海戦以来森の名を知っていた。益田男爵は瓜生大将夫人の令兄に当たる。そのような関係から、婚約の話は最初益田男爵から山本条太郎氏を通じて森の父作太郎氏に持ち込まれた。

森は初め気が進まなかった。華族であり、大将である名家の令嬢とは身分が違い過ぎるからであった。しかし母堂繁子夫人と面接するや彼は飜然として意を決した。

初めて瓜生家を訪ね、応接室で大将夫人と対坐した時に、同家の女中が茶を捧げて進み出、森の前へ来る

資料１４　益田孝（公益財団法人三井文庫所蔵）

と誤って茶碗を落とした。茶托は飛び、茶はこぼれ、茶碗は壊れて四散した。

森はじっとそれを見ていた。

する瓜生夫人が「怪我をしませんか」と、静かに女中を労わって尋ねた。

幸に怪我はなかったが、女中は夫人の優しい言葉に恐縮感激し、粗相を深く詫びて立ち去った。

客の面前に於ける粗忽な振る舞いを叱責する前に、先ずその身を労わった、召使に対する思いやりの深さに森はひどく心を打たれ、夫人の教養の深さ、ゆかしさに感嘆したのであった。

「この母に教育された娘なら、妻とするに足りるであろう」

かくして森は、当の相手たる令嬢栄枝と見合いもせずに婚約を取り決めたのである。

二　華族令嬢

二十九歳の青年森が僅かに一面識で賢夫人なることを見抜いた瓜生夫人繁子は、学識と聡明を以て明治の名流婦人界にその令名高く、また明治最初の米国留学生として知られていた。森は爾来同夫人への手紙は必ず英文で認めることを習わしとした。

瓜生栄枝は兄妹の中でも特に伯父益田孝氏の寵愛を受けた。それで益田男も栄枝の縁談には自ら乗り出したのであった。

森の縁談は益田孝が決めたのである。益田は森を山本条太郎以上の人物だとすっかり惚れ込んで妹の縁談を進めた。

—瓜生剛氏談—

結婚の時には益田男爵が自ら筆を取って「結婚生活の訓戒」を栄枝に書き与えた。

森は箱根塔ノ沢に数日逗留したことがある。いよいよ上海支店詰となって赴任する直前で、既に婚約が結ばれてからであった。

拝啓　小生昨朝当地に来着致候　三四日滞在の上帰京支那行の仕度に取掛る寸法に御座候。本朝雨を冒して馬上宮ノ下に一遊を試み候。樹々の若葉緑更に深く雲霧嶺を閉ざし満渓の風光絵も及ばず。

一寸動静御報せまで。

明治四十五年四月二十四日

塔ノ沢環翠楼にて

恪　生

横　須　賀

瓜生外吉様御内

栄　枝　ど　の

○

本朝、馬蹄をこの地に印し申し候。春光に浴しつゝ鏡の如き湖上に浮かべば心身更に悠々たり。これより塔ノ沢に帰ります。

芦ノ湖畔
恪　生

明治四十五年四月二十五日　午後三時

横　須　賀
瓜生外吉様方
栄　枝　様

塔ノ沢環翠楼の老婆は、足柄の加藤彦左衛門家から出た人で森の遠縁に当たっている。老婆は孫娘のお玉さんを森に嫁がせたいと考えて頻りに勧めたが、森は各方面からひきりなしに訪ねて来る名士らと連日連夜盛宴を張って老婆の話に耳を貸す風もなかった。そのうちに漸く、婚約が決まっていると聞いて失望したのみならず、相手が華族令嬢と聞いて更に驚いた。

彦左衛門翁も、

「華族様からお嫁を貰ってどうする気だ」

と、最初は大反対であった。後年森は門下の青年らにしばしば戒めて言っている。

「身分の上の者と結婚するものではない」

また次のように述懐したことがあった。

「俺が瓜生大将の娘を貰ったのが成功した原因だと言っているが、実にけしからん話だ。三井だって俺のお蔭でどれだけ儲けたかしれない。それなのに俺が如何にも瓜生や益田のお蔭で出世したようなことを言い触らしている。とんでもないことだ」

三　三度上海支店に赴任

一九一一（明治四十四）年十二月ニューヨークから帰朝して以来、森は上海―東京間を頻繁に往来した。瓜生栄枝宛ての手紙を見ても、一九一二（明治四十五）年三月十七日、四月三日は上海から、四月十三日には黄海航行の春洋丸にて、としてある。

拝啓　四月三日出の御手紙昨朝旅先より帰りて落手、貴方皆様多福の由幸甚に存上候。小生用事の都合にて昨夜俄に上海出発帰朝の途に上り候。途中芦屋に盛宣懐を訪ね更に大阪の父を見舞いて直様上京の心組みに候。自然旬日の間に御面晤の機あらんと存候。今回は先約により神戸山下氏方を御訪う可致候。海は洋々たり、風は習々たり、東奔西走の昨日に引き換え今日はなす事もなく一人船上に黙想す。苦闘多き小生の行程にも時にこの一閑を貪るの快あり。明朝長崎に上陸の筈　匆々

黄海航行の春洋丸にて

明治四十五年四月十三日

恪　生

横　須　賀

瓜生外吉様御内

瓜　生　栄　枝様

この時には五月二十五日付で上海転勤を命ぜられるまで一ヵ月以上も日本に滞在した。

拝啓　今回はしばしば御面会いたし本懐に有之候。扨小生一昨二十五日朝東京出立、同夜大阪着、遅くまで父と談笑し、翌二十六日は午前を旅支度に費やし、午後は芦屋に盛宣懐氏と会し、夜に入りて神戸に山下家を訪い、十一時単身朧月を仰いで本船に便乗致候。今朝六時甲板に出づれば、瀬戸の内海、五月雨に霞して静穏例えるに物なし。感ずるものは想多し、回顧すればこの次の滞京三十有七日に亘り、一面より申せば得る所も少なからず候。感ずるものは想多し、信長の如きすら人生五十年と嘆ぜし事もありけり。風雲の彼岸に蟠まれるこの際、吾人も又軽々しく身を処すべきにあらず、思えば趣味多き生涯に候はずや。

（中略）

今日は思い出多き「五月二十七日」に候。横須賀御両親には一層御多忙と存候。

何卒御健勝にあられ候様奉祈候。

久振りに仏船に乗り込みしが、流石にどことなく優しきところあり、乗客僅かに十五名、多くは南欧人と相見え英語を話すは小生の他に三人あるのみ、小生も夜食には衣を更ゆるの面倒を敢えて致候。西洋人は下らぬところに厄介な真似をしたがる人類に候。本船は上海へ直航致候間明後日は午前中に到着可致と存候。書してこゝに至れば船は馬関海峡に掛れり。雨晴れ月冴えて清気人に迫る。これが欧州にでも行く人なら母国の見納め故感慨に耽る筈なれども小生には何ら感興も起らず、或は神経が鈍い故にや。
就寝前不取敢在京中の御厚情御礼申上度乱筆　匆々
貴方小生の厄介に相成候御気附の方々へ宣布
明治四十五年五月二十七日夜　恪生
横須賀
瓜生外吉様御内
瓜生栄枝様

《大陸東奔西走》

一九一二（明治四十五）年五月二十五日付で三度勤めの上海支店転勤となり、輸出品係・輸入品係に勤務したが、相変わらずオフィスで事務を執ることなど珍しく、東奔西走するのが常であった。尤もこの度は支那第二革命当時で、その渦中に身を投じて或は革命軍を援助し、或は国権の伸長に尽力するのが森の役割であったのである。

（上略）小生昨日南京に赴き本朝帰宅致候。更に用事の都合にて明晩出発大連に急行可致、奉天、牛荘、天津を経由、二十八九日頃北京着の心組みに有之、当地へは来月五六日頃帰来可致候。

大正元年九月十六日

上海にて

森　恪

と、瓜生栄枝宛てに手紙を書いているくらい南船北馬の多忙さであった。

《大帝崩御と新時代への奮起》

一九一二（明治四十五）年七月三十日、明治大帝が崩御遊ばされた。同日森は次のような手紙を認めている。

拝啓　二十四日の御状嬉しく拝見致候。御一同様御清穆の段賀上候　（中略）扨て本朝九時　陛下崩御の悲報は突忽として吾人の耳朶を襲へり。人生の必ず遭逢すべき運命には相違なきも真に一大事に御座候。

元より我皇の遺業はその百歳の後と雖も国本の動揺を与ふるが如きものに非ざるや論なき次第なれども、

抑もこの悲報を受くる民心を如何にすべきや。将又来るべき反響如何。思ふて、
一、日本は今より急速に代議政体の発展を見るに至るべし。
二、公債の低落は引いて財政の困難を醸すの恐れあらん。
三、日本の朝野を通じて老若その勢威を換ゆるの傾向を迅速ならしむべし。
四、順調に慣れ真面目の生活を会得せざりし国民は、こゝに初めて自国の立場を反省し真剣にその生存のために奮闘するの必要を自覚しその結果は国本の堅実を示し国運の発展を誘起すべし。
五、先輩の舞台なりし明治の御代は忽然として去り、吾人の舞台たる第二の御代は恍として眼前に展開す。吾人須らく手に唾して立つべき也。
今日一日の業を畢えて帰来、独り暮れて行く空を仰いで黙想す。嗚呼、夏雲奇峯多し。過去を憶い来者を謀れば雄心湧き至りて感慨うたうた深甚なるを覚ゆ。

図らず御手紙を得て思念御身の上に及び興の向こうまゝ筆執り申候　匆々

明治四十五年七月三十日　上海

恪　生

横　須　賀

瓜生外吉様御内

瓜　生　栄　枝様

四　借款と利権

森は輸出品係・輸入品係を経て穀肥係主任となったが、穀肥係は従来独立した係ではなく、輸出品係に所属していたのを特に森のために新設され、彼はその初代の主任になったのである。

支那は非常に面子を尊ぶ国柄である。そこで森が孫文ら革命側の要人と折衝するには何か資格をつけた方が良いという藤瀬支店長の考えから、森のために一つの係を新設しその主任としたのである。当時の彼の本給は六十円であったが、主任となると同時に一躍九十円に昇給した。

彼はしかし例によって一向に主任の仕事をやらなかった。神戸支店にいた近藤多禾氏を呼び寄せて主任次席とし、一切近藤氏に任せた。近藤氏は神戸支店の穀肥係の人だったのでその方面に通じていた。

革命側との共同事業としては、一九一三（大正二）年に孫文と提携して安正鉄道布設事業を計画したこともあった。これは安慶—正陽関間の鉄道である。その後、この計画は革命側の衰退に原因して実現せず途中にして挫折したが、彼が国策国権の立場から如何なる決意を以てこの計画の実現に心血を注いだかは、同年六月十日付の婚約者瓜生栄枝宛ての手紙によっても察せられるのである。

（上略）予て安正鉄道の事は藤瀬政次郎氏幸いに度量大にして能く大局に着眼して小生の言を容れて金を出してくれ候故、今日となりてはどうしても手を出さねばならぬ事となりたり。これは日本の連中が目前の利害のみを主張して対支政策を誤らんと致候故、国家のためにわざとかくなり行く様に仕組みたる訳に候。僅に二十万円の金で安徽省の北岸を日本の権力範囲に納め得たる次第にして、三井使用人としては幾分不法なる致方なれども小生は心中何らの苦痛を感ぜず、よし現今小生のこの行為に反対するものありとも、近き将来に於いて小生に賛同するもの多からん事を予想致候。何れにしても小生のこの独断的行動は三井の人間としては極めて不穏なる嫌いあり、不幸にして本店幹部に於いて同意を与えざる場合には、小生その責を引いて退社致す覚悟（整理したる上にて）に候。その時は御身と共に茶づけでも食いながら再興を計り可申乎。数日中に何とか分明可致と存候。別に報ずべき事も無之、御来示に従い心事右の如く書き連ね候。　不一

森は常に、

「**借款をする以上には只借款をするだけではいけない**。**利権を獲らなければならぬ**」と言っていた。

そんな建前から、彼は革命側に対し「借款をさせる代わりに米を輸出せよ。その代わり一俵に付いて一テールという莫大な税金を納める」という契約の下、孫文と交渉して遂に支那米輸出の特権を得た事もあった。当時は支那にも米の産出が少なく、**防穀令**を布いていたくらいで、同じ支那内地に於いてさえ、例えば河北省の米を天津に輸送するのを非常に嫌うという有様であった。しかし森は我が日本の人口問題からしても近き将来食糧問題の行き詰まるであろうことを見透かし、困難な支那米輸出権を獲ることに着眼し、これに成功したのは蓋し達見と言わざるを得ない。

果たせる哉、その後間もなく日本は大凶作に遭遇し米価は沸騰して、寺内内閣の命取りとなった米騒動が勃発した。その際にも森は、南京領事船津辰一郎氏の紹介で南京総督程徳全と交渉の結果、厳しい防穀令が

あったにも拘わらず、日本の飢餓救済米の名義の下に江蘇米の対日輸出に成功し、日本の飢饉を緩和すると共に、米価の暴騰抑制に資することを得たのであった。

《睡眠は四時間》

森は最初フランス租界の支店長社宅に四、五人の同僚と同居した。その後間もなくやはりフランス租界の西端徐家滙の近くに一軒家を借りて、後輩の立川團三氏と二人で住んだ。瓜生栄枝宛ての手紙に次のように書いている。

> 仰せの通り既に新宅に引移申候、呑気男の住まい御察し可被下候。
>
> 明治四十五年七月三十日・上海　恪より

二十歳前後頃の森の筆跡は実に乱暴で、下手というよりはむしろ悪筆であった。彼は自らそれを自覚し悲観していたことがあった。しかしその後余暇があれば習字をすることに決めた。

何時も会社の出勤までに、大きな筆で白紙四、五枚に習字することを日課にしていた。後年の森さんの達筆と名文とは、全くその如き心掛けと努力によるものと思われる。

——立川團三氏談——

趣味としては俳句に親しんでいた。スポーツは乗馬が一番好きであった。
支店長社宅に四、五人同居していた時分にも、その精力の旺盛さは同僚たちが圧倒されたものである。夜はどこに行って何をしているのか一切不明であったが、いつも同僚たちの就寝した後十二時、一時頃になってから帰宅する。それでいて朝はまた誰よりも早く未明に起床して乗馬の散歩に出かけ、同僚たちの起き出す頃には既に朝湯を済ましてどこかへ飛び出して行くという活動ぶりであった。

彼は山本条太郎氏の薫陶を受けたので早起きもいわゆる山条式なのだが、森の睡眠時間は毎日僅か四時間くらいのものであった。その代わり、山本氏がそうであったように彼も昼間人と対談していても話に興が乗らないと、人前も構わず平気で居眠りをした。
また森は金の使い方も荒く、生活振りが極めて豪奢であった。一例を挙げると、当時は国際都市上海にも未だ自動車の珍しい時分のことで、支店長でさえ未だ自動車を持っていなかったが、彼は既に自家用車を抱えて忙しく乗り回していた。

概述の通り森は高木陸郎、上仲尚明、児玉貞男氏らと同様修業生出身であるが、修業生出は専門学校や大学出の社員とは肌合いも違い、自ら別派をなしていた。特に森は高木氏と共に事務に精勤な学校出の連中からは非難もされ、またある意味では気狂い扱いもされていた。しかし修業生出、就中森や高木氏は仕事の上に学校出の連中には真似のできない度胸と信念と才腕を持っていたし、むしろ独断専行といえるほど計画したことを仕事上にどしどし実行するので、気狂い扱いをしながらも自然森たちを畏敬し羨望するという風であった。

森君は兎に角私たちのような凡人とは違い、当時から既に非凡な人であった。元来事務家としては適する人ではなかった。同じ三井の人でも高木君や森君は政商じみた仕事ばかりしていた。日常生活は、私たちとは全く違って非常に贅沢であった。金はふんだんに持っていた。以前長沙の出張所にいた時代から出来た金（十万円くらいは持っていたらしい）を持っていたからである。兎に角私たち学校出とはまるで段違いに豪放であった。

―飯塚重五郎氏談―

森はその頃も、例によって商機を掴んで金を得ることに長じていた。ニューヨーク時代に綿花の相場で莫大な儲けを挙げたように、この時代にも儲けた話がある。

オランダと支那のある合弁銀行が倒れようとしていた時の事である。それを耳にした森は急遽手を回して支那人の預金通帳を預金額の一割か二割で買い集めた。どうせ預金は払い戻せる訳でないので、例え一割か二割に値切られても現金が手に入るだけで得だというので、支那の預金者は預金帳を売ったのである。

森はそれらの預金帳を持って銀行に乗り込み、

「これは商売の抵当に取ってあるのだから、これを支払ってくれなければ由々しき国際問題になる」

と強硬な交渉を試みた。その結果先方は折れて、

「貴下の分だけは支払うが、支那人にはどうか内緒にして欲しい」

という訳で、結局一挙にして何万円か何十万円儲けた。機を見ること敏なることおよそその如きであった。しかしこうして儲けた金を自分個人のためには使わず、或は人の面倒をみたり、或は種々の情報蒐集の機密

費として使用するのであった。

第四章　天津支店長時代

一　深夜の足柄に快報

足柄の山村の出来事である。

ある夜中の一時過ぎた頃であった。突然誰かが戸を叩く音に、彦左衛門はふと夢を破られた。

「誰だ！」

こんな夜中に訊ねて来たのは果たして何者であろうかと怪しみながら彼は声を掛けた。

「私だよ、爺さん、早く戸を開けてくれ」

日頃聞きなれた村の衆の声ではない。不承不承に起きて行って戸を開けると、思いがけなくも東京日本橋で商店を営んでいる遠縁の人であった。

「一体どんな急用が出来たんだ」

と問えば、その人は手に持った一枚の中外商業新報を示して、

「何はともあれこの新聞を読んで御覧」

「何が載っているのだね」

「とにかく燈を明るくして読んで御覧」

当時はこの村には電燈は点かなかった。彦左衛門は洋燈の芯を明るくして新聞を広げた。

「びっくりするじゃないか爺さん、恪さんが三井の天津支店長になったと書いてあるんだよ。大した出世だ。私はびっくりして取るものも取り敢えず汽車に飛び乗って知らせにやって来たんだ」

「何を言うんだ。三井の支店長だなんて、お前さん考えても御覧よ。支店長といえば大変なもんだ。恪がい

くら偉いといったとて未だ三十そこそこの若僧だよ。支店長なんかになれるもんか」

「だが、こゝに間違いなく森恪と書いてあるから、まさか嘘ではあるまいよ。これはうちの恪さんに間違いない」

「いゝや違う。これはうちの恪ではない。同名異人だろう」

遠縁の人は松田駅で汽車を降りて下怒田まで歩いて来たので、すっかり真夜中になってしまったのである。

彦左衛門はその中外の新聞記事を本気にはしなかったが、遠縁の人が間違いないと言い張るので、翌日二人は一緒に東京へ出て三井物産の本店を訪ねて問い合わせ、初めて「うちの恪」に相違ないことを知った。

彦左衛門爺さんは嬉しさにまるで足が地に着かない思いであった。その後間もなく天津の森から手紙があって、支店長になったことを報じてきた。

二　若い支店長

一九一四（大正三）年二月二十八日付、森は三十二歳の弱冠にして天津支店長を命じられた。

先輩山本条太郎氏が上海支店長になったのは三十五歳の時であった。上海支店長は支那全土に散在する各支店の総元締めであり、天津支店もその配下にあったので、上海支店長と天津支店長の格にはかなりの隔りがあったけれども、三十二歳の支店長はまだ無かった。

この抜擢は幹部にとって大英断であり、森にとっては抜群の栄誉であった。部下には多くの先輩がいた。

従ってそれらの部下たちの新支店長に対する一種の羨望と僻みもあったし、それが間もなく起こった**森支店長排斥ストライキ**の原因になったことは否定出来ない。

天津支店は森の就任する前までは大連支店管轄下の出張所で、所長は中山進氏であった。中山氏の前には安川雄之助氏が天津出張所長であった。森はかくして天津出張所の支店昇格と同時に初代の天津支店長になった訳である。当時安川氏は大連支店長であった。

天津支店は、その他雑貨の輸出が主要な業であった。森は支店長に栄転すると同時に九十円から一挙百六十円の月棒に昇給した。如何に多数の社員を擁する大三井物産でも、この破格な昇給も又異例であった。

一九一四（大正三）年当時、奈良武次大将は支那駐屯軍司令官として天津に居た。

—奈良武次大将談—

駐屯軍と在天津一般日本人との交際は五大会社の支店長に限る習慣があった。五大会社とは三井物産、日本郵船、正金銀行、大倉組、建物会社の五つであった。それで司令官その他軍の幹部の更迭または右の五大会社の支店長の更迭ごとに、相互に案内を受けて交際する習慣があって自分も着任早々三井物産森支店長に招待されたことがあった。右五大会社の支店長はいずれも四十五、六から五十歳くらいの年配者であったが、森氏は未だ三十そこそこの若輩であったので、こういう若い人に支店長が勤まるものか、これは余程非凡な人物に相違ないと思った。他の支店長にはしばしば会談の機会があったが、森氏には数えるだけにしか会っていない。それというのは森氏は当時天津を留守にして始終方々を飛び回っていたからであった。

三井の一支店長でありながら支店の業務には屈託せず、もっと大きな、国家的立場から対支政策について常に東奔西走していたということを後に知った。始終天津を留守にするので、本店から調べに来たという話があったくらいだが、私は当時から森氏を支店長などよりはもっと大きな人材であると思っていた。

中山氏時代には兎角不振であった天津支店の業務が俄然活況を呈した。森の敏腕はこゝでも縦横に発揮され、大連支店よりも規模の大きな支店となったのであった。

天津支店のストライキは三井物産の他の各地の支店の間にも当時宣伝されて、社員間には有名な事件となったが、その起因を検討するに森支店長を排斥すべき確固たる理由はなく、森の真意を曲解されたところから発生した問題であった。

この事件に処する森の態度は実に堂々たるもので、己の所信に向かって断乎として邁進し、何ら妥協的態度に出ず、飽くまで乗り切った。

《馬鹿ッ！》

先任の中山氏は温厚な人で社員たちはその空気に馴れていたところへ、若年の直情家で且つ敏腕家の森が赴任して来るなりバリバリ刷新を断行したので先ず部下の反感を買った。ストライキ事件のそもそもの動機はそれであった。

三十一や三十二歳では支店長どころかまだ主任級にもなっていない。こゝの主任はいずれも森の先輩なのである。それらの先輩たちを頭ごなしに使うので、遣り方が過ぎると非難され、先ず社員の不平反発をそゝった。

安川雄之助氏の直系で中山進氏の次席だった新家某氏を次席として引き継がず、神戸支店から小林隆次氏を呼んで次席とし、事務一切は小林氏に任せ、自分は既に関係のあった中日実業（当時の名称は中国興業）の用務などで始終北京その他へ往復していた。新家氏を次席に重用しなかったことも他の社員たちを刺激する一つの原因であった。

森の若い頃は部下を使うのに怒鳴りつける癖があった。初めての者にはその真意が解せぬので直ぐに感情を害したり、反感を抱いたりする。しかしそれは相手を侮蔑する意味ではなくて激励し反発させるための信号なのであった。


私は北京支店にいたので時々天津へも行った。ある時森が部下を怒鳴りつける現場を見た。

「馬鹿野郎！」と怒鳴ってから、

「こんな頓馬野郎に三井がよくも給料をくれていたものだ」

と面罵した。ところが森はその後で、

「どうだい、今晩一緒に飯でも食いに行こう」

その男の肩を叩いて出て行った。


——瓜生剛氏談——

天津で森の部下の一人であった小野梧弌氏によると、

私共は始終聴き馴れていて何とも思わないが、人を見るとすぐ「馬鹿ッ」と怒鳴りつける癖があった。聞きつけない連中にはその「馬鹿ッ」が非常に堪えるらしい。主任であろうと何であろうとみんな「馬鹿ッ」と言うのだからよくは思わない。

——小野梧弌氏談——

同じく部下の沖津保平氏は、

「あれは一つのご挨拶だ……」

と評し、大山嘉蔵氏も、

「その『馬鹿ッ』が実に慈愛に溢れていた」

と語っている。それは将に激励せんがための慈愛に満ちた信号であった。森が「馬鹿！」を言わなくなると、その男を見放した証拠でさえあった。

《ストライキの真相》

同じ支那人でも北方人と南方人とでは気質的に随分と相違がある。大雑把ないわゆる大陸的気質は北方人により多く見られる。その土地に住むと自然その気風が感染するのであろう。元来北支にいる日本人は、南支の上海辺りにいる日本人よりもずっと呑気でいかにも大陸的で支那式にのんびりしている。商人などでもそんなところがあった。上海辺りの商人が見ると北方の商人は頓馬に見えるのである。

いわゆる北支那式の社員ばかりいる所へ、南支育ち、しかもニューヨーク仕込みの颯爽とした近代的ビジネスマンの森が乗り込んで来たのだから、肌の合わないのが当然であった。

特に天津支店は日本租界の中央にあって花街に近く、ために風紀がとかく乱れがちであったことも社内の空気を弛緩させる原因であったことを森は早くも見抜いた。そこで彼は先ず社内の刷新に着手しようとしたのである。その刷新は彼の性格に従って性急だったから、遂に部下らと衝突する結果を招来するに至ったのであった。

ストライキ騒ぎの直接の口火になったのは、その支店長就任挨拶の内容であった。新支店長森恪は社員一同を天津一流の料理店「敷島」に招待し、芸妓を大勢招んで酒宴を張り、就任の挨拶を述べるに当たって開口一番、

「よくもこんなぼんくら共が揃っていて、天津支店が潰れずにやっていたものだ」と辛辣極まる皮肉を飛ばした。

主任級の社員らは、普段は三井物産の何誰と芸妓らの前で威張っているのに、若輩の森から大勢の前で頭ごなしに罵倒されたので、一同は憤懣に耐えなかった。

「生意気な支店長だ。こんな支店長の部下では働けない」

全支店員は期せずして結束した。

その後間もなく、森が支店長会議で天津を留守にしている間にもう一つの事件が起こった。不穏な連中が

森の腹心たる支店長次席小林隆次氏を料亭に招いたのである。すると勘定主任の内野栄太郎氏が、談たまま社内刷新問題に及んで詰問を発した。これに対し、小林氏は次のように言明した。

「森支店長の意見によって厳重に刷新を断行する」

そこで内野氏は大いに怒り、傍にあった碁盤を振り上げて小林氏の面上に傷を負わせたので、席上騒然として湧き立った。

以来事態は急進した。

「どうせ我々は本店に帰れないものならば先んじて支店長を排斥すべし」

と意見が一致し、連署して森支店長排斥の電報を本店に発した。また二、三の代表者が上海に赴いて、藤瀬支店長に森支店長弾劾文書を提出することゝなった。


私は森さんの直系の部下であり、また当時は丁度出張中であったのでストライキには関係が無かったが、あの時のストライキは結束が堅く、敵ながらなかなか見事であった。長井君という歳若い法学士がリーダーであった。長井君は大学時代に賄征伐やストライキでしばしばその道の経験を積んだ人だけに、いわゆる缶詰戦術などをやって一糸乱れぬ指導振りだった。

——岡本為輔氏談——


この事件に関連して森を最も滅入らせた問題があった。それはストライキ勃発のむしろ主因をなすものであったといえる。

森が天津支店長になったのは一九一四（大正三）年二月だから欧州大戦勃発前（大戦勃発は同年七月、ドイツ宣戦布告は同月八日）であった。彼はドイツ商人の間に多くの知己を得ていたので、青島を中心とするドイツ商人に軍需品を売り込もうと計画を進めていた。その商談の進行中に日独開戦となり、勿論その計画も挫折したのであったが、森に反感を持ったストライキ側の連中は戦術上この問題を捉えた。

「森は敵国に通ずる国賊なり」

と宣伝した。

言うまでもなく、それがためにせんとする中傷ではあるが、他の事とは違い国賊呼ばわりには流石の森も腐らざるを得なかった。

《侠気敵を感動さす》

排斥運動の代表者の上海行きについては一つの逸話がある。

森は首謀者らに対し、

「そんなに俺を排斥したいのなら上海支店へ行ってそう言って来い。俺は上海支店長から命じられたのだから、諸君に嫌われたからとて辞すわけにいかぬ」

そして、その代表者らを出張という名目にして上海へ送った。

上海支店では渡辺支店長次席が、

「事実は如何様にせよ、かゝる誤解を招致した責任は厳として問わなければならぬ。即ち森は罷免さすべきである」

との強硬意見であった。だが藤瀬支店長は、

「森は断じて国賊なぞという男ではない。罷免する必要を認めない」

と主張し、ストライキ側に対しては、

「森は天津支店長なのだから如何なることがあっても諸君は命に従うべきである。上長を排斥するなどという不穏な事は許されない。却って排斥した者が馘首される」と。

それが三井の掟とされていた。


当時、私は満鉄の社員で大連にいた。それで森のそんな噂を聞いたので心配になり「図に乗ってあんまり腕を揮い過ぎると後々の支障になるから自重せよ」と手紙を送ったところが、森から長い返事が来た。それは本当に友情こもった手紙であった。森は私の老婆心に対して「俺は何もかも知っているつもりなので他人からかれこれ忠告されると当然腹を立てるところなんだが、君が心配してくれるのは衷心から感謝する。自分としても反対分子との摩擦はなるべく避けるつもりだが、満止むを得ない場合には摩擦も闘争も敢えて辞せぬ。俺は確信を以て支店長としての義務と責任を遂行する覚悟で、そのためには何物をも恐れない。飽くまでも初志を貫徹するのみだ」との文面であった。立派な態度だと私も感心した。

—田村羊三氏談—


この事件の処理に当たった藤瀬支店長は森を上海に呼び寄せた。

「ストライキ組を全部罷免して呉れ。さもなければ自分は辞職する」

森は飽くまで強硬であった。

森としてはかねて孫文や澁澤栄一翁と連絡して日支経済提携のための中国興業株式会社（第三篇第一章「中日実業と森恪」参照）設立の計画を進め、それがいよいよ実現した時の事であったし、どうせ三井で一生を終わる意志はなかったし、辞めるなら潮時だと覚悟していた時なので飽くまで頑張り通した。

上海には丁度本店から益田孝男も来ていて、藤瀬氏と二人で極力引き留めたが、森は、

「そんならストライキ組を全部辞めさせてくれ」

と要求して一歩も退かなかった。土地の事情に通じているそれら殆んど全部の社員を馘首すると、事実天津支店は業務の停滞をきたすおそれがある。しかし森の譲歩せぬ事を見抜いた益田男が、

「だが、それでやっていけるか」

「やって見せます」

「では首謀者三、四人を他へ転勤させよう。それで譲歩してくれぬか」

「それは困る。全部追い払ってください」

結局は全部とはいかなかったが、反対派の殆どが他へ転任させられた。

首謀者の一人新家氏はバンコク支店へやられたが、新家氏だけではなくいずれも辺ぴな遠方へ左遷された。

この時隠れた逸話がある。

その中には「俄に左遷されても借金があるので立ち退くのに困る」というのが二、三あった。料理屋などの借金である。すると森は「それはさぞ困るだろう」と、それらの者へ金を与え借金を解決させた上で赴任させてやった。

自分を排斥した者たちを遇するに尚このような温情と度量があった。従って一時は排斥組の急先鋒だった連中まで後には目が覚めて己の不徳を悔い、森の人格に敬服し、翻ってその忠実な部下となった者もあった。某氏の如きは左遷されたが再び天津へ戻って来て、天津支店で曳船の曳手を引き受けてやりたいと森に相談しに来た。

「私は間違っていた。私は貴下のためなら水火をも辞せない」

某氏は衷心から悔悟して詫びるのであった。

「よろしい。君がその仕事を引き受けたいというなら、俺は君のために金を集めてやろう」

森は進んで仕事の世話までしてやった。

三　天津支店の火災

天津支店が火災を起こして焼けたのは一九一四（大正三）年の晩秋であった。森は丁度北京に滞在していた。部下の小野梧弌氏も同じ宿に泊まっていたが、夜が明けたばかりで小野氏はまだ寝ていた。

「起きろ！」

扉を叩く者があった。夢を破られ誰かと思って起きてゆくと森であった。

「今、天津支店が火事だという電話が来た。直ぐ汽車で帰るから君も来い」

火事と聞いて小野氏もびっくりして停車場へ駆けつけた。

「君は鉛筆を持っているか」

「持っていません」

「では用意して来給え」

小野氏は鉛筆を用意して森に従って汽車に乗った。北京から天津まで汽車で三時間かかる。最初の二時間は四方山の雑談をしていた森だが、突然言い出して、

「君は写真機を持って来たかね」

「持って参りません」

小野氏はカメラに凝ってどこに出かけるにも写真機を携帯して歩くのであったが、この様な火急の場合にそんな道楽道具を持っていては森に叱られてはしまいまいかと思い、わざと携帯しなかったのである。

「惜しいことをしたね」

森は残念そうであった。森としてはこんな場合にこそ日頃の小野氏の写真技術を役立てようと思ったらしい。あと一時間で天津になって森はちょっと嘆息を漏らした。折角社内を刷新し、業務も着々伸展し、今ようやく発展の端緒に着いたばかりのところへこの災難だったので、好事魔多しといった感慨に浸ったのであろう。

やがて気が付いたように小野氏に言った。

「紙と鉛筆を出して俺の口述を筆記して呉れ」

さっきまで四方山の話をしながら森は火事の善後策について早くも案を練っていたのであった。それは、契約している火災保険はどうなっているか、穀肥・石炭などそれぞれについて詳細に箇条書にして十枚ばかりの草稿になった。その細心にして用意周到振りには小野氏も感心してしまった。

天津駅に着くと郵船支店長森弁治郎氏が迎えに来ていた。森はホームに降りると直ぐに、

「明日からでも直ぐに事務を執りたいのだが、貴下の所に空いている倉庫がないか」

「それではどれか御用立てよう」

駅頭僅か二、三分の立話で仮事務所の心配は解決してしまった。火事の現場に着いて見ると、社員らはすっかり狼狽して手の付け様がなかった。森は小林次席に、

「どうなっているか」

「貴下と御相談してからと思って未だ何らの処置も取っておりません」

「よろしい。事務所は明日から郵船の倉庫を借りることにしたからその用意をしておけ。本店にも各支店にも仮事務所が決まったと電信を打て」

当時の後始末については漢口の松山氏に森が次のように書いている。

拝啓　二十三日の貴状拝見致候。火事の件に於いて御同情下され謝上候。後始末も即日出来候間御安心被下度候。禍は不測の間に来り能き学問致候。（下略）
　大正三年十二月二十八日

森は普段ビジネスを実際には見ていないに拘わらず、火急の場合には事務家さえ気の付かない微細なことまでよく気がついて、時宜を得た処置を電光石火的にてきぱきと執る。その鮮やかさには社員らも、

「オフィスでは森支店長のビジネスらしいビジネスは見た事も無かったが、火急の場合にこんなにも敏速に処理が出来るとは驚くべきことだ」

と感嘆するのであった。

《天津時代の生活》

天津では初め海寧路に家を借りていたが、後にドイツ租界の豪勢な社宅に移った。家賃は七十テール、当時の相場で百二十、三十円であった。馬車も自動車も抱えていた。面子の国だから生活を豪奢にしておくことが商売上必要であった。栄枝夫人を迎えた直後であったが、常に数人の食客がごろごろしていて、時を構わずに食事を摂るので、夫人は大きな鍋にいつもライスカレーを作っておいたという話も残っている。豪華な食堂は岩などから作られていて、夏にはその岩と岩との間にテーブルを置いた。スイッチをひねると壁から滝の様に水が流れ落ちる仕掛けになっていた。

森は支店内の刷新を図ると同時に、オフィスを改造して、部屋部屋の社員の執務状態が一目で見渡せるようにした。そして執務の効率を計った。森はまた社員の服装に厳しかった。服装の如何は人の感情に影響し、それが引いては業務の成績にまで影響を及ぼすことになるので、服装には常に注意して、人に悪影響を与えぬようにすべきであると訓えた。靴もきれいに磨いておかぬとしばしば森に注意されるのであった。

森はまた武道を社内に奨励した。特に柔道が好きだったので、忽ち社内は柔道熱が盛んになった。そこで森は支店の構内に道場を新築しようと計画を立て本社に願い出たが、本社では容易に承諾しなかった。そこで森は宿直部屋新築の名目を以て許可を得、二、三千円を投じて立派な道場を設けた。

―西永義文氏談―


森さんが支店長になられた時は三十二歳であった。当時私は二十五歳で、年の割に立派な地位を得た。ある時森さんが、

「君は髭を生やさぬか」といきなり奇妙なことを言い出した。私はまだ若いし髭を生やそうとは考えた事もなかった。すると、

「何も伊達（だて）に髭を生やせというのではない」と髭の講釈を一席弁じて、

「髭というものはかなりの大事な役割をするものだ。特に君のような地位にいて商売上種々の人に接する場合には、むしろ大変効果的な働きをする。人にある威厳を示し、信頼を与える重要なものだ。早速やってみ給え」

そこで私は早速髭を伸ばした。毛のあまり濃い方でなかったので、一ヵ月ばかり経ったが薄い髭しか出来なかった。

「これでいいのでしょうか」と言うと、森さんは、

「うん、よろしい」と言われた。爾来私は髭を生やすようになった。そして私は自分の髭を「森恪髭」と称している。

四　大志を抱いて三井王国を去る

生涯を三井王国の使用人として始終するにはあまりに情熱と夢多い森であった。
森の三井を去る当時の心境は高木陸郎氏に宛てた次の手紙に殆んど言い尽くされている。同時にこの手紙は三井物産への決別の弁ともいえる。

陸郎兄足下！　指を屈すれば、兄と相見ざること已に十有余月である。人事世と共に推移し、生○（一字不明）思を一つにせる吾人の上にも多少の変遷があった。この間兄の書を得たること四五に止まざりしが、その殊更に消息を絶ちて答うるところなかりしは畢意吾人の生涯の一部を運命のなすまゝに委して静かにその成り行きを味わんがためにして、相倚り相援けたる過去に於いて人為的他の圧力に冒さるゝこと薄かりし吾人は、敢えて孤独の境に還りて世の風浪を満喫して運命の向かうところを試みんとしたるが故である。然り而して運命は吾人を弄して自覚と鍛錬を与え、今や新しき勇気を以て所期の如く愈達志の途に上がらんことを決心せしむるに至った。昨年九月健康を害して病床に呻吟すること十有余日、転じて哀軀を大連星ヵ浦に養った。人と離れ事と断ちて四顧寥々たる間に、朝に潮風に嘯き夕に雁声を聴きて、我知らず雄心禁じ難きを覚えた。嗚呼春秋幾時ぞや、愚図愚図病気なぞはして居られない、人生五十とは蓋し至言である。吾人が活動すべき年も余すところ二十有余年である。思一度こゝに至って僕は志行を一にすることを得ざる現状を打破して、一日も早く自己本来の真面目なる生涯に入るべき必要を感じた。人間万事真剣ならざれば大事成らず。三井と中日を兼務することは到底真剣となり得ない。三井の現状は凡衆政治である。三井に於ける吾人の心志と三井現局者のそれと一致を欠くこと日一日と大なる傾向がある様だ。所詮三井が吾人を要する場合ありとすれば、その発展を図らんとするがためにあらずして衰運の挽回を図るの時であろう。現時に於いて吾人は畢意無用の長物である。三井は到底国家本位なる吾人の自由を許さぬ王国である。

翻って中日公司の発展せざる原因に想到する時は、僕が真剣に努力せざらし事が最大なるものゝ一つである。況や国勢支那大陸に伸びんとする現下の機運は、即ち志を支那に有する吾人の起つべき絶好の機会である。人生五十、余すところ僅か二十有七年である。三井に留まるは安く、中日に行くは難きの観がある。さりながら小器吾人の如き徒に一身の安危に喜憂するを許さない。僕は終に現状の打破を敢えてし、自ら陣頭に立って運命を開拓することに決心した。僕が志に忠ならんとするの意を諒として兄も強てこの決心に異議なきことを信じておる。兄と相見ざりし十有余月の光陰は如上の結果を兄に報告せしむるに至らしめた。人生の遭逢真に奇なりというべし。上仲、今僕と起居を共にしている。日々の○○（二字不明）多く君の事にかゝり慕念禁じ難し。日支外交急変せざる限り、来る十三日の急行で帰朝する積もりだ。東都に於いて相見んことを祈っておる。

以上

大正四年三月五日

北京　森　恪

東京　高木陸郎様

当時森は三井の天津支店長兼中日実業（中国興業から改称）の取締役であった。以上の手紙によっても彼が先ず専心中日実業の事業に没頭せんとしたことが判る。

松山小三郎氏宛てにもこう書いている。

（上略）やがて吾人の志を伸ぶる時代も到達可致と存候天津支店の事、御来示拝誦御案じ可成程の事でなし、小生は一向歯牙に懸け居らず御安神可被下候尤も小生は三井を辞する考有之、先日帰朝のみぎり退社願出候も許可なく閉口致候本月末又は来月初帰朝して再應退社願出決行致す考に有之候国勢支那に張らんとする現下の気運は吾人が運命を開拓する好個の機会と存候　匆々

大正四年五月十七日　天津　森

漢口　松　山君

いよいよ三井王国を去って政界へ乗り出す準備時代に入ろうという決心のプランが決定した当時、知名の易者小玉呑象がたまたま大阪から天津へ来ていたが、森のために卦を立てると「猛虎渡大河」と出た。近き将来政界へ雄飛せんと希望していた森は、この罫を友人知己に示して勇躍したそうである。

森が政治家たらんと決意するに当たり如何に遠大な宿志を抱いていたか、またその大志実現の一手段とし

て政治家を志すに至ったものに他ならないことは、次の一九一六（大正五）年八月二十日北京にて栄枝夫人（小田原瓜生家寄寓）に宛てた手紙に明らかである。

（上略）余の研究は段々と進みて、今や支那統一策の上に一つの断案すら下さんとするの大膽を敢えてせんとするに至れり。余は今「クローマー」の著書を読みつゝあるが、余の感慨は計らず余をして書を閉じてこの筆を執らしむるに至れり汝も早く知りたる所ならんが、余は東亜連邦を企画し、その第一歩として、先ず支那の開拓に努力し居られる次第なるが、今や余が数年来の努力の結果は余に取りて痛快なる断案に到達するに至れり。即ち海外発展に経験少なき東洋人の社会にありてこの種の事業をなさんと欲せば、徹頭徹尾政治的権勢を使用するに非らざれば到底著しき効果を挙ぐるを得ざる事これなり。然り而して凡衆の天下となりたる今の日本の政治界では、真実かゝる大志を懐く中心的人物なきを以て、この任務はこれを吾人自らの上に発見せざるべからざる理なれども、吾人が今よりこの社会に入らんと欲するためには、吾人の年齢はその準備の余裕を与えざるを以て、この希望は全く不可能事にして、吾人は充分なる効果を得ざる事を知りつゝも、猶ほ従来の方針を進み行く気で、（下略）

因みに森が三井物産罷役になったのは一九一五（大正四）年七月で、正式に退社が承認されたのは一九二〇（大正九）年四月である。

第五章　結婚・家庭

《栄枝夫人に対する戒告》

婚約者瓜生栄枝と結婚したのは、森が天津支店長となった前年の秋、即ち一九一三（大正二）年十月で、時に森は三十一歳、栄枝夫人は二十一歳であった。岩下清周氏（箕面有馬電気軌道（阪急電車）初代社長、関西財界七人衆の筆頭）が媒酌した。

森夫妻には二男一女がある。長男新（あらた）は一九一五（大正四）年九月九日本郷湯島で生まれ、次男卓は一九一九（大正八）年六月二十七日小田原で、長女禎子はやはり小田原で一九二一（大正十）年三月二十日に生まれている。

森は夫人に対しては専ら育児に全力を注ぐべきことを始終説き、いわゆる名家の婦人らしく社交界に出ることを戒め、また夫の仕事に容喙することを絶対に許さなかった。森は結婚に当たって栄枝新夫人に対し「夫の行動には絶対に干渉しないこと」を条件とさせたことは有名な話である。

> 支那はますます多事なる時、吾人の仕事も障害頗る多く、困難の度を加え申居候、さりながら夫と同時に人の味わい得ざる機会も捕捉し得る次第に有之、先ず先ず小生としては五十迄は家やその許らの事は念頭に留むる事能わず、その許も能く小生の決心を察知して静にその分を守らるべく頼み申候。
>
> 大正五年一月十八日、小田原瓜生邸御内・栄枝殿宛、北京・恪の手紙より

資料１５　結婚記念撮影（３１歳）（出典：山浦貫一編『森恪』）

毎々申入候事なるが、御身は隠士貧士の妻たる心を以て御暮相成度、月々の費用の如きも百円を超過する様にては、心得宣布からざるものと御覚悟可相成候、小生の志は隆々として世に出可申も、小生の生涯は誠に不遇の間に畢り、始終辛労を以て自己の志念に殉ずる事と存候、余は汝が世と断ちすべてを放れて只新の教養に全力を注がん事を希望す。

大正六年七月二十七日、小田原・栄枝殿宛、北京・恪の手紙より

○

吾人の意志の力は、終に万難を排するに足るべく、いわゆる憂き事の尚この上につもれかしなれども、念とするところは汝なり。能く平素より心を緊め、難に悠々たる世上の徒輩となるべからず。

大正七年六月二十九日、小田原・栄枝殿宛、東京帝国ホテル・恪の手紙より

○

その許この間より健康宜しからず由にて、一層不便なりとの事なれど、これは余の仕事の上に於いて資力足らず、援助なきがために苦しめる困難と同意味なり。古来何人か困苦せざるものあらんや。足らざるは世の常なり。不便あり思う様にならざる間に自奮以て事を処しさるが人物なり。世の困難と戦いた

○

る人と自己の現状とを比較せばまだまだその努力の足らざる事を発見すべし。汝もし余が外にあって汝らのために衣食の資を供するの力を欠く場合ありと想像せよ、汝の立場の窮すべきは今日以上なるべし。思いをこゝに致せば汝の現状の如しは決して困難と称すべきものにあらず、あわてずさわがず思慮をめぐらせて悠々適すべし。参考のために所感を申送る。

大正八年十二月十七日、小田原・栄枝殿宛、東京・森恪事務所・恪の手紙より

《召使への温情》

家庭に於ける森は召使に対しては優しい主人であった。

「森の使った運転手は使えない」と言われたくらいである。桑田運転手は永年森が自家用車の運転手として可愛がった男である。そこで森の死後に未亡人がどこかに斡旋したが、「森の運転手なら困る」と言って雇手がなかった。それは、

―森くらいに運転手を大事にいたわる人はないし、その運転手を雇っても到底森の真似は出来ないから―

という意味である。

桑田運転手はもと整形外科の片山国幸博士の運転手であったのを、片山博士が外遊する際に森に譲ったので、そういう関係から再び片山博士に雇われて現在に至っている。

森は毎日多忙で、夜は十二時、一時頃にならないと帰宅しなかったが、八時頃にはいつも運転手を帰らせ、自分はタクシーで帰ることを習慣としていた。

女中らも夜は早く休ませた。夫人は森から「廊下を静かに歩くように」と言われたことがあった。そこで栄枝夫人は女中部屋の前の廊下を通る時には爪先で歩いた。そのように森は召使にまで行き届いた心遣いをするのであった。

おツヨという女中は長男新が生まれて間もなく雇われ、その後永年森家に仕えたが、非常に綺麗好きで掃除なども実に行き届いていた。一度結婚し森家を去ったがその後再び森家に雇われるようになった。結婚した当時も時々森家に出入りしていたが、

「おツヨが参っております」と夫人が森に告げると、

「解っている。俺は玄関に入ると直ぐに解る」と答えるのであった。

玄関で靴を脱ぐときに、玄関の掃除の仕方で森には直ぐに解るのであった。森の性格の一面である細心な点が以上の逸話によってもよく窺うに足りる。

第二篇　実業界飛躍時代

——政界に入るまで——

第一章　中日実業と森恪

一　革命援助の真意と森の独立的出発

森と中日実業株式会社との関係を総括的に見る時、次の点が指摘される。

一つは支那革命と中日実業及び森との関連に於いてである。

即ち中日実業はその創設動機並びに経緯からこれを見れば、森恪、高木陸郎氏らの三井物産社員が、三井物産を動かして支那革命を援助した一つの結果論的成果であり産物であったのである。一言にしていえば革命援助の真意が後に中日実業として結実したものと見て差し支えないのである。

もう一つは、中日実業は実業家の森にとって、独立時代への飛躍的転換のスタートであったことである。

従来、**支那では法規によって、外国人はその居留地外に出て事業を起こすことが禁じられている**。従って支那で活躍中の邦人事業家は甚だしい不便を感じていたのである。そこで支那人との合弁によらなければ発展を期し得ないとの見解に達し、合弁を望む機運が彼らの間に醸成されてきた。

二　尾崎敬義氏の論文とその要領

そこへ、その時たまたま投じられた一石が**尾崎敬義**氏の論文『**対支放資論**』であり、この論文が期せずして中日実業創立の直接の動因を成したのであった。

三井銀行員尾崎敬義氏一行は、同行が支那大陸へ発展するにつき、調査視察のため一九一〇（明治四十三）年末から約一年間に亘って支那各地を旅行した。

明治四十三年十二月十六日、清国出張の命を受け、翌四十四年二月五日東京を発し、同じく十一日上海着。爾来同地方を中心とし、四月先ず香港、広東を観、五月長江を遡航して蕪湖、九江を経て漢口に到り、その間武昌、漢陽、大冶に遊び、更に洞庭湖を横切りて湖南長沙の旧跡を訪れ、次いで六月京漢鉄道により北京に到り、張家口を経て蒙古の一端を訪ね天津に、営口に、大連に、七、八月の猛暑を銷し満洲各地を経て哈爾浜に達し、かくて踵を廻し、大連より青島を経て九月上海に帰着しおれるこゝに三ヵ月、革命の軍勢南京を陥るゝの情報を耳にしながら、十二月初め帰朝の途につき、同じく十三日帰京したり。この間、月を閲すること十一ヵ月、その巡回里程一万余哩に及びたりと雖も、支那刻下の状勢は当に新旧思想変換の混沌たる過渡時代にして、調査員が調査資料として蒐集せんとする材料に乏しく、専らこれを内外人の経験に質する他、時に著書に見、時に文書に尋むるも、尚背綮を得ること困難なるを免れざりき。而して調査事項は稍々多岐に渉りたるを以て、その中金融に関するものにして発表に差閊なきものに限り、命によりこれを蒐録して印刷に付したり。

清国という名称は、今は歴史上の文字と化し、支那全土は中華民国と言える共和政体治下のものたるに至れり。しかもこれ国家形体上の変化に止まり、内容経済事情に至りては依然として旧の如きもの多し。即ち調査員の調査報告書は今日より見るも、必ずしも六菖十菊（ろくしょうじゅっきく）（時機に遅れて役に立たないことの例え）の死文たらざるべきを信ず。而して支那全土は正に世界列強が経済上の輸贏を争わんとする舞台として、列国金融業者の張目胆視する所、もし本報告書にして我が三井諸先輩のため、異日何らかの貢献をなすことを得べくんば洵に望外の面目なり。

明治四十五年四月二十四日

於 東京

清国出張員

尾崎敬義氏一行は一九一一（明治四十四）年十二月に帰朝し、重役会の席上で対支放資に関する報告を述べたが、これが問題の『対支放資論』なのである。経済問題を政治的視野から我が国の対支政策に立脚して一元的に論じている点で、従来に於ける一商業人の経済事情に限定された単なる視察報告書とその類を異にしている。

その報告書は、緒言、支那の財政、支那の外債、支那の担税力、支那の海外貿易の現状、支那商業銀行の融通力、支那に於ける資金の欠乏と外資、支那の資金欠乏と三井銀行、三井銀行と三井物産会社、我が国資本家の連合、東亜興業会社の改造、欧米資金の利用、興業的企画、経済的小借款、結論の十五章からなっており、**『対支放資論』**と呼ばれるようになったのである。

その中で氏は「支那に於ける資金の欠乏と外資」に於いて各外国銀行が何れも相当なる国策的立場の下に活躍していることを述べ、その証拠を挙げている。例えば、

「英の香上銀行を始め各国の銀行は経済上何らの価値なき北京に、何れも輪奐の美を極めたる店舗を設け、その支配人は恰も外交官の如き態度を以て、陰に陽に北京の大官など出入し、口舌の間に何らかの仕事をしている。（中略）要するに支那刻下の運命は借款によって初めて開発することが出来ると同時に、列国の立場から見ると、支那に於いて苟も相当勢力とか発言権とかを得ようと思えば、どうしても金を貸すより他に手段はなく名を変えていえば、目下の支那に放資をするという事は、その金利で儲けをするというような単純な目的でなく、金を貸すのは手段であって、その第一の目的は利権の獲得である。第二の目的は勢力の扶植である。第三には又あるより大なる目的があるかも知れない。兎も角も刻下の支那問題は所詮金の問題に他ならないのである」

と看破している。

また氏は「経済的小借款」に於いて、

「今日に於いて痛切に必要を認めているのは公債よりも何よりも、鉄道、鉱山、その他有利の工業に放資することで、何故ならばこれらこそ真実に利権獲得の目的を達するに好個の放資物である」

と説いている。

更に「結論」として、我が国資本家の連合を説き、その対案として、

「現在の東亜興業会社を改造して支那側の参加を求め、日支合弁組織にするのが愁眉の急策である」

と提案している。

要するに英国のフィニッシュ・バーク・コーポレーション（投資機関の研究で有名）の様なものを我が国でも造るべきであるというのが尾崎氏の『対支放資論』の基礎となっていたのである。

三　合弁会社創立運動と森恪

これより先、**我が政府の対支投資機関としては東亜興業会社が唯一のもの**であった。一九〇九（明治四十二）年の創立で古市光威工学博士が社長であった。尾崎氏はその具体案として、この会社を基礎として改造することを提唱したのである。

東亜興業が最初に契約した借款は南潯鉄道の三百万円であった。これは江西省の九江―南昌間の鉄道敷設である。工事は大倉組が請け負った。これが支那に於いて我が国が鉄道工事を請け負ったそもそもの最初であった。

ところが東亜興業は日支合弁でなかったため、いよいよ工事に着手する段になると種々法規上の障害に当面して起工が困難であった。そこで便宜上、大倉の倉を支那流に綴り「久楽公司」と名を変えて初めて工事の許可を得た。これも変則ではあったが、この苦策の裏に、合弁によらなければ支那での起業の全く困難である実状を察するに余りある。

尾崎氏の論文を最初に認めたのは、旭公司（P207参照）の関係で知己の間柄であった高木陸郎氏であった。そして高木氏は早速森恪にその論文を示した。こゝに於いて両氏は、**合弁は対支政策として実現させねばならぬ最大の急務である**、との見解で一致し、尾崎氏と三人提携して、この論文を基礎に政府当局に働きかけ、これの実現のために邁進せんことを謀った。

一九一二（大正元）年、先ず尾崎氏の論文をパンフレットとなし、これを時の総理大臣桂太郎（第三次桂内閣。外相は桂総理兼務）、外務次官石井菊次郎、政務局長山座圓次郎、蔵相若槻禮次郎、大蔵次官勝田主計、軍部方面では軍務局長田中義一、その他駐支公使小幡酉吉、小村壽太郎侯、井上馨侯、民間有力者では澁澤栄一、大倉喜八郎、安田善三郎、大橋新太郎、益田孝、倉知鐵吉、郷誠之助、藤山雷太、和田豊治氏らの諸方面に送付して与論喚起に努めた。

政府当局もその必要性を認め、対支政策の一端として急速に計画が進められ、遂に実現を見るに至ったのである。

今その経過を見るに、内地に於いては山本条太郎、高木陸郎両氏が主として民間有力者並びに政府当路者間を奔走し、尾崎氏は大蔵次官勝田主計氏と連絡して大蔵省に働きかけることに主力を注いだ。勝田氏の力は甚だ大きく働いている。

森はこの時、三井物産天津支店長になる直前で、未だ上海支店在勤中であったのを幸に、支那側要人との折衝を担当した。

当時森は穀肥係主任でありながら事務は次席に一任し、始終事務所を留守に東奔西走していたが、その裏面には、以上の如き国家的事業への準備工作に奔走する熱血青年森恪のもう一つの姿を見逃すことは出来ない。

合弁会社創立運動は大略次の三段構えの布陣で進められた。
第一段……益田孝・澁澤栄一
第二段……山本条太郎・勝田主計・小村壽太郎・民間有力者
第三段……尾崎敬義・高木陸郎・森恪

以上の如く、基礎工作は森、高木、尾崎の三氏によって築かれたのである。

時恰も支那第一革命直後であった。森は三井物産上海支店長藤瀬政次郎氏の自邸で革命援助の用談をかねて孫文氏と会見した結果、孫文氏がアメリカへ赴く予定であることを知ったので、この機を幸、森の斡旋によって孫文氏をその途次日本へ招き、日支経済提携について具体的に協議する手筈を取り決めた。

――高木陸郎氏談――

孫文は第一革命に失敗したのではない。袁世凱に大総統を譲って、自分は全国鉄路総裁になって十万哩の鉄道を敷くというのでアメリカへ行くつもりだった。それをこの方が東京へ引っ張って来て**中国興業（後の中日実業）**というものを揃えた。

森が良く知っているが、孫文は三井の船に乗ったのだから何らの危険もなく甲板へ出ても構わないのだが、上海を出てから日本に着くまで一度も船室を出て来なかったそうだ。

—上仲尚明氏談—

○

さて日支経済提携について、

「東亜の漢民族及び日本民族はどうしても連携して進んで行かなければならない。これが東亜の諸民族を復興せしめる唯一の方法である。それには先ず日支が経済連携をしなければならない」

この意見は孫文氏のかねてからの持論であった。孫文氏が乗り出した理由は右の持論によって明らかな事である。

孫文氏の理想は、**日本と提携して支那の建設をする事が支那民族のために最善の方法である**、というにあった。

かくして孫文氏が来朝したのは一九一三（大正二）年二月。東京に於いて澁澤男、益田男らと会し、日支経済提携並びに支那富源開発のため、その実行機関として日支合弁の企業会社設立の提携が遂に成立したのである。

資料１６　孫文

四　中国興業と旭公司の関係

旭公司について初めに述べておくのが順序であろう。それは**中国興業（後の中日実業）の創立に合流した**発祥的にして、しかも一つの支流的存在として中日実業沿革史の一頁をなすものであり、森もこれに関係があったからである。

旭公司は、支那で種々の工業を興すには先ず鉱山開発から着手しなければならないという建前から、藤瀬政次郎氏（当時三井物産上海支店長）、山本条太郎氏（当時三井物産取締役）、高木陸郎氏、森恪の間に意見の一致をみて実現されたもので、東京代表は尾崎敬義、上海代表は森恪、北京代表は上仲尚明の諸氏、その他漢口にも代表者を置いた。

事業は先ず支那人と契約した鉱山の調査であった。支那に於ける鉱山事業は未だ微々として振わなかった時代であり、日本人として支那の鉱山事業に手を付ける者の殆んどなかったばかりか調査にさえ手を出そうとする者のいなかった時代である。三井、三菱、古河、住友など一流財閥でさえ未だそういう方面には関心も持たず投資もしていなかった。従ってそれら財閥に鉱山調査の話を持ち出しても受け入れるものがなかった。

旭公司は政府の力を借りる他なかった。一九〇九（明治四十二）年、第二次桂内閣時代である。桂総理、寺内陸相兼任外相らの助力により政府との協力で調査隊を派遣することになった。農商務省鉱山局からは技師として、後に古河鉱業の専務理事になった杉本五十鈴氏、地質調査所からは後に麻生炭鉱の専務理事になった野田勢次郎氏、それに技手数名が助手として派遣され、旭公司の技師と共に調査隊を組織して支那に向かった。

余談になるが、当時の政府の調査費用が面白い。これは政府に金が無かったという理由にもよるが、当時はまだかゝる事業に政府が如何に無関心であったかが窺われて興味深いものがある。即ち技師や技手の俸給並びに上海までの旅費は農商務省がこれを負担し、支那各地の調査旅費はその半分を外務省が持ち、後の四分の一は陸軍省、残りの四分の一は参謀本部が分担するという苦肉の策であった。

以上の如く旭公司のメンバーは同時にまた中国興業の創立に奔走したメンバーであったので、その創立に際しては旭公司が自然解散されたこと言うまでもないが、即ち内実はより大規模な計画の中へ合流し発展的解消を遂げたものといえる。旭公司から中国興業への発展はいわば一つの革命的出来事であったのである。

五　中国興業の創立

―尾崎敬義氏談―

私は支那を旅行する前に勝田主計氏に会った。日本は結局イギリスの有名なフィニッシュ・バーク・コーポレーションのようなものを作らなければならんじゃないかと話し合ったのである。私も勝田氏も同意見なのであった。それに山本条太郎氏も同意見であった。つまりそれが私の『対支放資論』の基礎になっている。だから勝田氏は私が放資論を書いた時にこれなるかなと言って喜んでくれた。是非これをやろう、支那側で払い込みが出来なければ大蔵省で立て替えるという意気込みで、勝田氏が兜町の事務所へ行って渋澤さんに会った。その時に勝田氏が覚書を書いている。それを私はまだ持っているが、それが、勝田氏がこの問題に立ち入って来た実情なんだ。

勝田主計氏は中国興業創立運動の当初には第三次桂内閣〔一九一二（大正元）年〕の若槻蔵相の下の次官であったが、越えて翌年二月に成立した第一次山本内閣でも高橋是清蔵相の懇望により引き続き次官となった。左の覚書の日付が一九一三（大正二）年二月十八日となっているから山本内閣の時代のものである。

澁澤男爵閣下　　　　侍史

二月十八日　　　　　　主計

拝啓　過十五日得拝光日支合弁起業会社の件御尽力相願候ところ御快諾被成下奉謝候その際申上候通

一　政府側は表面上関係せざること但し裏面に於いては充分の援助を与うること

一　合弁会社の性質は先ず東亜興業の如き起業会社として仕事を見付けることを主とすること

一　会社の見付けたる仕事はこれをその路の専門家に紹介し資金関係に付きては既設機関例えば日仏銀

行の如きを利用するは勿論別に本邦資本家団又は欧州及び本邦連合の資本家を作り活動すること
一　先方に於いて会社組織に熱心なるも当方に於いて極めて煮え切らざる態度を取らざる様本関係のすべての計画は澁澤男を中心とすること
一　澁澤男は適当なる時機に適当なる範囲の銀行家実業家を会合せしめられ協議せらるゝこと但しその範囲は最初より余り広汎に亙らざる事成功上必要なること
一　東亜興業会社は江西〇〇（二字不明）関係上支那の利権獲得会社の如く感ぜられ居る傾あるを於いて先方との会談に於いてはこれが関係のことを取り出すことを避け成立の上東亜の善後策を講ずること
以上を趣旨と致すことに致可実際上御進行如何は時々参考のため御報被下わば幸甚に奉存候

草々敬具

かくて一九一三（大正二）年二月二十日、第一回発起人会が三井物産集会所で開かれた。当日出席した発起人は左の通りであった。

（日本側）大倉　喜八郎　　安田　善三郎
　　　　　益田　孝　　　　倉知　鐵吉
　　　　　三村　君平　　　山本　条太郎
（支那側）孫　文（代表）
　　　　　通訳には載天仇氏が当たった。

日支両国の発起人氏名をすべて挙げると左の如くである。

（日本側）澁澤　栄一　　大倉　喜八郎
安田　善三郎　　益田　孝
倉知　鐵吉　　三村　君平
中橋　徳五郎　　山本　条太郎
（支那側）孫　文　　印　錫璋
李　平書　　顧　馨一
張　静江　　周　金箴
朱　葆三　　沈　漫雲
宋　嘉樹　　顧　春城
王　一亭

中国興業の創立は東亜興業会社の改組としてではなく全く別個のものとしてなされ、株主には対支関係事業家が殆んど網羅された。**これが後に中口実業と改称された中国興業の誕生である。**時に一九一三（大正二）年八月十一日であった。

——中日実業株式会社沿革史より——

中日実業株式会社の設立は抑も大正二年春、孫文氏来朝の際、澁澤栄一氏と孫文氏とが日支経済の連携に関して意見を交換せるにその端を発し乃ち同年八月日支合弁の事業会社として合法的に成立し、専ら日本の資本と技術とを容れて支那の富源を開拓し以て両国の提携を具体化し、かねて東亜永遠の平和招来を企画したり。

重役は日支双方より大略各同数を選出し、日本側は副総裁に前外務次官倉知鐵吉氏を推し、澁澤男爵始め実業界の巨頭十余名を相談役に推し、支那側も国民党の有力者並びに有数の実業家を重役及び相談役に推薦してその援助を得た。

創立当時の重役は左の通りである。

総裁	孫　文
副総裁（代表取締役）	倉知　鐵吉
専務取締役	尾崎　敬義
同	印　錫璋
取締役	森　恪
同	王　一亭
同	張　人傑
監査役	大橋　新太郎
同	沈　漫雲

日本側相談役
澁澤　栄一　　近藤　廉平　　中野　武営
井上　準之助　志立　鐵次郎　柳生　一義
早川　千吉郎　三村　君平　　小山　健三
古市　公威　　大倉　喜八郎　山本　条太郎

組織内容の大要は左の通りである。

一、資本金五百万円　全額払込（日支各半額）
一、本店所在地　東京市麹町区三丁目六番地
一、総行所在地　北京鐵獅子胡同（創立当時）
一、営業所所在地　上海圓明園路二十一號
一、同　山東省済南商埠地偉二路
一、営業範囲
　一、各種企業の調査設計引受及び仲介
　一、各種債権の応募又は引受
　一、各種企業に対し直接又は間接に資金の供給融通をなす
　一、その他一般金融並びに一般商行為の仲介及代理
一、決算期　毎年三月三十一日

この会社の特質について中日実業株式会社沿革史が次のように述べている。

一、定時総会開期及び場所　毎年四月東京又は北京

その資本金の一半は支那政府に於いて引き受けその国庫より支出し居るものにして、従って支那側重役は従来大総統より直接任命せられ将来も又この形式を執るべきを以て、その間に幾度改変ありと雖も、時の権力的地位に立つものはその都度大株主としてかつ又自己の事業家なる観念の下に常に自由に会社に出入りするため、会社理事者は日夜支那政府当局と談笑の間に幾多の政治上経済上交渉を遂げ得る機会を有するものにして他会社がたまたま親交を結べる一部の支那当局或は有力者らのひと度改変に遭い、下野後に現政府当局より敵視され活動不可能の逆境に陥るものとは非常の差あり、これ対支事業会社としても支那内地に於いて各種の権利を設定し得ると共に特に妙味を有する点なり。

—尾崎敬義氏談—

支那革命を援助するのは利権獲得のためだといった森が、どんな抱負と態度をもとにこの創立運動に奔走し、また重役としてその実際の業務に携わったかは、左の尾崎氏の述懐談によってもほぼ予想がつくであろう。

創立される時、**森は「俺は支那を引き受けてやる」と言った**。私は東京にあって日本の資本関係その他の方面の事を引き受けることになった。

いよいよ中国興業という名称で創立されると私は高木と森との三人で記念撮影をした。その時のことは今でもよく記憶しているが、**森は「三人で支那を釣ろう」と言った。**

後に中国興業が中日実業と改称改組されると同時に特記すべきことは、高木陸郎、森恪の両氏が、共に中国側との折衝の任に当たって功績が多かったのみならず、その関係していた支那に於ける鉱山業の一部を、従業員と共に無償で中日実業に寄与したことである。即ち高木氏は旭公司の事業を、森は桃冲鉄山の事業などをである。因みに高木氏は顧問として中日実業の発展に尽くし、一九二二（大正十一）年以来副総裁となっている。

森が中国興業の取締役になったのは、三井物産上海在勤中のことであった。次いで翌一九一四（大正三）年二月天津支店長になったのであるが、それは益田孝氏の指図であったと伝えられている。即ち三井物産天津支店の業務は勿論だが、中日実業〔一九一四（大正三）年四月、中国興業から改称〕の事業に携わらせるために森を天津へ在勤させた訳である。事実、森は天津よりもむしろ北京に居る方が多かった。天津支店を視察に来た本店の者が「森は始終不在である」と本店に報告したのに対し、本店から益田氏が「森のことは放っておけ」と返電したという逸話が残っていることから考えても、森の天津赴任には初めから益田氏のそんな意向があったことで、益田氏と森の間には勿論了解があったことゝ思われる。

資料１７　中国興業創立準備記念写真（右より森恪、高木陸郎氏、尾崎敬義氏）
（出典：山浦貫一編『森恪』）

六　中国興業、中日実業と改称

中国興業が中日実業と改称した始末は次の如くである。

―尾崎敬義氏談―

孫文が没落して袁世凱の時勢に適合させるために変更しなければならなかった。それで森氏が袁の政府と交渉して孫文一派が日本から借りていた金を袁一派で借り換え、重役も取り換えることになった。その時に名称を取り替えてくれというのが袁世凱の注文で、改めると同時に楊士琦が総裁となり、**袁の勢力下に中日実業を置いて支那の方に登記した。**袁世凱の方では「中国興業というのは南方革命派が主だ、それでは困る。どうしても自分の方と替えなければならん」ということであった。それで澁澤さんにも交渉して、澁澤さんの方から孫文に交渉したところ、「自分は革命をやらなければならんから、この方は辞して、自分の方の持ち株も北京の方に譲ってもよろしい」という態度に出たので、袁がその金を交通銀行から引き取ったという経緯だ。

即ち第二革命の失敗の結果孫文の失脚となって政界から身を退くや、当時の大総統袁世凱も又富源開発の念熾にして、該社を北京政府側で引き受け度との意あり、孫氏もまたこれを北京側に移すことに同意したので、一九一三（大正二）年十一月袁氏は澁澤男爵の来燕を慫慂したが、澁澤男爵は微恙のため倉知鐵吉氏が代わって北京に赴いて当局と協議の結果、翌年四月二十五日第一回定時株主総会を東京に於いて開催せる際、

資料１８　袁世凱

中日実業株式会社と改称し組織の上にも多少の刷新を断行した。改組改称の結果、総裁は楊士琦氏。副総裁倉知、専務取締役尾崎の両氏並びに森取締役は留任、支那側専務は孫多森氏に改選された。

中国興業の改組は主として森の提案によるもので、森はこれのため支那側重役その他の要人（主として張謇、楊士琦両氏）との折衝に当たり、これを承服させて成功したものであった。

当時の事情は改組直前の一九一四（大正三）年三月、時の駐支公使山座圓次郎氏に宛てた森の書簡に明らかなところである。

拝啓　かねて御配慮を辱ふ致し居候中国興業会社改造につきこの程来支那側と折衝仕候結果漸く本日彼我の間に意思疎通仕り別紙中日実業有限公司章程並びに覚書各四通作成致し楊士琦氏支那側を代表し小生日本側を代表して調印仕り彼我各その二通を保存し一通を農商部総長張謇氏の許に保留致すことに相成候別紙各一通御加封申上候間何卒御高覧賜り御心付けの方面へ御移牒成下奉懇願候。
尚支那側株主は既に決定致し株金払込み万端楊士琦氏に於いて支那側代表渡日迄にこれを了し株主名簿は総会に於いて披露致すことに打合せ申置候その株主中の主なるものは楊士琦、張謇、印錫菖、周金蔵、朱葆三、孫多森、孫傳昂、聶其煒、森経義、周学熈、袁樹○（漢字不明）、白瑞琨、胡宗○（漢字不明）、李士偉らの諸氏を始めその他官民中の有力者なる由に御座候日本には楊士琦氏の代理として孫多森氏、南方株主代表者として周金蔵氏及印錫璋氏都合三名の代表者を派遣し何れも四月二十日迄に東京到着のことに致居候如上三名の中周金蔵氏は支那全国連合商業会議所を代表して渡日致すことに相成候やも料られず印錫璋氏近日上海帰着の上確定致すことに相成居候支那側重役の候補者は楊士琦、孫多森、周金蔵、李士偉の四氏を取締役に胡宗〇（漢字不明）氏を監査役に楊士琦氏を総裁に孫多森氏を専務取締役に推挙致すことに相成候尤も周金蔵氏の取締役或は印錫璋氏と相成やも料られずこれ又印氏上海帰着の上決定致す筈に御座候。

本日楊士琦氏より申来中国興業会社は旧国民党一派の首唱に係わりし関係あり且つ目下本公司改造案の進捗は聊か一部与論に相反せるやの嫌ありて多少の論難を予期せざるべからざる成り行きと相成り居り加うるに日本には第二革命に関係ある亡命者多数在留致し居るのみならず日本に於いてはかつて李鴻章狙撃その他杞憂すべき事件ありて北方政府に関係深き者の行動は往々誤解を招きて不測の禍に遭遇するやの懸念無きに非ず特に孫多森氏は一層亡命者らの注目を惹くの傾あるやに存ぜらるゝに付支那政府よりは支那公使へ配慮方指図を致し日本官憲に於かれても特別の御保護を加えられ候様御取計ありたしとの申出有之候ついては諸般の事情御配み取の上何分の御心添賜わり一行をして安心して旅行を果し得る様御配慮被成下度奉願上候　敬具

大正三年三月二十一日　北京にて

森　恪

山座公使閣下

相談役澁澤栄一氏は前述の如く一九一三（大正二）年秋、中国興業創立総会臨席のため渡支発程の間際に微恙に罹り旅行を中止したが、翌年**中国興業会社改造**に当たり袁世凱大総統が澁澤男爵の来燕を慫慂したので渡支の約を履行、同年四月二十五日**中日実業株式会社と改称改組**された後、翌五月二日東京を出発し支那へ向かった。一行は次の通りであった。

澁澤栄一　　澁澤武之助
明石照男　　増田明六
大澤正道　　野口米次郎
堀井宗一　　堀江傳三郎
馬越恭平　　尾高次郎

馬越、尾高両氏は随員として加わり総数十名であった。野口氏は中日実業から男爵の随員を命じられた同社員である。

澁澤男爵が日支実業連盟並びに長江沿岸権益獲得のため、七十余才の老躯にも拘らず支那各地歴遊の途に上るとの噂は在支英国人を驚かせた。由来英国は支那に於ける貿易の覇権を握り、貿易額第一を以て誇り、総税務司の如きもその推薦するところであって、長江沿岸一帯各省は英国の範囲と自ら許せる関係上、遅馳せの日本が割り込み運動を開始することは最も好まない事だったので、澁澤男爵の渡支ニュースは著しくその神経を刺激し、その遊歴を阻止し、且つ中日実業の出現を阻止する傾向さえあった。北京デイリーニュースは「支那に於ける日本」と題し、「澁澤男爵の渡支は長江沿岸に於いて占める英国の勢力範囲を奪い、且つこれを確保せんと欲するものなり」との記事さえ掲げた。

澁澤男爵は五月四日、渡支旅行の途中長崎にての演説に渡支の目的を次の如く述べている。

—中日実業株式会社沿革史より—

余が渡支の目的たるおよそ二あり。一は観光のためにして他は中日実業会社のためなり。余は支那の名勝古跡に対し多年憧憬の念に堪えず、且つ常に孔子を尊崇し論語を以て処世の経典となすが故に、行く行く各地の風光を観賞して後曲阜の聖廟に参拝せんとす。この希望は既に久しき以前よりのものなるが俗務に忙殺されてその意を果たさず、頃日少閑を窃みてこの希望を果たさんとするに過ぎず。中日実業会社の用件はそれ単に付随の事にて先年第一革命成立の後孫文氏の来遊を機に彼に慫慂し彼と共に日支合弁の組織を以て一つの企業会社を設立せり。これ即ち**中国興業会社**なるが、間もなく第二革命勃発したために孫氏は亡命の人となりたるに、これより先北京政府に於いてはこの会社の真相を確知せんとて孫寶琦、李盛澤の二氏を派遣せしが、余らの眼中には素より北方もなく南方もなく全く政治的意味を離れたる両国民の実業的提携によりて支那の富源開発に努力せんとするのみなれば、勉めてこれらの事情を来遊の二氏に説明したるが当時二氏は自国の戦乱再発のため匆惶帰国せり。その後北京政府の総理熊希齢氏より山座公使を経て日本実業界の代表的人物の来訪を得て中国興業会社その他の要件に関し日支間に於ける実業界方面の連絡を計りたしとの旨を外務省に申来り同省より余に交渉あり、然るに当時余は病のため渡支する能わず已むなく中国興業会社副総裁倉知氏北京に出張し、他方には孫氏と協議し孫氏が会社との関係を断つことゝせり。かくて北京政府の意思は漸次疎通し、袁総統の幕僚の一たる楊士琦氏が会社の総裁たるに至り定款を修正し名称も**中日実業会社**と改め去る四月二十五日完全に成立するを得たり。しかるにこの会社に対し各国は勿論支那各地の有力者も今尚猜疑の眼を以て観察するのみならず、どうもすれば悪声を放ちて前途を妨害せんとするものあり、今や会社は漸く各種の事業に着手せんとするを以てこの際支那各方面の人士と接触しその由来を詳説し、会社の目的は日支実業連絡を鞏固にして支那の富源開発に資せんとするに有ることを闡明せんと渡支する次第なり。近時支那に於ける英字新聞は余の旅行を以て利権獲得のためなりと称し殆んど三日にあげず罵倒誹謗を呈するは誤解も又甚だしいというべし。これを要するに言回のことは一つの漫遊にして支那の風景を遊覧すると共に中日実業会社の産婆役を務めんとする訳合なり云々。

澁澤男爵は上海南京を訪れ北上したが、中日実業専務尾崎敬義氏は同社の孫多森、藤井元一、清承業氏らを帯同し長辛店に男爵一行を出迎え、十九日北京に着いた。翌二十日山座公使及び高尾亨書記官同道で梁士詒氏、孫外交総長、梁啓超氏らを順次訪問、二十一日大総統袁世凱に会見した。

―中日実業株式会社沿革史より―

袁大総統が、

「聖廟に赴かるゝよし予て拝聞せり。さて中日の関係たるその淵源するところ頗る遠く一朝一夕の事に非ざるは説くの要なし。されど向後も両国の親善なる交誼を鞏固に保持せんと欲せばその経済上の関係を密接ならしめざるべからず。これ余が**中日実業会社**の事業に賛同し、楊士琦をしてこれに加わらしめたる所以なり。何卒この上の御尽力を煩わしたし云々」

と述べたのに対し、澁澤男爵は、

「御言葉真に辱く拝承せり。閣下の言わるゝ所は平素自分の懐抱する卑見と符節を合すが如し。御承知の通り中日実業会社も大総統の御助力によりて先般完全に成立したれば、今後ますます奮励して両国実業の発展に尽瘁すべし。尚この上とも何分の御高庇を講う」

と答えた。

澁澤男は二十三日には中日実業総裁楊士琦氏主催の歓迎晩餐会に出席。宴半ばに楊氏が起って男爵の経歴、人格、手腕について賛辞を呈し、且つ今後会社のため一層努力あらんことを希望すると、男爵は次のように述べた。

「渡支以来宴席に列することその数を知らざれども、今夜の如き快感を覚えたることなし。それは余が先年来微力を尽くしたる中国興業会社即ち今の中日実業会社も完全なる成立を告げ、今やこの会社の中国側幹部の人と一堂に会して快談するがためなり。

かく会社は既に成立するも今後効果は一に重役諸君が克く自己の責任を重んぜられて施設経営その宜しきを得るにあり、およそ業精于勤荒于嬉ものなり、何事も言うは易しく行うは難きものなれば重役諸君に於いても業務に勉励せらるゝと同時に各種の困難に挫折することなく当初の目的に邁進せんことを期せられたし。余も又向後一層会社のため犬馬の労を惜しまざるべし云々」

次いで二十八日、男爵は微恙のため旅行の予定を繰り上げ帰国に決し、三十日北京を発し、六月十四日東京に帰った。

七　二十一ヵ条問題と森

こゝで、その時期森が活躍した国家的出来事があるので記そう。

一九一四（大正三）年四月大隈内閣が成立した。やがて間もなく連合国側の請を容れてドイツに宣戦を布告し、その十一月にはドイツの東洋における占拠地膠州湾を占領した。この機会に山東問題、満蒙問題の懸案を解決しようとして加藤高明外相はいわゆる**二十一ヵ条の要求を袁世凱に対して提出**した。（一九一五（大正四）年一月十八日）

森は一九一四（大正三）年三月二日、三井の天津支店長兼中日実業の在支代表重役として赴任、主に北京に在って活躍していた。

北京のフランス大使館の裏に中日実業の事務所があった。この事務所は二十一ヵ条締結のための在支民間側の参謀本部のような形であった。

当時北京に居た森のグループは、順天時報の亀井陸良、大阪朝日の神田正雄、大阪毎日の豊嶋捨松、同じく楢崎観一、時事新報の小川節らの有力な新聞記者、それに大谷光瑞師の幕下渡邊哲信氏、正金銀行の支店長實相寺貞彦氏らがあった。森はこの一団と呼吸を合わせ殆んど一心同体の形で大隈内閣を鞭撻した。当時の支那公使は日置益氏、参事官が小幡酉吉氏である。

問題は二十一ヵ条中第五項の秘密条項であった。他の部分は袁世凱も承知したが、これだけはどうしても肯かない。しかも秘密条項は支那側から諸外国へ筒抜けである。それを材料として欧米諸国は日本牽制の雑音を入れる。現地の日置公使は勿論、大隈首相、加藤外相を始め山縣、松方らの元老重臣らが揃って腰が弱い。

森は一旦要求した以上は弱腰は禁物、是が非でも我が要求を容れさせなければならぬ、然らずんば今後日本は支那に軽んぜられ立つ瀬がなくなるというので強硬態度を取った。亀井陸良氏が主としてその衝に当たり、實相寺氏が電信その他の事務を受け持ち、現地の使官を鞭撻するは勿論、山縣、松方らの元老重臣首相外相らに宛て頻々と強硬意見を電報で伝達した。情報蒐集のエキスパートである森の許へは東京からの情報が正確迅速に入っていた。従ってそれに対応し、その虚を突く布石が有効適切に行われたのである。

北京公使館では彼らの行動に対し甚だ迷惑した。運動を止めなければ森のグループに退去を命ずるとさえ威嚇したのである。しかし結果に於いては森とその一党の努力は実を結ばず、我が方からの最後通牒も袁世凱によって拒絶され、遂に第五項の秘密条項を削除し、骨抜きの二十一ヵ条ならぬ十六条が成立したのであった。

森が何故にかくまで積極的な強硬論を持したかというと、ヨーロッパ大戦中に東洋の問題は東洋で片付けておかねばならぬ、日支間多年のわだかまりも、この際、一挙に解決すれば後腐れがなくなる、という事実を支那人に認識させる絶好のチャンスと考えたからである。骨抜きの二十一ヵ条さえ、支那の感情を悪化させたから失敗と評されるが、森の考えに従えば骨抜きだから悪いので、もし第五項の秘密条項も容れさせて、日本の徹底的な威力を示しておけば後腐れが無かったのである。それはしかし、**日本の当時の事情が許さな**

かったのか、又は当局の押しが足りなかったのか、外交方法が誤ったのかは感ずる者各々の判断に委ねるとして、当時の支那公使館参事官小幡酉吉氏は条約成立の一九一五（大正四）年五月二十五日、在天津の森に宛て左の如き意味深長なる書簡を送っている。

拝啓　大同一遊知らず快心之事ありしや否や、御帰来率直に御出被下候由なるも、本日は条約など調印準備のため、朝より外交部に詰めかけ居り、不得御意遺この事に存候。

調印は慥に三時より始め四時頃迄に全部完了致候。世界を騒がしたる交渉も結果を洗い曝せば存外つまらなきものに有之乍ら、自分今更ら変な気持ちも致候。イタリアが初めて動き出したる今日この頃、日本の思い切り様が余り早かりし様に被存、唯だ儲けたるは支那に有之、いわゆる千載之一遇の時期も、日本これに関する限り、かくして終わりを告げたりと思えば何だか物足りぬ心地致候。御同感の事と存候。兎も角国家財力の貧弱なる情けなさを今回こそいよいよ痛切に感得致候。日本も今後十年乃至二十年間は臥薪嘗胆、経済財政の発展に勇往邁進せざる限り、支那の根本解決なぞいうは痴人の説夢と同然に有之候。

この残置の書状正に拝見、いよいよ内閣改造も時期に達したるものと相見え候。今後支那に対し日本人の努力すべきは、支那の東洋に於ける地位を自覚せしむるに有之と存候。

先は不取敢右得貴意候　　敬具

五月二十五日　　小幡酉吉

森　兄　侍史

支那公使館参事官小幡酉吉氏は外交官としては強硬分子であった。それが原因で後年、支那公使のアグレマンを拒否されたくらいだったから、森とは意気相投じていた。氏はその当時脚を挫いて跛になった。ある夜、森の寓居を訪ねたが暗くて入口がよく判らない。そこで足を踏み外して挫いたのである。氏の語るところによれば、その寓居の入り口は道路より一段低くなっており、それがため暗がりの中で踏み外したのだという。小幡氏の跛の脚は二十一ヵ条と共に森との交友を語る記念になっているのである。

いわゆる**二十一ヵ条**は左の通り締結された。（加藤外相第三十六議会外交演説速記による）

第一、山東省に関する件

（一）独逸が山東省に関し条約その他により支那より獲得したる権利利益譲与等の処分に付き、将来日独間に協定すべき一切の事項を承認する事。

（二）山東省の不割譲を保証する事。

（三）芝罘又は龍口と膠湾鉄道とを連絡すべき鉄道の敷設権を日本国に許与する事。

（四）山東省の主要都市を解放する事。

第二、南満洲及び東部内蒙古に関する件

（一）旅順、大連租借期限並びに南満洲及び安奉両鉄道に関する各期限を更に九十九ヵ年延長する事。

（二）日本人に対し各種商工業上の建物の建設、又は耕作のため必要なる土地の賃借権、又は所有権を許与する事。

（三）日本人が居住往来し、各種商工業及びその他の業務に従事する事を許す事。

（四）日本人に対し特に指定せる鉱山採掘権を許与する事。

（五）他国人に鉄道施設権を与え、又は鉄道施設のため他国人より資金の供給を仰ぐ時、並びに諸税を担保として他国より借款を起こす時は、予め帝国政府の同意を経べき事。

（六）政治財政軍事に関する顧問教官を要する場合には帝国政府に協議すべき事。

（七）吉長鉄道の管理経営を九十九ヵ年間日本に委任する事。

（八）満洲に関する日支現行各条約は本条約に別に規定するものを除く他、一切従来通り実行すべし。

（九）本条約は調印の日より効力を生ず。

第三、漢冶萍公司に関する件

（一）日本国資本家と同公司との密接なる関係に顧み、同公司を適当の機会に日支合弁となす事。並びに支那政府は日本国の同意を経ずして、同公司に属する一切の権利財産を自ら処分し、又は同公司をして処分せしめざるべき旨を約する事。

（二）日本資本家側債権保護の必要上、支那政府は同公司の承認を経ずしてこれが採掘を同公司以外のものに許可せざるべき旨、並びにその他直接間接同公司に影響を及ぼす虞ある措置を執らんとする場合には、先ず同公司の同意を経べき旨を約する事。

第四、支那沿岸の港湾及び島嶼を他国に譲与又は貸与せざるべき旨を約する事。

第五、懸案解決その他に関する件

（一）中央政府に政治財政及び軍事顧問として有力なる日本人を傭聘する事。

（二）支那内地に於ける日本病院寺院及び学校に対し土地所有権を認める事。

（三）必要の地方に於ける警察を日支合同とするか、又はこれらの地方に於ける警察官庁に日本人を傭聘する事。
（四）日本より一定数量の兵器の供給を仰ぐか、又は支那に日支合弁の兵器所を設立し、日本より技師及び材料の供給を仰ぐ事。
（五）武昌と九江―南昌線とを連絡する鉄道及び南昌―杭州間、南昌―潮州間の鉄道敷設権を帝国に許与する事。
（六）台湾との関係及び福建不割譲約定の関係に顧み、福建省に於ける鉄道鉱山港湾の設備に関し外資を要する場合には先ず日本国に協議すべき事。
（七）支那に於ける日本人の布教権を認むる事。

右の中、第五項は全部本交渉題目の中より引き離して他日の交渉に譲ることになったが、後にこの「保留」はワシントン会議に於いて撤回されたのである。

八　森の中日実業公司の社内改革

森は改組後も尚日支経済提携、支那富源開発の国家的立場から鋭意刷新に努めた。

拝啓　その後李士偉君の対本公司態度は依然として従来と異なるところなし。最早打ち捨て置くべきに非ずやと愚考いたしたる故小生意見別紙の通り書状として李士偉君に一昨日手渡し致候ところ、同君も何ら抗弁の余地なく、この書状を楊士琦氏に提出して協議の上、必ず一両日の間に何とか日本側の意に適う様工夫可致との事に相之候。
明日頃この案出でざれば小生親しく楊士琦氏に迫りてこの際根本的に解決致様工夫可致決心に御座候御両所に於かれても無論御同意と存居候　匆々

大正四年十二月六日　北京　森　恪

東　京
倉知　鐡吉　様
尾崎　敬義　様

右の文中にある、森恪が中日実業公司総裁李士偉氏に与えたという書状は次の通りである。

舌　代

李伯芝先生閣下我中日実業公司の現状を研究するに刷新を要すること頗る多し。然れどもこの如きは抑々末なり。すべての病原は支那側重役中に責任を帯びて犠牲的観念を以て終日公司のために全心身を傾注するものなき一点に帰着することを発見せり。この事一度決せば爾与の問題は自ら氷解し、大いに社運を発展すべきは疑うの余地なく、徒らに末節の改善を論議して社運の発展を計らんとするが如きは百年河清を待つに等し。速やかにこの病原刷新を実行することは刻下の急務也と愚考す。

原来澁澤男爵を始め日本の株主全体が貴君を総裁に仰ぐに至りたるは全く我々の推挙したるためにして、当時男爵以下君の為人を知るもの少なく、従って君を総裁に仰ぎたるは君の名声勢力に信頼せんと欲したるに非ず。要するに名望勢力甚大なる楊杏城顧問の下に君の如き事理に明らかに新知識に富み、而かも日語日文を解し日人の気質を知れる人物が日々出社して自ら中心となり陣頭に立ち終日熱心社務に鞅掌するに至らば、その成績忽ち現れ社内の空気一変し惰気去り英気加わり、日支人間の意思は流通し百時自ら秩序を得て、事業も簇出して社勢自ら発展するに至るべきを思至ればなり。然るに君が就任以来の態度を見るに、君は中国銀行の総裁に就任して我が社の総裁を兼ね、我中日公司のため心身を費やすの余裕なきに至りたると見え、殆ど出社する事能わざるに至れり。これに於いて君が心は会社に来れども君が体、君が時間、君が耳、君が眼、君が智は到底会社に来ること能わず、従って会社は依然として旧態を維持し、奮わざること君が就任以前と異なるなし。これ豈大に吾人の期待に反する所ならずや。

それ一会社の刷新発展を図らんとするや全力を挙げて努力するも尚及ばざるが世の常態なり。甚大の手腕ありと雖も揮わざればその効無し、その力を注がずして如何でかその実を挙るを得んや。

試に思え、中国銀行に君が少しも出社することなくして能く該銀行の整理を完成し事業の発展を期し得べきや否や。今日の如き状態を持続しつゝ会社事業の改善を欲する君の真意は誠に僕の了解に苦しむ所なり。知らず君は現状を以て能く株式の負託に背かずと思慮せりや。吾人にして最善を尽くすも尚社運発展を見る能わずとせば聊か自ら慰むる事を得るとも未だ尽くすべきを尽くさずして成り行きに放任するが如き無責任の行為は吾人の断じて同意する能わざる所なり。僕は切に信ぜり。君もし日々出社し終日事務に努力せば、君の如き明敏にして事務的才能ある人は必ずや会社の現状に甘んずる事能わず、敢えて僕らの発言を待たずして百時自ら氷解せん。君自ら仕事無きこと、冗員のあること、事業の開発を企画する必要あることを発見して、大いに社務進展の大案を建つるに至るべし。会社成績の挙がらざる根本的原因は、全く君が日々出社して事務を見る事能わざるにあり、僕は徒らに冗員、経費、規則などの小問題の刷新を云々する物に非ず、この如きは君自ら出社して事務を監督するに至らば自ら解決さるゝこと疑うの余地なし。これを要するに君が総裁としてその職責を尽くさんとせば、君は日々出社して終日社務に努力する必要あり。これ即ち澁澤男爵以下日本側一同の当初より期待する所なり。雖然、人才を求むること急なる支那に於いて君の如き人才を中日実業会社が独占せんと欲することは或は無理なる希望なるべし。果たして然らば君をして会社のために全力を傾注せしめんと欲する吾々の希望は暫時考慮すべし。その代わり君は全権を挙げて僕又は君の代表的人物に一任すべし。日本側株主と重役の全部は既に僕に全権を一任居れり。もし君が全権を一任するの勇なくし、君の信ずる人物（日語日文に通じ相当経歴ある人なるを要す）を選んでこれに全権を一任し僕と協力して専心会社全般の事務に鞅掌すべし。今問題は頗る簡単なり。君自ら出社して専心社務に鞅掌するか或は有為の人物に全権を付与するか、二者その一を選ぶにあり。この根本的問題を決せざる限り、幾度枝葉の改革案を論議するも寸効無からん。

抑も日本財界の有力者の財団が未知の君を総裁に仰ぎたる次第なるを以て、君が大に手腕を揮えば、従って君の名声揚がり他日君も又これがために便とする所あるべきや必せり。然るに君はこの意を悟らずしてこれを軽視し、敢えて極力蓋痒せんとする眞摯の風を示さず、この如き君の態度は啻に株主の負託に背くのみならず、君としても又決して大をなす所以に非ず。

僕が多年縁由深き三井を辞して中日公司のために努力せんとするに至れるは畢竟創業当時よりの関係上、株主に対する僕の責任を思いたるがためなり。何れにしても我々は最早株主に対する義務として現時の状態に甘んじて黙々無為の間に時日を空過すること能わず。速やかに君の方針を決定せんことを要求す。右は明確ならんことを欲し筆を以て舌に代えたる次第にて、往々字句礼を失せる嫌あれども、意の存する所を取り非礼を咎められざらんことを祈る。

大正四年十二月四日

森　恪　敬具

更に翌一九一六（大正五）年の総会には森が次の如き改革意見を述べている。

拝啓

一、来たるべき総会は東京に於いて開催する故、支那側より代表者を東京へ派遣するにつき、支那代表者出発前に、総会にて討議すべき案件は予め支那側株主の間の決議致置く必要有之、先日李士偉君をして右の趣旨貴方へ出状させ候が、右は如何御決定なされ候や貴意拝承致度候。小生考えにては李士偉君の総裁はこの際更迭の必要あり。その理由は吾人が李士偉君を推挙したるは李君の勢力名声を利用せんとしたるにあらず、同君が多少日文日語を解し比較的頭も新しき故、この種の人が日々出社して全力を会社のために尽くす時は、事業緒につく事を得べしとの考えありしがためなり。然るに同君は中国銀行の総裁を兼ね、銀行の事務に追われて全く我が社の仕事を見る暇なく、尾崎兄並びに小生より厳談に及びたるに拘わらず、今日に於いても依然として出社することなし。而も同君の性質として何事も自ら署名せざれば同意せざる風ありて、一向人に任ずるの度量なきを以て事務は全く進捗せざる事となり居れり。総裁が如斯態度を示す様にては到底社務の成績を挙ぐるの望みなし。李君が我が社の専務となる事能わざれば断然辞職を要求する必要あるべし。
一、次に方燕年君は事務の才能なく且つ仕事をなさんとする風なく、全く員に具はるに過ぎず、加えるに何らの権能も与え居らざると見え、一切の責任を避け何事も李君に聞かざれば決定を与えず、その李君は少しも出社せざるを以て些細の事も決定を見るまでには幾多の時日と手数を要し、方君は日々出社するも無為の間に日を空過し、返りて仕事を渋滞せしむるに過ぎず、本人自身も事務を執らんとする考えも仕事を企てんと欲する意なきが如し、去りとて吾人らの発案に賛同して努力せんとするにもあらず、只管事勿れと祈り仕事をなす事を怖るゝが如き態度を示し居れり。何を期するところありて専務の位置に晏然たるやその心事奇怪に堪えず。右の如き支那重役の態度に甘んじて而も尚会社の発展を望むが如きは木によりて魚を求むるに類せり。
一、要するに我が社の総裁は楊士琦氏の如く勢力名声の大成るものにする乎、又はかゝる人を得る事困難なれば李士偉君の如き人物にても可なるを以て、必ず会社を専門とし（例え他の事をなすとも会社を主とする事）熱心に努力する人たる事を要す。又専務は必ず会社のために全力全時間を傾注し日支日語を解する進歩的人物たるを要す。支那側重役さえ適当なるものを得れば、会社事業の発展は殆んど疑うの余地なし。冗員冗費などの問題は抑も末節にして、重役問題さえ決定すれば如斯末節は立所に革整する事を得べく、すべての病根は支那側重役にその人を得ざるに起因せり。今回はどうしてもこの点を改革せざるべからず。必ず姑息の結果に畢らざる様充分御工夫相成度候。
一、次にこの決算は如何なさるゝ御心配なるや、御内示願上候。思い切って欠損を出すが宜布いと愚考致候。小野は当地に於いて一月迄の帳簿を締め、それより上海の帳簿を見て二月中旬迄に着京する様致させ可申候。

一、次回より専務制度を廃して、満鉄の如く重役全体仕事に当たる組織に改度と存候。もし現状維持とすれば日本側専務又は副総裁の中、何れは一人絶えず支那在勤するものとせざれば不便を存候。

一、本状着次第総会準備の模様御一報被下度御依頼申上候。都合によりては小生総会前に一応帰朝致しても宜布いと存候　　　　匆々

大正五年一月二十四日

北京　森恪

東京
倉知　鐵吉様
尾崎　敬義様

森は一九一八（大正七）年取締役を辞した。それは政界に進出するためにその居を東京に移すことになったからであった。一九二二（大正十一）年十一月の臨時総会で高木陸郎氏が副総裁になった時の幹部の顔触れは左の通りである。

当時森が副総裁に推される筈だったが、桃冲鉱山の事業を持っていたので高木氏に譲り、**監査役となった**のであった。

資料１９　大正５年当時（３４歳）（出典：山浦貫一編『森恪』）

総　裁　袁　乃寛
副総裁　高木　陸郎
専務取締役　春田　茂躬
同　呂　均
取締役　楊　銃○（一字漢字不明）
同　倉知　鐵吉
同　鄭　延璽
同　窪田　四郎
同　文　群
同　江藤　豊二
監査役　森　恪
同　潘　承業
同　藤瀬　政次郎
同　于　振宗

日本側相談役
子爵　澁澤　栄一　　男爵　大倉　喜八郎
男爵　郷　誠之助　　男爵　古市　公威
美濃部　俊吉　　中川　小十郎

顧　問
藤山　雷太　　和田　豊二
小野　英二郎　山本　条太郎
小山　健三　　大橋　新太郎
工博　横堀　治三郎　藤田　秀雄

爾後支那政界の動揺その他排日などの影響を受け、充分所期の成績を挙げ得なかった。というのは**袁世凱の政策は民国実業の開発と日支経済提携を標榜して実は日本の対支進出を阻止せんとするにあった**ので、日本側に於いて鋭意所期の目的達成に努めても充分その驥足を展ばし難い情勢であった。しかし、その後一九一六（大正五）年に袁氏が斃れ、**安福派の黎元洪がこれを継ぐに及んで漸く親日的色彩の下に各種大小借款が成立**し、事業の範囲も支那全国に亘り、鉱山電気その他各実業に染手し、模範的合弁会社として他の追従を許さざるものがあった。

九　国策本位の事業家森

中日実業の事業中、森が先ず始めたのは**電話借款**（最初百万円）であった。

「英国は税関をやっているし、フランスは郵便行政をやっている。それで日本としてはどうしても重要なものにタッチする必要がある」というのが森の意見で、多分に政治的立場から電話に着目したのであった。この時の日本側の財団は台湾、朝鮮、興業の三特殊銀行の他に第一、古河、住友の合計六銀行と、別に三井、住友、古河の材料供給団であった。この契約を森は北京で結んでいる。

電話借款は政治的見地よりも寧ろいわゆるコマーシャル・コンプラクションであって、その工事一切を引き受けるという契約で事業と結び付いたものであった。

次いで**山東実業借款**（最初百五十万円）、**直隷省の水災借款**（五百万円）の契約を結んだ。前述した陝西省のスタンダード石油の調査権を森が獲ったのはその頃の事である。

次いで森が結んだ**交通借款**は純然たる政治的借款で、後に支那に対する政治的借款として有名な西原借款より以前の事であって、**対支政治的借款の嚆矢といわれ、森がその皮切りをした意味に於いて対支借款史に特記さるべきものである**。後年駐日大使となった許世英が交通部総長の時代のことで、支那政府と結びつくための工作として森が目論んだものであった。

更に森は中日実業の仕事として**漢口造紙廠借款**（最初二百万円）を結んだ。相手は財政部長陳錦濤であった。支那政府では機械をアメリカから購入し、湖南の木材を原料としてパルプを造り、洋紙を造るために漢口に造紙廠工場を設備したが、財政困難で事業を中止していたのを復活させるための借款であった。

森が中日実業の仕事として結んだもう一つの対支借款たる**京畿水災借款**（五百万円）は一九一七（大正

六）年直隷省の大水害救済のための借款で、当時財政部長は梁啓超、我が駐支代理公使は出淵勝次参事官であった。

中日実業はその初期に於いて最も華々しい活動を記録し対支政治的関係に於いてかなり大きな役割を演じ、その功績の並々ならぬものであったことは既に識者の知るところであるが、しかもその大部分が森が取締役として在任中の事業であった事実を我々は看過できない。**政治家森恪を知る上にも中日実業幹部としての彼の動きを回顧することが充分有意義であろう。**

森は中国興業（中日実業の前身）の設立に際して高木、尾崎両氏に「支那を釣ろう」と言ったが、**事実森の企画した事業は悉く国策的見地から割り出されて政治的である。**従って高木氏との間にはしばしば意見の対立もあったのである。

森は「支那の借款は腹でやらなければいけない、例えば電話借款といっても、必ずしも金をそれに使わなくてもよい、それが何らかの捨石になればよいではないか」というのだ。だからそういう態度で森はどしどし仕事をやった。しかし僕の立場からはそうばかりもいかない。「この方は背後に資本家を控えているのだから、一々仕事の報告をする義務があるではないか」と僕は応酬した。

―高木陸郎氏談―

東洋のセシル・ローズたる森は飽くまでも国策上からの大局的な立場から押し切って行こうとするし、一方高木氏は純粋の事業家的立場から常識的に始終しようとする。そんなところにも秀吉型と家康型の両氏の性格がよく現れているといえる。そこでこの両氏の中間に立ち、また実際的に資本家との間に居て苦しんだのは尾崎氏であった。言い換えれば尾崎氏は常に前二者のいわば女房役であった訳である。

森は、日支の経済提携もアジアの産業的開発も所詮は政治的解決によらなければ実現の不可能なるを痛感し、稍々資金の準備も整ったので、いよいよ政界に乗り出す決意をし、**一九一八（大正七）年中日実業を去り、多年の在支生活を打ち切り東京に本拠を移した。**その間の事情は、叔父堀内廣助氏に宛てた左の書簡の内容に尽きている。

拝復　貴状本日拝読致候、いよいよ御多祥大賀の至りに奉存候

小生この度、中日実業会社を辞し、全然独立にて支那事業に鞅掌致す事に相成候、東京にもステーション前の東京海上ビルディングに**森恪事務所**と申すものを設け、**北京、上海にも同名の事務所を置き**、差向き長江沿岸の桃冲鉄山並びに他の三鉄山の経営を主とし、青島の塩業と天津の製粉会社を兼業致す事に致し居り候、今より十年間は吾人の活躍を試むべき時期と存じ、敢えてこの挙に及びたる次第に御座候、成敗は天事に有之、吾人は只最善を尽くすのみに御座候、日本は過去の三十四年間に支那を料理致すべかりしに、我政界にこれ具眼者なくして大事の時を空過し去りたり。今日は支那を現状のまゝに維持せしめて全力を挙げてシベリアを始末せざるべからざる時也、不幸にして再び逃すが如きあらば、この機会も逸し去るべし。

支那とシベリアとは我が国にとりては、以て国権を維持し、以て国威を発揚するに欠くべからざるもの

なり。
科学進歩の結果、世界の政治哲学は一大変化を来し、大陸を抱合する民族にあらざれば国本を保つ事能はざらんとするの時代なるに袖手なすなからんとする我政治家の心事真に了解に苦しまざるを得ず、いわゆる天の与えるものを取らざれば禍至るとは今日の如きを申すものにて、邦家の前途を思い、憂心快々に御座候。

大正七年五月三日

北京
森　恪

台　北
堀内　叔父様　貴下

第二章　支那に於ける鉱山経営

三井物産の対支事業発展の基礎は、森の前後二十年間の活動によることが多いことは自他ともに認めるところである。而してその発展の基礎を成していると目される例を二、三数えるならば、まず湖南で有名なドイツのヴィッカーク社の勢力を駆逐したことである。一時非常な勢力を有していたヴィッカーク社の力が森の活動によって三井物産の手に占められた始末は前述した通りである。また、支那では「両湖実れば即ち安し」と言われているほどで湖南湖北は支那第一の米産地である。この米産地に早くも目をつけて我が国への支那米輸入の端を啓いたのは三井物産であり、これを計画し、また実際の衝に当たって今日に至らしめたのは、これ又前述の如く森恪であった。

以上の如き例は多々あるが、こゝに特筆すべきは、**森が支那に於いて鉱山経営に先鞭をつけた功績についてである。鉄、石炭、燐鉱など、支那に産する工業原料としての天然資源の開発に目を付けた**というのは、森が**それらの資源の将来の重要性に国家的立場から早くも着眼した**からで、これが事業家としての森恪を語る場合にも特に重要なポイントである。

今総括的にこれを見ても、支那革命に際し森が密かに孫文と提携の任に当たるや、森は資金援助の代償として漢冶萍の鉄に目をつけ、招商省と漢冶萍の利権を革命政府の手から日本の手に売り渡す契約を結ぶことに成功している（但し別記記述の通り革命の失敗によって契約は遂に日本側の譲歩をやむなき結果となったが――）。また、旭公司並びに森恪事務所の鉱山調査、搭連炭鉱の経営、長江沿岸に於ける鉄山の経営など、**鉱山の調査並びに経営に或は私財を投じ或は協力者を説いて鉱山開発事業のためのあらゆる努力を注いでいる。**また、揚子江沿岸の大冶鉄山以外の鉄山、例えば銅官山、桃沖、及び太平府地方の大小の鉱山などが今日の如く有名になったのも森の活動によったもので、しかもこれらは日本人の利権を買ったものではなく、いずれも森自ら投資開発したものである。

以上の如く**支那の鉱山就中鉄山に対しては、森は殆ど日本人中の最初の開拓者としての輝かしい功労者であって、その後長江流域の鉄山（桃冲など）経営のため、遂に三井物産を去り独立して活動するに至ったのである。**

従来支那に於ける日本人の鉄山利権はすべて日露戦争後の所産で、しかもすべて満洲に於けるものゝみであった。即ち、大倉組経営の本渓湖、安川氏経営の錦州、三井系濵名氏経営の天保山、満鉄経営の鞍山並びに新邱、飯田氏経営の弓張嶺、佐賀の深川氏経営の杉松岡炭鉱などである。

然るに一九二一（大正十）年頃までは支那本土に於けるものとしてはすべて森が手を染めたものゝみであった。即ち森は支那本土に於ける鉱山経営の草分けである。この一点をとってみても、日本の大陸政策と森恪との関係は歴史上に輝かしい頁を残している。

《森の「鉄鉱暫(ざん)行(こう)弁法撤廃論」について》

然るに長江沿岸に於ける森の鉄山開発事業が頗る支那当局者の注目するところとなった。当時専ら排日政策に力を注いでいた袁世凱が、日本を苦しめるには何よりも製鉄原料の途を断つことにあるという考えから、長江流域に於ける日本人の鉄山経営権を取り上げようと画策したのである。

当時排日派のアメリカ人が袁総統に上げた報告によると、桃冲鉄山の価値を無闇と書き立て、これを日本人の勢力下に委ねておくことは将来の禍根であると言ったと伝えられているが、間もなく袁世凱は長江沿岸地方一帯から日本人の鉄山経営を駆逐するために種々の圧迫を加え、又重要な法律を発布するに至った。即ち**鉄鉱暫行弁法**がそれである。これは随分思い切った乱暴な法律で、当時この法律の適用を受けた邦人としては森がその先鋒であった。**発布は一九一五（大正四）年**の事であったが、森は不意に本法の発布を見るや、直ちにパンフレットにこの撤廃論を述べて発表し、我が朝野の警告に努めたのであった。

左にパンフレットの全文を転載して参考に供したい。

支那に於ける鉄鉱暫行弁法を撤廃せしむるの急務を論ず

大正六年十一月二十三日　於　北京

森　恪

前年支那政府の公布せし**鉄鉱暫行弁法**は現行鉱業条令によりて外国人民に解放付与したる鉱業権を任意に閉鎖回収せるものにして啻に支那鉱業の発達を阻害するに止まらず我が国製鉄事業の基礎を不安ならしむるものなり、かつ本法の存在は即ち支那が鉄鉱業の閉鎖主義を実行せることを意味し、原鉱の供給を支那に仰ぐ事によりて始めて実現し得べき我が国の鉄自給策を根本的に破壊し国防の死命を箝制する悪法なるを以て決して軽々に看破し去るべき問題にあらず、内は支那のために利なく外は我が国に大害を与える本法の如きは速やかに抗議して一日も早くその撤廃を迫るを急務と信ず、今左に本法の内容を指示してその撤廃せざるべからず所以を陳述せんとす。

本法実施の結果は、

一、鉄鉱国有を主旨とし採掘権の許可を支那人民に限り啻に外国人の単独経営又は内外人民の共同経営を厳禁するのみならず外国資金の運用をも禁ぜり。

二、支那人民と雖もその経営は必ずや官民共同組織か又は政府の特別の指揮監督の下に立つことを必要条件とせり、この制限は新しき鉱業権の獲得に対してのみならず既得の鉱業権にも及ぼすべきものなり。

三、外国人は技師を除き全然雇傭を許さず技師もその職務権限著しく節制せられその契約書は必ず政府の許可を受くることゝし事実に於いて外国人の就業を困難ならしむる規定なり。

四、産出する鉱石は如何なる場合に於いても政府に於いて優先に買い上げ権を保留し、人民に於いて外商に販売せんと欲する時は必ず政府の許可を経ざるべからずと規定し外国人の買鉱を不便ならしむ。

五、鉄鉱に対しては普通の鉱業税、関税、釐金税の他更に毎トン銀四十セントの鉄税なる頗る苛酷なる特殊税を課し事実上鉱石の売買を困難ならしむ。

六、鉄鉱に限り現行鉱業条令及び関係諸法令中の内外人民共同経営及び優先権に関する規定を適用すべからずとし既得鉱業権の行使を著しく束縛せり。

要するに**鉄鉱暫行弁法の規定は徹頭徹尾外国人の支那鉄鉱に関与する能わざること宗旨としたるもの**

にして極端なる**鉄鉱の閉鎖主義に胚胎せり**、この法律の下に於いて外国人は鉄鉱に関することを全然不可能というも過言にあらず、由来現行鉱業条令すら外国人の条例上の権利を束縛するものとして北京外交団に於いては今日に至るもこれに承認を与え居らず、況や現行鉱業条令によりて一旦外国人に付与せる共同経営権を擅(ほしいまま)に剥奪し全然鉄鉱の閉鎖を実行せんとする本法の如きは断じてその存立を認容すべきに非ず、これが故に支那政府に於いてももしこの新法を発表するに於いては外交団の反発抗議を蒙るべきを予想し殊更にいわゆる弁法（仮規則の意）として内達し法律として決定的に公表するを避けたる次第にして、外交団特に我が日本政府が今日の如く本法の出現を看過するは宛然支那の鉄鉱閉鎖主義を黙認するに異ならず、抑も我が国の鉄自給政策が鉄鉱の供給を支那に仰ぐにあらざれば実現すること能わざる今日の場合に於いては一日も早く支那をして鉄鉱の開放を行わしめ、苟も閉鎖に類する主義主張を採らんとする実あらば全力を挙げてこれが打破に努めざるべからざる次第なるに官民共にこの重大問題を不問に付するは吾人の快峄に堪えざるところなり。

特に米国の鉄禁輸の声に嚇さるゝや、上下これが善後策に奔走せるに係らず、鉄鉱の供給国たる支那政府の極端なる閉鎖主義に対しては、恬として顧みず冷然として何ら徹底的方策を講ずることなく、返りて憑衣すべからざる米国に対して只管哀願的方策をこれ事としたり、これ豈甚だしき矛盾の行為に非ずや、蓋しその今日に至るは既に欧州戦争開始後間もなく英国政府が鋼鉄輸出に制限を加えたる当時より分明せる所にして当時吾人は欧米産鉄の供給を期待することの危険と併せて支那政府をして鉄鉱の開放を実行せしむることの急務を絶叫し、進言せしこと一再に止まらざりき、当時我が政府に於いて眼を支那鉄鉱に注ぎ支那政府に迫り鉄鉱の開放を行わしめ居たらんには、爾来三年有余の日子に於いて、我が国は略鉄自給の目的を貫徹したるべきは殆ど疑うの余地なし、仮に既往は咎めずとするも、今尚我が国の現状にありては今日と雖も問題を等閑に付するを許さざるや言う迄もなく、須く支那政府の鉄鉱閉鎖の蒙を啓き、飽迄も徹底的にこれが開放を実行せしめ、苟も開放主義に反する法令内規の設定さるゝにあらば、我が国の自衛上断乎としてこれが撤廃を迫るの覚悟あらざるべからず、閉鎖主義的法律制度の実施を黙認し単に問題の提起さるゝ毎に彌縫的交渉を以て甘んずるが如き従来の方針は鉄自給策の如き邦家の大問題を解決する所以にあらざるなり、或は曰く現今の支那の情勢より推し支那人をして開放主義に出でしむることは言うに易く行うに難し、特に内達とはいえ苟も一国の法令を改廃せしむることは一朝一夕の業に非ず、如かず一問題の発生毎にこれが解決を計らんことは、これ一見巧妙なるが如しと雖も、如斯は今日我が国の鉄自給策確立の必須なるを知らざるより胚胎する議論にして、また鉄事業の実情に通ぜざる皮相の見解なり。

およそ鉄鉱は当初よりその内容価値の明白顕著なるもの甚だ稀にして、何れも多大の勢力と幾多の費用を投じしかも数年間探究を続け、初めてその投資の価値乃至はその企業程度を判断し得るものなり、この過程を経ずして一躍巨資の投下を敢てし得べきもの殆んどこれなし、彼の大冶鉄鉱の如きも蓋し数百年来の乱掘が偶大規模の探鉱を行いたると同一の結果を生じ、今日人をして一見直にその価値を認めしむるに至れるものなり、吾人が八年来苦心経営し来りし桃冲鉄山の如き発見の当初にありては単に学理上より観て有望ならんとの漠たる推理に止り、鉱量品質の真相は断然確かむるに由なかりしなり、従ってその当時百方投資家を勧誘せるに拘わらず出資を肯ずるものなく、止むなく微弱なる私財を傾投し数年探鉱を断行し研究を重ねたる結果漸く鉱量品質共に優良なること分明し始めて世人の注意を喚起せるものなり、この他鞍山站、鳳凰山、太平府地方の鉄鉱の如き皆概ねこの例に洩れざるなり、この如く鉄鉱なるものは探究に相当の資力と労力を傾るに非ざればその価値を確め能わざるものなり、換言せば鉄鉱は探究即ち発見なりというも溢言に非ず、しかるに一旦鉄鉱暫行弁法の如きを適用せられんか、如上の鉄鉱探究は全く不能に終らん、現に目下懸案中なる諸鉄鉱の如き概して該弁法発布以前の発見なるに拘わらずこれすら弁法のため妨害を蒙り、我が政府の援助あるも今日に至る迄解決を見たるは僅かに鞍山站の合弁事業と桃冲の買鉱契約あるのみ、他は盡く現在の如き鉄市場の高潮に達せる最も重要なる時機を空しく彼我の折衝に過ごし居られる実情にあり、則ち知る一問題の発生毎に解決に俟つ方針は事実上その労多きに拘わらず効力なきことを、仮令秘密裡に鉄鉱を探査発見せりとするもこれが価値を確むるため探鉱をなさんとせば必ずや支那官民の咎むる所となり直に暫行弁法の適応を受け押収せらるべくこれ独り外人のみとはいわず支那人又この例に洩れざるなり、又仮に政府の押収を免るゝとするもこれが経営は外資に仰ぐを許さざるが故経営資金に窮厄するの状況にあり、かゝる事情の下に如何にして鉄鉱の開発を望み得んや、これ吾人が現在の鉄鉱問題の解決方針を以て消極姑息なりとその根本問題たる暫行弁法の撤廃を中外のため叫ばんとする所以なり。

或は言わん。「支那の鉄鉱は支那自体と同一にこれを保全すべきものにして諸外国人の自由獲得に委すべからず、もし然らずして一旦これを解放せんか欧米人はその豊富なる資力を以て先取し去るなり、鉄道利権に於けるが如く、その獲得によりて地方の開発に資せんとするに非ず、只管他国の侵略を妨礙するの主旨とするものなれば従ってこれが採掘は又徒らに他国を利潤せしむるの結果となるを惧れ、これを保持して開かざるにあること想像するに難からず、かくては我が国に採り寧ろ不利なるべし」と、一理あるやの観あれどもこれ又実情に通ぜざるの短見なり、由来支那に於ける鉄鉱床の分布頗る広大なることは従来幾多研究者の首肯するところにして、欧米人の資力を以てするも到底これらを先取りしその掌中に把握し去るが如きことあり得べからず、特に前述の如く価値ある鉄鉱の発見は一朝一夕の能くする所に非ず、その幾多未知数の鉄鉱についてつぶらに探究を敢行し初めて発見し得るものなればその大なる丈けその実体を確かむるに多大の日子と資力を要し、仮令鉄鉱の開放をなすも一時に大鉄鉱を渠等(かれら)欧米人に占領さるゝことなし、又翻て惟うに支那の鉄鉱は必ずしも挙げて日本人の独占に帰せしむる必要を認めず、寧ろ欧米人をして自由にその能力を発揮せしむる事は平時潤沢なる鉄の供給を受くると共に一朝有事に際してはこれを利用し得るの便あり、論者或いは日本人、欧米人の支那に於ける鉄工業の発達は我が鉄工業に甚大なる打撃を与え斯業の発達を却て阻礙するの結果に至らんと、これ欧米人の実力を余りに過大視したる謬見にして、如斯は我が国の技術と資力を自ら蔑視するものと言うべきなり、今日の進歩せる我技術及び資力は支那工業界に於いて欧米人と対抗し何ら遜色をなかるべし、かの紡績業の如き初め一部人士は欧米人に斯業が独占せられ、自ら我が紡績業の衰微すべきを憂いしも事実は全くこれと反対に今や着々渠等を圧迫し異常の盛況にあること世人も知る所の如し、吾人は鉄事業に於いても又その結果を同うすべきを信じるものなり、更に製鉄事業は必ずしも大鉄鉱のみの出現を必須要件とせず鉄量の小なるは独立企業を計画するに困難なりと雖も小鉄鉱多数の場合はこれを或一個の製鉄所に収集して企業をなすに支障なきなり、故にもし支那の鉱業法にして従来開放的ならんには現在既に発見せられたる多数の小鉄鉱は適当に利用せられ我焦眉の急を救いたること鮮少ならざらん、この状態は恰も我内地に於いて製錬事業各所に勃興し少量の鉱石をも尚蒐集利用するに至りたるより小鉱採掘者遽かに増加し来り日本鉱業界をして長足の進歩を促したるとその軌を一にすべきものにして、もしも支那の鉄鉱がその数量の多少に拘わらず自由に輸出されたらんには恰も支那農産物の輸出と同じく政府の格別なる奨励保護を待つまでもなく滔々として日本に流入し、我製鉄業を賑したるや瞭らかなり、更に一言すべきは我が国鉄自給政策の基礎を樹立するには今日を以て最好の機会とすべく、一度この好機を逸するときは終に再びこれを捕捉する望みなきことこれなり、想うに欧米平和克服後は戦時中大膨張を遂げたる欧米の製鉄業者はその販路を索むべく東洋に殺到し来らん、特に米国の如き戦前二千万トンの製鉄能力にして今や四千万トン以上に倍増せるを看る、必ずやその幾分は販路を東洋に開拓すべく努力するに至らん、この時に際しさらぬだに基礎貧弱なる我が製鉄業者が能くこれと対抗し優に角遂し得るの能力ありや如何、吾人は恐るその痛烈なる競争に耐え得ずして戦前の憫むべき状態に復帰すること無きやを、かつて米国の小製鉄所が多年の不況に窘みし結果その救済策として「ユナイテッド・ステート・スチール・コーポレーション」を組織したるが如く、我が製鉄業者も八幡製鉄所を中心として各種斯業者の合同を行い保護政策の堡寨に蘢居するの運命に至らん、もし不幸にしてかくの如き時期に際会せば如何なる奨励策に出るもその大勢を抑止し得るべきにあらず、我が国の将来の必須要件たる鉄自給策は永く絶望の悲境に堕ちらん、かゝる至大なる関係あるに鑑み製鉄事業の有利にして企業熱の旺盛なる今日の好機に際し能く時代的要求を利用し、多々倍々製鉄所の増設を具体的に奨励するは、鉄自給主義の如き最も重要なる国家問題を解決せんとする政治関係者にとり当然の責務なりと言わざるべからず、事業熱の旺盛時代に一旦設立されたる製鉄工場は他日市況の不振に際会するも生産費の低減、製品の改良など種々なる工夫を重ね或いは特色を発揮するに努むるなど、その存立上自衛の計をなすべきは企業界当然の順序なり、従って国家は平時に於いては多種多様にして品質良好、且つ価格低廉なる鉄を需要し得べく、有事に際してはいわゆる自給の域に安全を保証し得る結果となるべし、抑も鉄自給策なる国家の政策上より見る時は、鉄事業は必ず大規模ならざるべからずという議論は甚だしき謬想となるべし、鉄の需要千種万態なるが如くその使途目的により製品を異にす、故に広く一般的に需要さるゝ種類の鉄並びに鋼は大規模の工場に於いて制作さるゝを得策とするも特殊のものにして幾多専門的研究を重ねますますその特色を競わんとする製品にありては寧ろ小工場を適当とす、今日特殊の軍器機械類の製造原料となる鋼は、オーストリア又はスウェーデンの一地方、極端に言えば世界に於ける一部小工場により独占的に供給されつゝあるが如き観あるはこれ故に属す、これを要するに鉄自給主義を完全ならしめんには可及的大小多様の製鉄所の勃興を計らざるべからず、製品の種類を異にせる大小各種の製鉄業の勃興を計るには、今日の如き事業の有利にして企業熱の熾烈なる時期に於いてせざるべからず、故に曰く我が国鉄自給策の基礎を確立するには今日を於いて絶好の機会なりとす、今日製鉄事業の覇者たる米国の如き、当初より現在の優勢を示したるに非ず、国内に鉄石炭の埋蔵豊富なるに拘わらず、常に欧州製品の圧迫を受け振わざりしこと久しかりしが、幸いに先覚者あり経済界の高潮時、又は数次の戦争気運を利用し、斯業の奨励に努めたるより国内に各種製鉄所勃興し今日の隆昌を観るに至れるなり、米国のゼームス・ヒル氏我が澁澤男に向かい曰く「今次欧州戦乱のため各種軍需品の需要起こり就中鉄に関係するもの多きが、今日の米国は幸いにして早くより鉄に対し相当なる準備と設備を施し居たるためこの機会に際し、能く国富の増加を観るを得たり」と、蓋し（けだし）ヒル氏の意は米国と雖も平時に於いて製鉄事業の設備なかりしならば、例え今次の大戦に遭遇すると雖も能く大富を作すの途なきこと、尚支那が鉄石炭の埋蔵豊富なるに拘わらずこの好機に際して何らこれを善用すること能わざるが如きものありしならん事を示せり、我が国朝野の識者に於いても現下の我が幼稚なる製鉄業を放任せば、将来自給策確立の機会なきを感得せざるに非ず、また自給策確立については現在及び将来を通じ支那鉄鉱に必然據らざるべからざるを熟知せざるに非ざるべきも遂に本問題に対し何ら徹底的計画を講ぜず、常に姑息的手段に甘んじ、空しく過去数年の貴重なる日子を漫過し終われり、畢竟如斯は鉄の自給が国家の休戚と如何なる関係にあるやを痛切に感ぜざるに職由すべく、その切実に感ぜざるは、かゝる国家問題に対する研鑽の不十分なると、考慮の眞摯ならざるが故なり。支那政府をして名実共に鉄鉱を解放せしむることは刻下の急務なり、苟も開放主義に背反する法令制度はその性質形式の如何を問わず、これが制定を抑止し撤廃せしめ、以て我が給鉱の途を完全に打開せざるべからず、由来支那政治家の内容根拠共に吾人は衷心より鉄鉱暫行弁法の一日も速に撤廃せしむる必要あることを主張す。

この森の「鉄鉱暫行弁法撤廃」の檄文一つをとっても一実業人の発案たるや。国士の資格十二分にあるではないか！　抱懐する意を他の人に伝える才能には感嘆させられる。

一　東洋製鉄株式会社の由来と森の卓見

製鉄事業の国家的重要性に早くから着眼した森は、自ら発起人の一人になって東洋製鉄株式会社の設立を企画した。

一九一七（大正六）年、欧州戦争は何時終息するとも見えなかった。戦争と鉄とは不可分関係にあるが、特に世界の物資を総動員された欧州大戦当時は極端な鉄飢饉に陥っていた。我が国でも八幡製鉄所はあるが鉄飢饉に直面し、製鉄能力不充分なので民間に大製鉄所を設け、有事の際は勿論、平時に於いても産業の発達に貢献する必要があったので**東洋製鉄株式会社**が生まれた。

同社は森の企画に基づいたものである。澁澤栄一男爵の肝煎りで、安田善三郎、久原房之助、村井吉兵衛、郷誠之助、藤山雷太、中野武営、和田豊治、大橋新太郎、中島久萬吉、倉知鐵吉ら財界の重鎮が創立委員となり、資本金は四千万円であった。

初代社長は澁澤男爵が引き受ける筈のところ、都合によって中野武営氏が社長となり、一年足らずで病没したので、次いで郷誠之助氏が社長、中島久萬吉氏が専務で実務に当たり、工場方面は西野恵之助氏が担当した。森は中日実業の重役だった関係上表面には立たなかった。

東洋製鉄は、森が一九一四（大正三）年以来中日実業会社に買鉱権を有せしめていた桃冲鉱山の鉱石を買い入れ、これを基礎として朝鮮その他の鉄鉱を混用し、先ず銑鉄を製し、これを製錬して鋼鉄となし、その鋼鉄を以て我が国の需要に充てようとするのが目的で、本社を東京に置き、工場は九州方面に置くを便利としてその方面を物色中、久原房之助がかねて製鉄事業に着目し、九州戸畑に土地を需め工場建築の準備をしていたのを譲り受けた。この関係で久原家は東洋製鉄の大株主であり、久原房之助の義兄鮎川義介（後の日産コンツェルン創始者）が後に同社の取締役になったこともある。

かくして工場の出来たのは一九一八（大正七）年四月、溶鉱炉を据え付け、火入れをしたのが一九一九（大正八）年五月、世界大戦は既にその前年十一月に終息して鉄飢饉は幾分緩和され、底止するを知らなかった鉄価の暴沸も漸く下落の歩調を見せた。然るに同社は遠大な計画を基に建った会社なので、更に溶鉱炉一基を増し積極的に事業を進めることになったが、二基目の溶鉱炉の火入れをした一九二〇（大正九）年には財界に大変動が起こり、物価は暴落、特に鉄価は著しく崩落して生産費以下に降り、その回復期も全然予測することを得ず、同社は設立の時期が悪かったものの国家的見地から考えて焦眉の急に応ずる施設として目前の利よりも将来という大きな期待がかけられたが、反動は意外に深刻で会社は非常な苦境に陥った。こゝに於いて会社は損失を免るゝ方法として、その**経営を八幡製鉄所に委託する**ことを最良策となし、一九二一（大正十）年総会の決議を経てそれが実現された。

この委託経営は永く続いて、一九三四（昭和九）年、中島久萬吉男爵が商工大臣として製鉄事業の大合同を行った際、三井、三菱の製鉄事業と共に東洋製鉄もこの合同に参加し、資本金三億五千万円の**日本製鉄**の内容に包含され、東洋製鉄の名は解消した。東洋製鉄は経済的には成功しなかったが事業的には成功したのである。

序だが、大冶鉄山が支那に於いても特別に有名な鉄山として知られているのは、伊藤博文公が日露戦争以来非常に鉄の必要を感じ、遂に戦勝の余勢を借りて大冶鉄鉱の買収を思い立ち、時の八幡製鉄所長官和田維四郎氏を引き連れて親しくこれが視察に赴いた。当時これについては世間実際家の間には種々な批評もあったが、何分にも非常な勢いで創立された八幡製鉄所に対し、創業早々から鉄鉱が問題にされていたので、直ちに同所所要の鉱石に関する売買契約を締結し、これが鉱石代の前払いの意味で支那に対して借款を与えた。これが即ち九州の八幡製鉄所の基礎をなしている。

大冶鉄山は宋の時代から掘りかけていたものである。見掛けは、鉱石露出して非常に派手な山であって、獅子山の如きは鉄鉱ばかりから成っている派手な露出が獅子の形をして立っているので見に行く人は何れも驚いて帰り、我が政府当局者中にも鉄山は大冶に限るというような心酔者も多く、そのために日露戦争後の製鉄所の大拡張を成す際、支那の数百万円の借款に応じてまで鉄鉱供給の契約をしたのであるが、当時これに対しては反対もあり、特に森の如きは強硬な反対者の一人であった。

「借款に応じて鉄鉱の供給を潤沢にするためならば寧ろ桃冲を中心とする鉄山に援助すべきもので、借款全部を大冶に持って行かせるなどとは随分目先の見えない遣り口である」とまで攻撃した。

時恰も製鉄所の原料供給者たる**漢冶萍公司**は、かねて目的とする象鼻山及び紀家洛両鉄山の権利を獲得することが不可能であった結果として、契約供給量の半額以上の受け渡しを望み難い状況となったので、製鉄所は別に鉄鉱資源地を探求し、第二の漢冶萍を作る必要を感じていた。

そこで森が製鉄所を説いた結果、桃冲鉄鉱の鉱質が略々大冶鉄鉱と伯仲し、且つその位置が長江下流にあって大冶に比し運賃の少ない事などの長所あることが認められ、製鉄所は差し当たり大冶に不足する鉄鉱の一部を桃冲太平の両山から購入することを良策となし、一九二〇（大正九）年から桃冲の鉄鉱を、中日実業をして製鉄所に供給せしめることになった。尚桃冲は大冶と違って磁鉄鉱でなく赤鉄鉱なので重要な原料として尊重されている。

森が製鉄事業の将来性並びに国家的重要性について如何なる認識と関心を持っていたかは左の二、三の逸話によっても推察されて余りあることである。

—野口米次郎氏談—

東洋製鉄が設立される直前の事であった。同社の社長には中日実業副総裁倉知鐵吉氏も推されていたが、倉知氏は辞退した。ところが、私は北京の中日実業の事務所にいたのだが、ある時倉知氏の部屋へ行くと、丁度そこに森さんが居られて、今度出来る東洋製鉄の社長になることを頻りに倉知氏に説き勧めていた。

森さんの言うには、

「ぜひ社長をお引き受けなさい」

そしてその理由としては、

「現在は日本に於いても釜石その他二、三カ所に製鉄所があって経営が個々に分散しているが、今から十年も後には必ず国家経営の建前から製鉄会社は合同統一される時代が来るに相違ない。だから現在は微々たる東洋製鉄の社長では物足りぬ感があるかも知れぬが、製鉄事業の将来性の重要なるを思えば、東洋製鉄社長は決して単なる一小会社の社長の比ではない」

と言う事であった。

—沖津保平氏談—

果たせる哉、のち幾ばくもなく八幡製鉄所が大拡張され大合同会社となって東洋製鉄もそれに合同統一されるに至った。

また森は、一九二〇（大正九）年森恪事務所で鉄鉱石研究の必要を説いて、次のように言ったことがある。

イギリスの外交というものは実に酷い。アングロサクソンの外交というのはいつも他人の褌で相撲を取る。

結局日本はこの次に戦争するのはイギリスより他にない。それにつけても今後の戦争は鉄によって支配されると考えられるし、まして相手がイギリスとあれば今のうちに鉄鉱石の研究をしておくことは絶対に必要だ。是非ともその研究に力を注がなければならない。

合わせて、商人根性を離れた森の一面を良く立証する逸話も紹介しよう。

欧州大戦で我が国の鉄の値段が非常に高かった頃、桃冲の鉄鉱石を日本の各社へ供給する契約を持っていたのだが、後に皆が契約を履行しなくなっても、森さんはこれに損害金を出せなどという事は決して言われなかった。商売根性ならば契約の履行を迫って大いに儲けたり損害賠償を取って金を受け取ったりするのだが、森さんはそんなことはするなと私らに言われた。

「支那の鉄鉱石を日本に持って来るということは我が日本国の製鉄事業確立に貢献せんためである」

と言われるのであった。

―松山小三郎氏談―

鉄山開発事業、引いては我が国の製鉄事業の将来性に対して、森が損得などは超越し、一商人としてではなく国家的見地から深甚の熱意を以て献身活躍したことを思えば、支那に於ける鉄山開拓史並びに我が製鉄事業史にとって森格の名は蓋し不朽のものというべきものである。

二　森の調査又は経営した鉱山について

森の経営した鉱山は、桃冲鉄山、搭連炭鉱、海州燐鉱、南山・小姑山・鐘山鉄鉱などがあり、その調査した範囲は実に広汎で支那本土を始め満洲、朝鮮にまで亘っている。

一九一三（大正二）年、森は太平府付近に技師を派遣して鉱山を調査させたが、その結果鄱陽湖付近に三十鉱区の炭鉱、太平府に十七鉱区の鉄鉱を獲得し、その採掘出願をしている。

――高橋雄治氏談――

私が森氏に会うと、「早速だが張継氏が鄱陽湖に炭田を持っていて、石炭の見本を持って来ているから見てくれ」と言われた。私はその見本を調べた。「どうだね」と森氏が言うので、「これは立派な石炭です。これが実際にあるなら素晴らしい炭鉱です」と答えると、「ではすぐ明日行って調べてくれ」と言うのであった。その時にやはり張継の幕下で馬という人が太平府の付近に沢山の鉄山を持っているから序にそれも調べてくれと言われた。それは馬の名義だが実はやはり張継の所有であった。私は通訳と二人で翌日調査に出発した。太平府十七鉱区の中、大姑山、小姑山はまだ鉄鉱として何人にも発見されていなかった。それは揚子江岸から僅か五、六里の平地にポコリと出来た山で、経営しても運搬など至極便利であり、鉄鉱の質も極めて良好、埋蔵量一千万屯で、尚その下まで掘ると更に一千万屯を蔵している。これに三井と森氏が百万円出したという。

資料２０　中国の鉱物資源

太平府鉄山視察に関しては森の手紙が二、三通残っている。参考のために採録する。

大正四年十一月六日

北京
森恪

東京
倉知鐵吉様

拝啓　太平府鉱山視察の事

三井藤瀬氏の御紹介にて太平府に技師御派遣相成るには何時が好都合なるやとの御問合に有之、不取敢十二月初め頃に願度由御返事申上候、益田君は江西省に出張致居、小田君も安慶にあり、本月末に至らざれば太平府の地理に明き人物操合相付き不申、三井の技師十二月十日頃上海着の事に御取極相願えば好都合に御座候、藤瀬氏の方へはこの旨御転声結果御一報願上候、当方はそのつもりに人繰相付け申べく候、丁度小生もその頃は上海へ出張致す事に可相成と存居候北京政府との関係上、支那政府より案内せしむる事は丁度不便故、どうしても日本人のみにて旅行致す必要有之候　匆々

大正四年十一月十一日

北　京

森　恪

上　海

和田正世様

拝啓

三井鉱山会社技師太平府鉄山視察の事

福民利民両公司関係の太平府鉄山は三井にて経営の意思あることは貴兄御案内の通りに有之実地調査のため過般藤瀬氏より技師派遣の通知ありしが折悪く小田君安慶に出張し高橋技師も入山中、貴兄も当地に不日御出張相成るべき筈にて適当の案内者無之故十二月初め頃技師派遣の事に回答致置候ところ、本日突然「太平府鉄山視察のために三井鉱山会社技師さがわ、中島両名本日三池出発上海へ向えり諸事手配頼む」と入電致候、何らか行き違いを生じたるか或は人手の都合上俄かに両技師の派遣と相成りたることゝ存候、案内者人繰困難にて或は不都合相性ずる怖れあらんかとも存候得共既に出発後とあれば致方無之と存じ不取敢一電左の通り

三井技師二名太平府鉄山視察のため十三日上海へ到着の筈小田を案内者として充分に視察させよ、小田差し支えあらば高橋に頼め、和田は小田帰着まで出発見合わせせよ　森　恪

御飛報申上候、御迷惑ながら可然御高配御依頼申上候
福民利民関係の鉱山は全部三井に提供致すべき心組みに付遺憾なく調査出来る様御尽力願上候、尤も福民利民鉱業権につき目下北京に於いて支那政府と交渉進行中にてこの際支那側より案内せしむることは啻に不便なるのみならず当地の交渉に妨害となるべき恐れあり今回は全然支那側と没交渉にて単独に当方の手にて視察することに致度と存候間、該地方の事情に精通せる小田君を案内者と致度同君安慶より帰滬の都合上両三日延引致すとも同人派遣のことに御工夫被下度、万一小田君繰り合せ出来ぬ時は米元君に留守せしめ裕繁などの高橋技師の出張を煩し度き希望に御座候、何れにしても福民利民関係者の手を借りる事無く当方の手にて充分視察出来る様御高配被下候宜敷諸事御一任申上候、福民利民と当方の関係及福民利民公司の鉱業権又は両公司の組織などについては何ら御説明の必要無之、要するに山そのものゝ御視察を援助致す次第に御座候
もし高橋技師の出張を煩わす必要ある場合には小生よりの申出として同氏へご移牒相成れば宜敷と存候
先ずは右御依頼旁々如比に御座候　匆々

○

森　恪

上　海
益田達様

（上略）

> 中野次郎君の依頼にて奉天の段芝貴将軍の軍事顧問町野氏の手に付属せしむるため約半年程の間当方の技師を貸与し、中野氏及町野氏の着眼せし山を調査し、有望なれば右町野氏の尽力にて採掘権を獲得し当分その経営の任に当たる事に致べく候（下略）

更に一九一九（大正八）年十月二十五日、森は東京の森恪事務所から奉天にあった藤井元一氏宛てに、太平府鉄山は次のように合弁事業になったことを書いている。

> 太平府福民利民の件も幾多の曲折を経て暫く予定の如く三井、徐劉、森の三者間に合弁の議成立、契約もまとまり、徐君は小田君と共に本朝上海へ向け退京致候

さて太平府鉄山のうち次に掲げるの四公司所有の鉄山との関係は、その後中公司（P370参照）の事業として残存し継承されている。これはまた森の没後、中公司の事業として遺された唯一の事業（錦屏鉱山と共に）であるという意味に於いても一応その大略をこゝに述べておく必要を感ずるものである。

三　太平鉄鉱（当塗鉄鉱のこと）

太平鉄鉱は安徽省の当塗県管内の鉄鉱の意味で、当塗鉄鉱とも呼ばれている。

当塗鉄鉱は一九一二（明治四十五・大正元）年に発見され、一九二三（大正十二）年頃には寶興、益華、利民、福民、振冶などの公司あり、その後利民と福民が合併し福利民公司となり、当時は振冶公司、福利民公司、寶興公司、益華公司などとなっている。

（イ）振冶公司との関係

振冶公司は安徽省当塗県に鐘山鉄山を経営しているものであるが、一九一八（大正七）年二月、森は同公司代表方聘商と契約して十万屯買鉱の権利を得、同年九月北海道製鉄会社に同鉱石を供給する契約を結んだ。翌年末迄には約三万屯の貯蔵を有するように至ったので、支那政府の輸出許可を得ていよいよ積出を開始するに至らんとしたが、当時鉄界の不況の趨勢にあったのみならず、一九二〇（大正九）年春には財界に未曽有の恐慌来襲したため北海道製鉄から解約を申し出て売鉱不能に陥り遂に休山の止むなきに至った。その後鉄界の景況回復するに及び幾度か同鉄山の再開を企てたが、当時の支那政府は鉄鉱石の新規輸出を禁止する方針であったので、運動効なく遂に輸出開始の運びに至らずして終わった。

（ロ）福利民公司との関係

森は福民利民の両公司関係の諸鉄山を我が国と結びつけることの我が鉄鉱国策上緊要なることを早くから

認め、一九一六（大正五）年三井鉱山会社と相談し、福利民、三井、森の三者で新会社を組織する事とし、同年七月関係者間に契約を結んだ。福利民公司が安徽省当塗県に於いて取得した鉄鉱鉱業権の地点は小姑山、扇面山、小凹山、妹子山、南山、栲栳山、載山の七鉄山である。

右三者による新会社はその資本金銀一百万元、株式の配分方法は福利民が百分の四十（四十万元）、三井が百分の四十（四十万元）、森が百分の二十（二十万元）の割合とし、福利鉄鉱股份有限公司と称した。しかして業務は全体の同意の下に森が委任され販売は三井鉱山が引き受けた。

新会社は一九一九（大正八）年夏、先ず小姑山の採掘に着手したが、鉄界不況のため事業を休止し、一九二九（昭和四）年に至り漸次鉄界回復の曙光現れたるを以て、翌一九三〇（昭和五）年から南山、一九三四（昭和九）年から再び小姑山の事業を開始し、八幡製鉄、釜石製鉄、日本製鋼、三菱製鉄、製鉄合同後の日本製鉄などへその鉱石を供給している。

（八）　寶興公司との関係

一九二五（大正十四）年八月、森は寶興公司と契約して四十万屯の買鉱権を獲得した。同公司は安徽省当塗県に大東山、大凹山の両鉄山を経営しているものである。森は翌年一月から積出を開始し、その後日本製鋼、釜石製鉄、三菱製鉄などへ鉱石を供給した。

（二）　益華公司との関係

益華公司は安徽省太平府に黄梅山、蘿葡山、龍家山、大黄山などを所有しているが、一九二五（大正十四）年十二月、森は同公司と契約して三十万屯の買鉱権を獲得し、翌年以来釜石製鉄、日本製鋼などへ鉱石を供給した。

（ホ）　銅官山鉄鉱

一九一二（明治四十五・大正元）年安徽省督軍柏文蔚は三井物産公司（当時森は三井物産にいた。表面の名目は三井物産公司であるが、実は柏文蔚と森の合弁であった）と合弁開採を締結して借款二十万元を得たが、中央政府の反対で未だ開工に至らない中に、一九一四（大正三）年農商部令で安徽省は三井借款を返還すべきを命じられ、遂に合同を取り消すことになった。

――門倉三能氏の著書『北支鉄鉱・硫黄鉱資源』より――

福利民公司、寶興公司、益華公司及び昌華公司は最近まで太平鉄鉱を喜んで日本へ供給していた。それは単に彼らの利益観念の問題にのみに帰するのは誠に皮相の観察である。又、森恪氏は太平鉄鉱の陰の生みの母であり、陰の育ての親であることをこゝに誌しておきたい。酒も煙草も飲まない明朗闊達の紳士たる森恪氏は談一度長江の鉄鉱に及べば、桃冲・太平・銅官山の鉄鉱について縷々一席弁じ終わって、憂憤、憂悶の面差に変じて、

「太平鉄鉱には未だ我輩の最後の喝を入れてないからな」

と言われるのが常だった。

一九一八（大正七）年には南京付近に新鉄山経営を企画している。この事は同年四月十二日付、森が北京

から上海の和田正世氏に宛てた手紙に次の如く書いてある。

九日付書状を以て南京付近新鉄山の事御来示拝承右は高木君と小生との共同事業とすることに御取極め相成南京の淡君を出願名義人となすとの御取計は至極賛成に御座候

また森は早くから特に国防的見地から**マグネサイト**（菱苦土鉱）の重要性を認め、一九一八（大正七）年には森は高木陸郎氏らと、満鉄線大石橋付近からマグネサイトを採掘する目的で**満洲鉱業会社**を興した。資本金三百万円、社長は当初荒井泰治氏で、高木氏は専務取締役であったが、後に高木氏が社長となっている。森は発起人として創立に尽力したが、中日実業とその他の事業の関係上役員にならず、社外にあって諸事業の開発発展に努めた。

当時近世科学の進歩と共にマグネサイトの用途は激増し、しかも欧州戦乱以前にはその産出は僅かオーストリア・シャタイヤー社に限られ、各国が争ってこれを購入した。これがためにオーストリアに於ける斯業は一部官営となった。しかるに開戦後オーストリア・マグネサイトが市場に途絶するや、各国は競ってこれが踏査に従事して所々に発見し、就中ギリシャ、米国、カナダ並びに満洲はその最もなるものであった。我が国に於いても豊後、上野地方に産出したが、その量は極めて微々たるもので殆んど商品としての価値がなかった。然るに満洲大石橋付近はその鉱量実に二億余屯を産するのであった。

マグネサイトの用途は科学の進歩と共に驚くべき発達をなし、各種副産物の如きは頻りに発見され、第二次大戦までの発見によって商品化されているだけでも、耐火煉瓦、マグネサイトセメント、炭酸水の製造、スチームパッキング、輪形研磨器、パルプ製造、坩堝、軍用光弾、夜間写真用閃光、化粧品、薬用塩、ゴム製品、マグネシア、屋根瓦などの多数に亘っている。

同社はその後軽金属時代となるや三千万円の大会社となって国策上ますますその重要性を認められた。

しかしながら森が支那に於いて経営しまたは開発に関係した鉱山の中、代表的なものは**桃冲鉄山**で、それについては次に章を改めて述べる事とする。

《鉱山調査と門倉三能氏》

森の支那大陸に於ける鉱山調査及び鉱山開発事業に忘れてならぬ人がある。理学士**門倉**三**能**氏である。

門倉氏は大学を出てから東亜学の樹立を志し、自らの専門知識を以て、先ずその根底となるべき東亜資源調査より出発することを発意し、自らシベリア、満蒙、支那を縦横に跋渉し、一九一八（大正七）年から一九三四（昭和九）年に至る十六年間の長きに亘って鉱山調査旅行に半生を捧げた。その殆ど驚異に値する努力と熱情から生まれた調査資料は全くユニークなもので、学会でも稀有にして貴重な存在とされている。

同氏は先年病魔に襲われ不自由な身となり、再び大陸を跋渉することが不可能になった。先に『北満金鉱資源』を上梓し、次いで一九三七（昭和十二）年一月から起稿、一九三九（昭和十四）年七月脱稿して『北支鉄鉱・硫黄鉱資源』を著し、その後蒙疆晋北大同炭鉱顧問、東亜研究所顧問の職にある傍ら、更に、概刊の石炭・鉄鉱・硫黄鉱を除いた一般の『北支鉱産資源』の著述に従事した。

森との関係を述べるに先立ち、同氏の輪郭を一層明確にするために同氏の著述の序文を左に摘録紹介する。

「回顧すれば大正七年より昭和九年に至る間に於ける著者の公私の遊歴路線は中支・北支那・内蒙古・外蒙古・満洲・東部シベリア（北樺太を含む）などに亘っているが、単に自己の足跡を印したというに過ぎない。常に地学的遊歴・調査に親しんで一塵不染の心操を持することこゝに年ありというべく、その心象は恰も山岳会員諸氏が遂次処女峰を征服するようなもので、余人の到底窺い知ることの出来ない心境に彷徨し、ただ一片彷徨の志が炎々として胸中に燃ゆとでもいうものであったろう」

同氏の遊歴・調査は前人未踏、実に先駆的なもので、その名称を新たに命名したもの（例えば有名な大同炭田、萬全炭田、土默特炭田、白雲鄂博鉄鉱、夾皮溝金廠、熱鬧溝金廠、聚寶山金廠など〳〵）が無数であり、氏の調査したもので開発されたものも多い。現に蒙疆政権は大同炭田を、満洲炭鉱会社は阜新炭田を、満州重工業会社は夾皮溝金廠を、満洲採金会社は北満金鉱を、北樺太石炭会社は北樺太封鎖炭田をそれぞれ開発して何れも盛大に操業した。

更に同氏は述べている。

「自ら再び立って懐かしい北支・満蒙の広野を馳駆し得べき望みのない著者としては、現地における鉱業の隆々たる発展を聞知して欣喜雀躍し、以て自ら慰めとなし、右手に代われる左手に頼って本書を脱稿した。

（中略）公の遊歴は専ら理学博士井上禧之介氏の斡旋によれるも、尚東京帝国大学工学部の命によれる場合もある。北支那及び中支那に関する公私の遊歴回数は長期・短期を併せて約十回に及び、私的遊歴の支援者は既に物故された森恪氏・河野久太郎氏及び某大人（註：大倉喜八郎男のこと）を主とし、その他の数氏である。こゝに全支援者に深甚な感謝の意を表すると共に、過去の記録として遺したい。従来日本の東亜研究に対する態度は線香花火的で、瞬時にして明滅し、竜頭蛇尾の嫌いあり、決して永続性がなく、個々の調査資料は豊富なるも各所に分散し、未だこれを集中して綜合・結論の階梯を経たるものがわずかもないようで、誠に遺憾である」

門倉氏は蒙疆並びに北支・中支の調査はその大部分が大倉喜八郎男と森らの依託によるものであったと語っているが、森の依嘱によってなされたものだけでも多数であって、こゝに一々詳細に述べる遑がない。その中、開発されたものに搭連炭鉱、太平府の四公司の鉄鉱、海州の錦屛公司の燐鉱などがあり、桃冲鉄山開発以後、森の開発した鉱山のすべては同氏の調査の結果によるものであった。

——門倉三能氏談——

私が最初に支那大陸に渡ったのが大正七年で、農林省の臨時鉱山調査所技師、外務省嘱託、つまり役人として渡ったのだが、北京で先ず森恪氏に会った。小柴英侍氏の紹介であった。丁度森氏は三井物産天津支店長を辞め、中日実業重役の一方、桃冲鉄山を開発して北京に森恪事務所を創立して間もない頃であった。私は森氏の依嘱を受け、約一年半の予定で、万里の長城、次いで大同方面の踏破調査をする事になった。同地方には一人の日本人もいなかったし、旅行にはどうしても支那語に通じていなければならなかった。私は、支那語は殆んど知らなかった。しかし他の外国語には六ヵ国語に通じていて、私には語学の才能が割にあったので支那語も直ちに覚えられるという自信があった。

森氏は先ず耳を馴らすのが早道だといって北京の「新世界」へ連れて行って芝居を見物させたり、支那芸妓を招んで話を聞かせたり、市場へ連れて行って大衆の会話を聞かせたりした。森氏は多忙の中を三日間も私に付きっきりで支那会話の手引きをしてくれたのだ。そしてその三日の間に、私は意味がはっきり解らなくても、どうやら支那会話を耳にする要領だけは会得した。それから城内の公園に連れて行かれた。そこには池があり、池畔にベンチがあって、その辺を逍遥するのは北京の上流の人達に限られていた。森氏は私に上流人の言葉を覚えさせようとしたのである。中日実業の重役という地位にある多忙な森氏がそのようにして痒い所に手が届く如く親切に手引きしてくれたことに大変心を打たれた。私とはあまり年齢の違わない若い人なのに随分偉い人物だと、私は森氏の人物に先ず感心した。

○

森氏関係の鉱山、搭連、太平、海州など、又調査のみに終わったが白雲鄂博の鉄鉱や隴海沿線などはすべて私が調査したものである。海州の鉄山（こゝからは燐鉱もマンガンも出る）などは調査から採掘手続きを経て錦屏公司という合弁が成立するまで僅か一ヵ年であったが、かくも機敏に迅速に交渉を進め得たのは森氏なればこそであった。つまり森氏は支那実業界並びに政府要人の間に並々ならぬ絶大の信用があったからだ。また森氏の作った裕繁公司（桃冲鉄山経営）が支那の中外合弁（民間と民間の合弁を中外合弁という）として実現した最初のものであったことは**支那鉱山開発史に一頁を飾るものとして日本人森恪の名が不朽の存在**

とされなければならない。錦屏公司も又政府の援助なしに出来た中外合弁として第二番目に実現されたもので、且つまた支那大陸に於ける燐鉱発見の最初であったことも特記さるべきである。

○

最初の大同方面調査旅行では、北京から張家口、大同、厚和を経て百霊廟の方まで歩いた。私は最初から共を連れない単身旅行ばかりした。いつも私は支那人の服装で旅行した。百霊廟の北北西約百支里、包頭の正北方約三百支里に白雲鄂博がある。私はそこに良質の炭鉱を発見した。埋蔵量は千五百万屯である。当時綏遠の督軍傅作義が私の報告を見てこの鉄鉱の開発を計画し、これをかねて恩義のある森恪氏に謀った。桃冲の鉄と同じくらい良質であったが、残念ながらに山が一つだけであったので森氏は開発に気乗りせず相談がお流れとなった。あのくらいの山が桃冲のようにいくつか群集しているのだったら森氏は早速開発に掛る筈であった。

傅作義と森氏の関係は余り知る人もないと思うから序に述べるが、それより前傅作義が河北省にいた時分に戦争があって傅作義は保定に籠城して物資を断たれたことがあった。その時に森氏は物資を補給した。そのお蔭で彼は籠城しながら戦いに勝ち、その功によって綏遠省督軍に出世した。従って彼は森氏に深く恩義を感じ色々森氏のために便宜を計った。綏遠は森氏に良く、山西は大倉喜八郎男に良かった。共に切っても切れない関係があった。余談であるが、もし森氏と大倉喜八郎男が存命ならば今次の事変に於いても綏遠人と山西人は兵火を交えずして事が済んだと私は考える。そんなにも綏遠に於ける森氏の勢力と信望、山西に於ける大倉喜八郎男の勢力と信望は絶大なものであった。尚、傅作義の当時の計画というものは、白雲鄂博鉄山開発から上がる利益で以て綏遠省オルドス砂漠の屯田開墾と絨毯（綏遠種は支那絨毯の名産地である）の大規模な生産を計るというものだった。あのような山が二つも三つも群集していたのなら森氏は勿論着手したろうし、そうすると森氏の勢力は綏遠のみならず、寧夏・中衛方面まで及ぶこと請け合いであった。返す返すも残念である。また森氏の依嘱で隴海沿線も調査して歩いたが、あれは大日本肥料会社から出た金であった。大日本肥料会社の硫黄資源開発は、私からの森氏への進言に基づくもので、同社の発展の今日あるは一に森氏のお蔭であると言える。

○

森氏は支那では**森格**（センクオウ）と呼ばせていた。私も未だに森格（モリカク）とはいわない、「センクオウ」といっている。「モリ」とか「モリ・カク」といっても私にはピンとこない。森という日本人が支那には幾人もいるだろうから森（セン）といっただけではいけないので森氏は森格（センクオウ）といわせたのだ。もう一つ、森格（センクオウ）というとその下に先生（センション）と続けるのは支那人にとって発音しにくい。センクオウの下は大人（ターレン）と続かないといゝ難いのだ。それで支那では森氏の事を森格先生（センクオウセンション）といわず**森格大人**（センクオウターレン）といった。大正七年には未だ三十四、五歳だったが、「大人大人」といわれたのである。当時北京にあった日本人で支那人間に「大人」と言われていたのは北京政府顧問の坂西大人（パンシーターレン）（坂西利八郎中将）と、同じく青木大人（チンムウターレン）（青木宣純中将）、もう一人は若い森格大人とこの三人きりであった。**支那では「先生」と「大人」では社会的な信用上格段の相違がある。**森氏はユニークということをモットーとしていただけに先ず名前からして実にユニークであった。**森格大人といえば北京では車夫でさえ知っていた。また森格事務所という名称もユニークである。洋行というのが普通なのだが森氏は森格（センクオウ）事務所（スムス）と言わせた。**

支那人は洋行とか公司をあまり信用しない。それは幹部が変われば方針もその都度変わるからであり、幹部は二、三年すると変わるのが普通だからである。森氏はそれを知っているから森恪事務所といったのだ。だから森恪大人の事務所だというので支那の政府も民間の有力者も信用した。

森氏は段祺瑞の受けも良かった。森氏の作った合弁は段の時代で、一面からいうと森氏は段の鉱山開発事業を背負う役割をしたようなものだ。森恪事務所が有名になり支那人間の信用を得たもう一つの理由は、所員の幹部から小僧にまで誰にでも収支がはっきりと判る仕組みになっていて、儲けに応じて給料の他に一同に手当が支給される制度であった。この制度が支那人間に好感を持たれたのである。

○

森恪事務所の制度と組織は実にユニークなものであったが、それはかつて森氏が三井物産の長沙出張所に居た当時、他の同業者との競争に随分苦労を積み、結局公司や洋行式では駄目だという結論を得たからだ。また森氏は何事もユニークという言葉をモットーにしていた。**人の使い方もユニークであった。それぞれのエキスパートを横の連絡なしに一本ずつ縦に使った**。これは例えばヒトラーなどの人の使い方に似ているが、支那の大人物式である。袁世凱でも段祺瑞でもみんなその手であった。**森氏は一つの事業をするにもすべて国策的立場からやった**。そのような立場に私は共鳴した。私もまた学者の立場から大学に「東亜学講座」を作りたいと支那へ渡る当初から念願していたからである。私は国家の役人になるよりは森恪事務所の人になった方が寧ろ国家のための仕事が出来ると信じていた。森氏が亡くなった時に私は全く支柱を失ったようにがっかりした。それ以来、ぼんやりして自転車や自動車にひかれたり、半身不随になったりするようになっ一た。森恪(センクオウ)が生きていたら私はまだまだこんな身体になる筈ではなかった。

第三章　桃冲鉄山と森と霍守華

一　桃冲鉄山とその改革

桃冲鉄山は、初め宣統末年（一九一二（明治四十五）年）蕪湖在住の広東人霍守華によって発見されたが、支那に於ける鉱山経営は他省人がこれを行うよりも土着人を利用するを可とする関係上、霍守華は安徽人陳梅庭と相談し資金十万ドルを以て同年二月十一日に**裕繁鉄鉱股份有限公司**（以下、裕繁公司と称する）を設立し、桃冲鉄山の採掘経営に着手した。

裕繁公司は、一九一八（大正七）年以来その鉱石を日本に供給すると同時に、同年増資して資本金を六十万ドルとし、翌年末には百万ドルに増資した。

裕繁公司の経営は総理として霍守華がこれを独裁し、経理として唐舜がこれを補佐し、創業当時には本社を蕪湖に設置したが、後これを上海に移し、蕪湖、桃冲及び荻港に事務所を置き、桃冲には鉱山事務所を置いた。

桃冲鉄山は安徽省繁昌県荻港関の南東約六マイルの所にある。荻港は蕪湖の上流三十マイルにある揚子江岸の一小港で戸数三、四百、桃冲鉄鉱の積出港として知られている。

桃冲鉄山付近は大抵山岳地帯で極めて平地が少なく、山脈は丘陵状をなして東西に連亙し、南から漸次北に低下して、終わりに揚子江沿岸に尽きている。**桃冲鉄山**とは、金石墩、小山頭、大山頭、西平項などの諸峯の総称でこの内大山頭最も高く、その標高は揚子江水面上約千二百尺に達している。

《裕繁公司と中日実業の関係》

一九一四（大正三）年六月、裕繁公司総理霍守華は桃冲鉄山の鉄鉱石売却方を森恪に申し込んだので、森は技師をして当地を調査せしめた。

――高橋雄治氏談――

桃冲鉄山の調査も私が森氏の依頼を受けてやった。この山は益田君たちが一応調べていたのだが、益田君は健康を害して辞退するのだという事であった。私が桃冲へ出かけて調査してみると、益田君の調査では鉱層百二十尺というのであったが、事実百八十尺あって、非常に有効な鉄山であった。一週間の調査で、これなら大丈夫という確信を得たので私は引き揚げ、技術方面の権限は私が一切受け持ち、経営は一切森さんが引き受けるという契約をして事業を開始した。森さんが桃冲鉄山を引き受けて経営したのは自分で金儲けしようという考えからではなく、全く国家的見地からであった事は、私が技師として実地に働いてみて実感したことである。その後私は桃冲に鉄道を敷設することについて森さんと意見の相違を来たし、遂に袂を分かつに至ったのであるが、森さんが単なる事業家でなかったことに対しては今尚尊敬の念を禁じ得ない。

調査の結果は、鉱分五十％以上の良鉱石二千万屯を蔵することが明らかになり、且つ鉱区地から積出地たる荻港埠頭まで僅か二十五支里に過ぎず、経費のバランスの見込みも立ったので、裕繁公司が完全に採掘権を獲得した場合には、これが一手販売の契約を締結する旨予約した。

調査後程ない同年八月、支那当局は裕繁公司に対して採鉱を許可したので、同年十月森恪個人の名義を以て裕繁公司との間に鉱石売買契約を結んだのであった。

森恪裕繁鉄鉱公司間鉄鉱石売買契約書

裕繁鉄鉱股份有限公司全権代表霍守華（以下甲と称す）と森恪（以下乙と称す）と契約すること左の如し

第一条　甲は甲が安徽省繁昌県北郷桃冲に於いて所有する鉄鉱山（第三区鉱務監督署より発給せる第二十二号の鉱区並びに出願中の増加鉱区共）より採掘する鉄鉱石を乙に売り渡すものとす、鉱石受渡は毎日一千屯の割合を超過するを得ず、本契約調印の日より起算し四十ヵ年を以て期限とす

右期限内甲は右鉄鉱山の鉱石を他人に供給することを得ず

但し甲乙協定の上随時受渡の数量を増加すること得

第二条　甲は毎日消費鉱石二百五十屯以内の溶鉱炉を建設することを得べく乙はこれに干渉せざるものとす

第三条　甲は期限内に於いて右鉄鉱に関し第三者と何らの契約をも契約することを得ざるものとす

第四条　四十ヵ年の期限に達せずして鉱量尽きたる時はその鉱量尽きたる日を以て鉱石売渡を終止し甲は別に鉱石を受け渡することを要せず

もし兵乱その他天災不可抗力の事故により工事の進行採掘運搬に差し支えを生じたる場合は平復を俟って引き続き進行せしめ鉱石の受渡を実行するものとす

第五条　甲は採掘工事計画及びその予算を編成し右計画により採掘に従事するものとす

但し不経済にして不必要と認むる工事は乙により改良を要求することを得るものとす

第六条　鉱石の価格は採掘運搬船積及び輸出税（各種地方税を算入せず）などは鉱石受渡開始の時決定することゝし甲は一屯に付き純益上海両壹両を収得し甲の会社事務費及び一切の間接費は一屯に付銀壹ドル以内とす

以上三項の費用を以て将来価格の標準とす

但し三年毎に協議決定すること

第七条　鉱石代金は鉱石船積み後上海に於いて交付す

第八条　鉱石の品位は鉱石内含鉄分百分の五十以上とすもし百分の五十に満たざる時は一百分の一を減ずる毎に上海両壹銭を減ずるものとす

第九条　契約成立の日乙は甲に銀二十万ドルを交付し甲はこれに年六朱の利息を付し毎年乙に支払うものとす

第十条　予算により甲が築造する鉱石採掘運搬設備、鉄道埠頭及各種採掘に必要なる機械などに要する経費は乙より充分に供給す

甲は右経費に対しては年賦償還の方法を取り年六朱の利息を付するものとす

第十一条　金銭の授受は相互上海に於いてこれを行う

第十二条　本契約書は四通を作成し一通を天津日本総領事館に一通を北京農商部にその他二通は甲乙各一通を保有す

中華民国三年十月七日

日本大正三年十月七日

裕繁鉄鉱股份有限公司
代表　霍守華
森恪
経手人　唐舜

右見証す
大正三年十月七日
在天津総領事
松平恒雄

これより先、森は孫文と協力して**中国興業会社**を設立したが、間もなく政局の変動により孫文は失脚し、その政敵たる袁世凱が大総統に就任し、同社の計画も一時危殆に陥った。しかしながら森らの熱心なる努力の結果漸く袁世凱との了解成って、**中日実業株式会社と改称**し、自分も取締役の一人に就任したことは前述の通りだが、これと同時に森は先ず裕繁公司の事業を紹介し、森対裕繁公司の関係は中日実業対裕繁公司の関係に移ったのであった。

然るに時たまたま支那政府の内部に於いて鉄鉱国有論起こり、外人特に日本人との提携を排斥せんとする声高まったのみならず、中日実業の設立事情が前述の如くであったので、これに対する支那の圧迫も甚だしく、中日実業の裕繁公司に対する関係も断絶の怖れを生ずるに至った。こゝに於いて中日実業は一九一五（大正四）年一月外務省に請願をなし、外務省は小幡代理公使の交渉により、支那政府が中日実業対裕繁公司の関係を妨害しないことを確かめたのであった。

かくて中日実業は、裕繁公司に対し前渡し金銀二十万ドルを交付すると共に、採掘、運搬、貯鉱など諸般の計画設備の調査を進め、これと同時に増区の出願をした。しかるに安徽人孫多森（中日実業重役）一派は既鉄山の利権を広東人霍守華一派の手に委することを快しとせず、政府要路に運動すると共に言論機関を以て省民を扇動し、中日実業と同一目的を有する**通恵公司**なるものを設立して、右の利権をその手に納めんと図り、政府当路者も頗るこの運動に動かされたので、中日実業と裕繁公司との関係が頗る危殆に陥ったことがある。

こゝに参考までに森対裕繁公司の経済的関係を略述すると、一九一六（大正五）年一月に中日実業・裕繁間に四十カ年間の売鉱計画を締結し、同時に森は裕繁公司の顧問となったのであるが、森が裕繁公司から売鉱一屯に付銀三十セントの報酬を受ける他、顧問料として銀二千ドル（後これを千ドルに減額）を受けるという契約であった。

民国三年閣下の御斡旋により中日実業と買鉱契約締結の儀開始し民国五年鉄鉱石売買契約正に出来せり、よりて閣下に対し報酬として売鉱一屯に付銀参角を提供すべきことを確約す

民国五年八月二十四日

上海裕繁鉄鉱股份有限公司総理

森　恪　先生

霍　守　華

○

先生を聘請して敝公司の顧問に任じ月額二千ドルを給す

民国五年五月一日

上海裕繁鉄鉱股份有限公司総理

霍　守　華

森　恪　先生

かくして中日実業は売鉱の相手方として裕繁公司に関係し、森は裕繁公司の顧問として指導的位置に立って事業経営の一切に関与した。

然るに森の所期とするところは単に一鉱山の経営ではなく、また金儲けのためでもなく、一に我が国における製鉄事業振興のためにあったので、恰も桃沖鉄山が設備その他殆んど始業時代にあったし、同鉄山の事業発展に専念するあまり、既定の報酬を受ける内情に至らぬを承知して、これを一度も受け取らなかった。後の中公司の調査によると、森が当然受けるべくして受けなかった報酬額は、

一、輸出鉱石に対する報酬未収金（輸出鉱石に対し毎屯三十セント）一、〇一九、三三四ドル

二、顧問料未収金（一九三二（昭和七）年十二月迄の分）五四、〇〇〇ドルの巨額に上がったといわれている。

二　中日実業改組と森及び裕繁公司の関係

森が常に中日実業幹部の人事並びに組織の改造に腐心し以て同社の伸展に努力したことは既に本篇第一章に於いて述べたところであるが、裕繁公司と森との関係を説くに当たって再びその問題に触れざるを得ない。即ち中日実業改組問題のそもそもの起因は、前項に述べた**通恵公司問題**にあったのであって、裕繁公司救済策としても森は中日実業内部の改造を許らざるを得なかったのである。

問題の輪郭は次の如き二、三の森の手紙によってもほぼ察しられるであろう。

一九一五（大正四）年十一月二十一日に北京から桃冲にあった高橋雄治氏に宛てた手紙の中に次の記述があった。

諸規則の事に関する貴草稿は拝見致候、これは鉱区権問題確定する迄は実行を見合せ度く、何れ小生北京の交渉まとまり次第南下可致候その節諸事御相談御取極可致候、それ迄は探鉱作業及仕事準備としての測量その他の御研究に従事相成度候、当地の交渉は今月一杯に片付け度と存居候北京の交渉というのは中日実業の問題であって、それは同月六日に北京から上海の和田正世氏に宛てた手紙の中で次のように報じている。

> 拝啓　裕繁公司前渡し金利息の事
> 右につき本社の十一月二十六日付貴方二日付出状写それぞれ拝見致候、この利息は鉱石代に振り返えを要するは契約当初よりの予定に有之、その処分期日に到達したる今日、先方と交渉を開始することは異議なきところなれど、抑も同公司の獲得したる鉱区権は我が中日社の支那側重役が横取らんとして反対運動をなしたるため、折角完全に得たる採掘権も無理に取消されんとする運命にありて、小生目下これが防御戦に従事せる実情故、利息の始末の如きは後より相談致す事に致度と存候、吾人が支那側重役の反対運動を制止し得ざりしがためこの不測の災を与えたる次第にて、裕繁公司に対し何とも申し訳なき事に成居候（福建の安溪鉄山も台湾の林家に於いて採掘権を獲得したるに安徽派の運動にて林の採掘権を取消し、半官半民組織として林長民を中心とする福建人の手に奪い去れり）要するに裕繁公司の鉱区権確定する迄は何事も取極致し難くと存じ候、御含置願上候

この問題については、袁政府に対し外務省の手を通じて交渉したことは前述の通りだが、これについては一九一五（大正四）年十一月二十一日北京から漢口の益田達氏に宛てた手紙にこう書いてある。

> 去る十五日小幡代理公使より正式に外交部に対し交渉を開始致し、小生も十七日に外交部に曹次長を訪問して談判致したる結果、曹は責任を帯びて当方の意に満つる様解決致す由回答致候、小幡氏に対して

も同様の回答を成し居る事故必ず当方目的は貫徹可致と信じ居候、只すべては時の問題と相成候、本件落着次第小生は南下して桃冲の仕事開始に従事可致候

北京
森　恪

大正四年十月二十六日

上海
和田正世様

更に、通恵公司問題が引いて**中日実業改革問題**にまで発展した事情は、次の二通の手紙に明らかである。

当地の店状殆んど手の付けようもなき状態なりしが、漸くこの程来の工夫の効果現れ、李士偉に於いても、

一、日本側に必ずしも野心あるに非ず、寧ろ誠心会社の発展を希望せるものなることを覚らしめ、且つ現状のまゝにては到底日本側の意に副わず、何らかの改革の必要ありとの感を与えたること

一、支那側の店員中に現状特に孫多森、李士偉らの態度に満ぜず、凡員多く支那側の仕事をなさざるに憤慨すること恰も上海の李銘君の如きものを生ぜせしめ、これらの連中をして吾人の改革案にそれとなく歓迎の意を漏らさしめ、この傾向を李士偉らに暗示せしめたる結果、李も幾分か小生の提言を採用するの勇気を生じたること

一、日々少しずつ支那側の欠点を執えて責め付け、何事か仕事をなさざるべからずる様に仕向けたる結

果、各人兎に角出勤する様になりたること、その結果今迄の様に公然通恵公司その他、楊、孫、李の私事をなすもの少なくなりしこと

一、各人に少しずつ仕事を与えてその無能を自覚し、且つこれを自然に公表せしめたる結果、無能の人物が遠慮を始むる様になりたり、その結果李士偉も従来の凡員が自然的に淘汰され得べきことを看取し始めたること

一、李士偉が小生らの改革が必ざるしも急激になすにあらず必ずしも支那側従来の内情を無視するものに非ず、寧ろ支那人の性質、関係を承知し漸次に自然的に改革をなすものなることを感得したる結果、吾人の言に幾分安心して耳を聞くるに至れり、終わりに大改革は明年総会を機会として断行し、それまでは可成現状を維持し、小改革を序を追ってする様にしたしとまで申出さすに至りしこと

一、李士偉も今日迄は二カ月も出社せざりしが、小生が毎日出社して李が出社せざれば毎日電話で出社するや否やを尋ぬる故、毎週三回くらいは出社する様になりたること（往々は出社せざれば仕事を吾人に任せざるべからざる様になすべし）

一、方燕年も今迄は毎日出社せざりしが小生が毎日来る故方も毎日来りて会社に居るようになりたり、孫多森は今迄毎日会社に来りて自ら指揮して通恵公司や参政院の仕事を店員になさしめ居たるが、小生が来る様になりて姿を見せず、李士偉も孫、方のこの態度には面白からず感じ居たるところなりし故、この結果を見て改革の意動きたる様子なり

一、右の如くにして多少気勢熟したるが故今迄支那側が濫費をなす道具たりし庶務を会計にて監督することにし李士偉に同意させ、即日発表することを得たり、この結果は雑費その他一般支出引き締まり、改革の端緒を得るに至るべし

一、分析所を全く独立せしめ中村が愈責任の位置に立つことになり、これが又即日より実行整理を始めたり（中村を出す迄に同人に他の仕事をなさしめ、分析の事は断然支那人技師に担当せしむるような風をなして先ず鉄の分析を命じたる結果、支那人も終に改革を黙認したる訳なり）
一、大凹山の鉱区問題起こりたるを機会として李士偉に勧めて業務長たる楊赤玉を貴地に派遣せしめ、その留守に大道寺、楊晴川（楊士琦の甥）を業務課の主任とし、会計の潘と小野とをしてこれを助けさす事としたり（何人でも課の如何を問わず用ある時は全員力を尽くすという例を作らす下準備なり）、今迄独立したる文書課、調査課なるものすべて業務課に合併付属せしむる事とせり、これらの改革には大分異論ありしも、結局現在の総行の仕事は三人もあれば全部の仕事をなし得るので他はすべて無用の人員なることを了解せしめ得たる結果となり
一、現在雇い入れある人物は仕方なしとするも今後は、支那人はすべて日本語を解し日本文に多少通ぜざる人物は採用せず、現存人物もこの資格なきものは機会ある度毎に淘汰することを主義とすることを同意せしめ、その代わり日本人も支那語（多少共）を解せざる者は用いず（或いは使用する以前に学生にして支那語を習得せしむ。但し技術員は別問題）これ言語通ぜざるためすべて誤解を生じ成績を挙げ得ざるが故なり、但しこの提議は現在の凡員を淘汰する下準備なり
一、旅費、給料、手当などの制度を会計課に於いて子細に研究して改正することに同意せしむ
一、上海支店の内容につき多少吾人の説明了解したる様子あり、今後貴兄当地に出張、諸種の方針を会合検討すれば将来は円満に進行し得る見込み立ちたり、今日迄大略如上の程度迄の刷新の歩を進め申候、如上の各項が多少の成績を示したる上にていよいよ根本的の改革を計り仕事も本気に進捗致す様に相成るべくと期待致居候、東京にては多少当地の真相分明せざる模様にて何かと誤解多く不便につき、尾崎

君の出張を煩わすことに致候、同君は十一月五日頃東京出発の由につき同君に当分北京に滞在を乞い篤と実情を味わい貰う事に可致候、大分北京の態度に対し御憤慨の様子に見受け申候間その後の成り行き御参考に供し申候、要は忍耐と不屈にあるべし

更に**通恵公司問題**については、一九一五（大正四）年十一月二日北京から上海の和田正世氏に宛てた手紙の中に、中日実業専務取締役周金箴氏辞職につきその後任問題に関連して次の如くに述べている。

周氏道尹（註：府の長官のこと）に就任の結果我が社を辞する必要あるべきは小生も予期したるところにて、周氏が上海の商務総会を辞めて道尹になりたるは啻に我が社のために惜しきのみならず同氏のためにも頗る不得策の事をなされたもの哉と相感申候、差向き惹起するは後任問題に有之、未だ李士偉よりは本件につき何らの相談も無之候得共、当分は現状を維持し、来春の総会に決定する事に致度と考え居候、事情が許せば小生が上海に滞在するも一案、或いは朱葆三氏の如き人にでも担当して貰う事にすれば宣布、何れは北京の支那側重役もどうしても更迭致す必要有之故、篤と研究可仕候、当地刷新案も兎に角皮切りだけは成功致し、これよりは根気と忍耐と時と力にて漸次目的を達するより他に途無之候、要するに支那側の真意は、中日実業は放任しておけば、革命党一派の利用するところとなる恐れある故、これを北京に引き付けおき、仕事をさせた様に縛ってしまおうというにあり、従って今日迄支那側より提議し来れる仕事は一つも無之、話題となれるものはすべて日本側の発案なりしかも種々なる口実を設けてこれを採用せず、小生らが無理矢理に獲得せんとする仕事には裏面より妨害して成功せしめざる工夫をなすなど一々枚挙に暇あらざる不都合なる態度を示し居れり、而も彼らが一度通恵公司を組織すれ

ば、江西鉄道、漢冶萍、紡績、漁業、銀行案など各種の方面に仕事を案出せんと努力しつゝあり、以て彼らが我社に対する真意の何辺にありし乎を想像することを得べし、かくの如き事情の下にある次第につき、目前に横たわる各種の悲観材料に対しては極めて寛大なる見解を下し、他の毀誉を度外し、不便を当然と心得、遠かぬ将来に於いて改革の意志を貫徹するの覚悟あるを要す、先ず大体に於いて明年の総会を経ざれば主要の改革は出来ぬものと御含相成度候
何れ諸事貴兄来北の上御相談可致候　匆々

想うに森の中日実業の改革断行は、恰もかの東インド会社にあって毅然として万難を排して社内改革を断行し、大英帝国に於ける東インド会社の基礎を作ったロバート・クライブに似ている。似ているというよりも寧ろ森はこれをクライブの事績に学び、彼の意志を意志とし彼の抱負を抱負としたとも考えられる。インドに於ける開拓者クライブはアフリカに於ける開拓者セシル・ローズと共に森の崇敬おく能わざる二大偉人であったからである。

三　桃冲鉄道敷設問題

時恰も我が国製鉄事業勃興の時に当たり、中日実業が買収した桃冲鉄鉱石を利用して事業を営むべき**東洋製鉄会社創立計画**が進められ、一日も早く買鉱契約を確定する必要に迫られていたので、中日実業取締役森

恪は農商部に対し速やかに中日実業対裕繁公司間の契約を承認せられんことを督促し、外務省も又前述の如くこれに関し尽力に努めた結果、一九一六（大正五）年三月に至って漸く承認の通達を受けた。

こゝに於いて**中日実業は運鉱鉄道の敷設工事を引き受け**、機関車及び軌条などの材料は当時の我が鉄道院から払い下げを受け、また積出港たる荻港は未開港地なので外交部及び税務督弁に特別の免許を乞うてその許可を得、一九一六（大正五）年十月を以て鉄道敷設材料の陸揚げを終わり、交通部の内諾を得て敷設に着手することとなった。

桃冲の輸送工事たるインクライン（註：傾斜面にレールを敷き、動力で台車を動かして船・貨物を運ぶ装置）並びに鉄道工事はその後一九一八（大正七）年八月大体完成を見、十月初めには確実に積み出しをなし得る見込みがついた。それで同年九月中旬には開山式を行ったことが森の手紙に書かれている。

その開山式に臨むために森は親友澁谷権之助氏同伴で同年七月末に東京を発っている。

> 拝啓
> 海路無事本朝当地着致候本夕出立明後日上海到着の筈神戸にては藤田秀雄君と会見致候中山君とも能く打合せ申置候鉄道院の内意神戸へ御架電賜り拝見致候、機関車は三台にても宜布万事鉄道院の指図に従うが宣布からん尤も三台ならば貨車も多く貰う事にせられ度し、この意味に神戸より御返電申上置候
> 頓首
> 大正七年八月一日　長崎
> 森　恪

東京・森恪事務所
藤井元一兄

右は当時途中から出した手紙であるが、機関車とは桃冲鉄道で使用するもので、桃冲の機関車並びに貨車はすべて鉄道院から払い下げて貰ったものであった。
次いで八月九日上海から藤井氏に宛てた手紙に、

上海は大分暑く覚え申候本夕出発桃冲に向かう事と相成候、北澤・澁谷二君同行に候、心身頑健御安心願挙候

とある。即ち八月九日の夕方上海を発って桃冲に向かったのである。その後桃冲視察から一旦上海に引き返してやはり藤井氏宛てに手紙を認めている。

拝啓
澁谷君と共に本日当地に帰着致候、山は九月一、二日頃に峠全通、インクラインその他工事は九月十五、六日頃に完成、十七、八日頃より日々四百五十屯位輸送出来九月中に約五千屯を以て江岸に貯え十月初めより確実に積出をなし得る予算確定致候間御安心願上候、五、六日当地に滞在して北京に参り九月十五、六日再び南下桃冲に行き開山式を行って日本に帰る考に御座候桃冲の暮らしは頗る爽快に有之吾人の前途有望なるを覚え申候、近時の日本の事情言語道断どうしても吾党奮起の必要有之候

匆々

上海

恪

大正七年八月十八日

東京・森恪事務所

藤井兄

これより先、裕繁公司は専用鉄道敷設に関する正式の許可に付き安徽省を経て交通部に出願したが、久しく許可の指令に接せず、中日実業は交通部に許可を迫り、同部はこれが許可を与えるべき旨安徽省財政庁に移牒した。

ところがこの時に当たって上海の二、三の新聞が桃冲鉄山並びにその鉄道敷設の計画を掲載したので、安徽省議会及び蕪湖鉱舎などに於いて反対起こり、その結果採鉱特権取消運動となり、当該官警を動かしてその妨害は辛辣を極め、安徽省長倪嗣冲は交通部に対して鉄道敷設許可取消を電告し、一方繁昌県知事に対し許可証が下付せられざる同工事の着手を差止める旨厳命した。しかしながらこの件に関しては高尾南京領事並びに林公使らが熱心に尽力するところあり。種々の曲折を経て一九一七（大正六）年八月に至って遂に許可書の発令を見たのであった（但し所轄当局たる安徽省政府からは遂に許可証が下付されなかった）。爾来地方官憲との間に多少の軒輊（けんち）を免れなかったが、工事は甚だしい故障を受けず、一九一八（大正七）年九月にその施行を終わり、翌十月初めに鉱石の輸送を開始した。

桃冲鉄山は以前から開鉱されていたが、鉄道がないので運搬に不便であった。それを桃冲から五マイル、揚子江岸荻港まで鉄道を敷設して運搬に便ならせたのは森さんであった。鉄道敷設に当たっては種々の困難が伴った。森さんはあらゆる困難を突破して遂に目的を貫徹したのだが、例えば北京政府では鉄道敷設権を許可したに拘わらず、所在地たる安徽省当局が許可証を握り潰し、交渉紛糾して容易に要領を得なかったので、森さんは許可証なくして断乎として工事に着手した。安徽省当局では種々の圧迫妨害を加えた。例えばその工場に工夫として働く者は禁固に処すという無法な達しを出したり、そのために労働者と官憲とが衝突して暴動化し、遂には鎮圧のために軍隊まで出動するほどの騒ぎが惹起した。しかしそれらの困難を排して鉄道は遂に敷設されたのであった。この間、許可証下付請求のため森さんは自身南京へ交渉に出かけたりした。その後今日に至るも遂に許可証が下付されていないので有名な鉄道になっている。

——益田達氏談——

一九一七（大正六）年六月二十五日、森が北京から東京の益田達氏に宛てた手紙に、この鉄道問題を次のように報じている。

桃冲鉄道問題は今や林公使全責任を帯びて交渉されつゝあり、公使の面目としてもどうしても解決せざるべからざる立場に御座候間、遅かれ早かれ落着可致候、只支那政府に責任ある当事者出来ぬため相手なくして進捗致さぬ次第に御座候、幸いに短命なりとも李内閣成立致せばその機を逸さず突込む事に致居候、鉄道暫行弁法も終に小生の議を入れて桃冲鉄道問題解決の上、公使より支那政府に公然交渉致す事と相成申候次に林公使対省長並びに交通部の間に交換された文書により当時の交渉の顛末をこゝに些か偲んでみよう。

裕繁鉄道に関する安徽省長倪(ゲイ)嗣冲の林公使宛書面

謹復陳者過日は御来訪を辱うし難有奉存候、昨日御来示の趣委細拝承仕候、裕繁公司問題はその経理霍守華が何ら資力なくして空しく利権を奪い詐欺的の意図あるため安徽省民群起反対せる次第なるが右は霍守華個人の行為に対するものにして決して裕繁公司対中日実業公司の営業に反対せるにあらず本省長に於いても霍守華のために同公司の営業上に妨碍を及ぼすが如きこと無之様充分尽力致すつもりに有之候、尤も鉄道布設許可証は交通部より未だ下付無これにつき本省長帰皖の上右許可証を貰受け一面鉄道布設差支無之様安徽人に勧告し中日実業公司に於いて何らの損失を蒙らざる様斡旋仕べく候、但し霍守華個人の事に関しては干渉を加えざる様貴公使より中日実業公司へ転飾方可然御取計相成度前述の次第は閣下伝達方不取敢船津書記官へ依頼及び置候え共念のため書面を以てこの段回答申進候　敬具

倪　嗣　冲

大正六年五月六日

林　公使　閣下

林公使より安徽省長倪嗣冲に宛てたる書翰

謹啓陳者五月六日は御手書を以て御申越の趣委細拝承致候、御来書中安徽省民の反対は霍守華個人に対するものにして決して中日実業公司裕繁公司間の営業に反対する次第にあらざる旨御言明相成候以上この上鉄道敷設を遅延せしめて前記両公司間の営業を妨碍し中日実業公司の損失をしてますます大ならしむる如きは貴省長の本意に非ざること明白ならば本使はこの際貴省長が帰任を俟たず直ちに北京に於いて鉄道敷設許可証を交付の運びに至る様御尽力相成切望致候、将又御来示の霍守華個人の事に関して干渉せざる様中日実業公司に転飾の儀に付ては裕繁公司の鉱業権に影響を及ぼさざる限り霍守華と安徽省民との争議に対し中日実業公司より干渉を加えざる様同公司に申渡候處同公司に於いて異存無之申出候間右様御承知の上何分の儀御回答相煩度この段得貴意候　敬具

大正六年五月七日　林　権助

倪　省　長　閣下

○

再び林公使より安徽省長倪嗣冲に宛てたる書面

逕啓陳者昨十日付貴信御来示の趣了承右によれば鉄道については繁昌県知事並び皖省議会と御打合の上

初めて工事に着手し得る様御取計相成候趣に有之候得共右にて関係者打合のため徒に多大の時日を要して従って鉄道布設に着手方追々遅延可致過日来貴我双方協議致居通り元来本件鉄道布設は裕繁公司の内容の如何に落着するやに関係なく進行すべきものに有りこれ旁々是非共貴省長当地ご滞在中に解決を見る様致度尤も該鉄道敷設許可証の儀は霍守華対安徽省民との争議決定したる節これを交付する事と致しそれ迄の間当公使館に於いて保管致候ことゝするも差し支え無之而して鉄道工事は許可あり次第直ちに中日実業公司に於いて着手する事と可致候間右に対し何分の儀御回答相煩度将た又霍守華対安徽省人間の争議については裕繁公司の鉱業権に影響を及ぼさざる限り中日公司に於いて干渉せしめざる筈に有之候間右様御含置相成度このため念申添候　敬具

大正六年五月十一日　林　権助

倪　省　長　閣下

○

中日実業からは一九一七（大正六）年一月十八日に交通部に対し左の如く交渉している。

裕繁公司運鉱鉄道敷設に関する件

拝啓

本件に関しては昨年十一月十四日貴部より公文を以て既に安徽省長に対し裕繁公司出願の通り敷設を許

可することに決定したりとの命令を発し置きたるに付手続上安徽省長よりの回答を俟って許可証を発給すべしとの御通知に接し居候ところ最近裕繁公司運鉱鉄道敷設に反対するもの有之候ため右許可証は今日に至るも発給を受けざる次第に有之候

当社と裕繁公司との間に締結したる鉄鉱石売買契約は既に農商部の承認を経たるものにして裕繁公司の敷設せんとする運鉱鉄道に要する一切の材料供給方は又当社に於いて請負たるものに有之目下右鉄道材料は全部到着せるに拘わらず只だ敷設許可証の発給なきためその工事に着手すること能わずかく空しく工事遅延するに於いては当社の受くる損害甚だ大にして当社の利害に重大の関係を有する以上最早この上に工事を遅延すること能わざる次第に付本件成り行きに関する要領書御送付申上候間御閲覧の上特別の詮議を以て右鉄道敷設許可証は安徽省長の手を経て発給することなく直接貴部より御発給の手続を取られ裕繁公司に代わり当社に於いてこれが交付を受け直ちに工事に着手することに致度候、当社希望の通り便宜御取計を得ば他方に於いて煩瑣の問題を惹起するところ無之工事の進行上当社に取り至極仕合に奉存候右許可証発給に要する手数料金は既に裕繁公司より直接安徽財政庁に納付済に有之候ため念申添候

敬具

民国六年一月十八日

中日実業有限公司

交　通　部　御中

北京政府並びに管轄地方政府当局との折衝にはすべて森自身で当面した事言うまでもないが、更に森は交

通部に提出した文書に、裕繁公司問題に関して一九一四（大正三）年以来一九一六（大正五）年十一月に至る間の、森並びに中日実業と支那当局との交渉次第を次の如くに書き添えている。多少重複する点もあるが、事件の全容を知るための参考までに採録する。

一、民国三年十月七日　森恪と裕繁鉄鉱公司総理霍守華との間に売鉱契約を締結したり

二、同三年十一月五日　中日実業公司専務董事孫多森より該契約を農商部に提出したり

三、同四年十月四日　農商部より公文第一〇二七号を以て該契約と中日実業公司との関係を諮問し来られるにより十一月四日付を以て総裁李士偉より該契約は当社の弁理に帰したる旨を回答せり

四、同四年十二月四日　農商部批第二六五七号を以て該契約は尚不備の点あり本部に於いて修正を加え安徽省財政庁を経て裕繁公司に交付したる旨通知あり

全文左の如し

> 中日実業公司よりの願い出に係る裕繁公司との鉄鉱石売買契約承認方の件閲悉せり契約文は本部に於いて詳しく審査したるに鉱業条例と符合せざる点少なからざるを以て既に本部に於いて各条につき修正を加え安徽省財政庁に送付し該財政庁より霍守華に本部修正の通り改正せしむべき様達し置きたりよりて右通知す
>
> 中華民国四年十二月四日

五、右と同日々付にて農商次長金邦平より李総裁に宛て左の通り来翰に添え農商部に於いて修正せし契約

案を送付し来れり

拝復
御来電の趣拝誦致候裕繁公司契約書妥当を欠けるところありたるにより本部に於いて各条につき修正を加え安徽省財政庁に送付し霍守華に改正せしむべき旨達し置き申候こゝに貴方の御問合に対し右修正契約案を添付致置候御覧相成度この段及御回答候
敬具
民国四年十二月四日
金　邦　平

六、当社は右のこの文及び修正合同案に接してより直ちに裕繁公司に交渉し洪憲元年一月十二日付を以て全部農商部修正案に従い合同を締結し三月十四日付これを農商部に提出その許可を求めたり
七、洪憲元年三月十七日付農商部より該契約を許可する旨の指令に接せり
全文左の如し

拝啓
貴翰を以て安徽裕繁公司と中日実業公司の間に締結せんとする鉄鉱石売買契約は農商部の修正に従い修正の上安徽省財政庁を経て承認方出願し置きたるに付許可の上は前以て通知すべき旨御依頼相成り承知致候裕繁鉄鉱公司と貴公司と締結せる契約書は既に安徽省財政庁よりも申請あり本部に於いて承認することに致し同時に安徽省財政庁に通知せりこゝに御問合に対し本部より安徽省財政庁

に対する指令写しを添え及御回答候也

（写）　農商部指令
申請書並びに裕繁鉄鉱公司修正契約書閲悉せり裕繁鉄鉱公司代表霍守華と中日実業公司代表李士偉、森恪との間に締結せる鉄鉱石売買契約は双方同意の上本部修正案により修正の上締結することにし尚霍守華より特准採採鉄鉱暫行弁法第六条により弁理すべきことに声明し来りたるにより該契約書は合法なるものと認めこれを許可することゝしたる付申請書の通り取計らうべし

農商部

八、本契約成立の経過は以上述べたる如くなるもその成立は一に日本公使と外交部の斡旋によるものにして支那政府は本契約を承認するに当たり日本公使並びに当社に対し裕繁公司の鉱業権が合法の手続きを以て完全に許可されたるものなることを明示したり故に今日に於いては安徽省政府は如何なる理由を以てするも同公司の鉱業権を動かし得べきものにあらず

九、同契約第八条に左の通り規定せり
「第八条、予算により（甲即ち裕繁公司）が鉱石採掘運搬埠頭改築などの設備並びに鉱石採掘機械購入費に要する経費は甲の請求により乙（即ち中日実業公司）より鉱石代金の前渡しをなすことを得、但し乙は右前渡し金に対し年六分の利息を得鉱石代金より元金を差引くの他、営業に干渉することを得ず」
右の規定により裕繁公司は支那政府よりその鉱石販売のために中日公司より資金を借り入れて鉄道碼頭を建設することを承認されたると同時に中日実業公司も又右建造に要する資金を供給する事も等しく支那政府より承認せられたるものなり従って当社が裕繁公司のために鉄道碼頭建造諸材料買入及びその建

設を代弁することは以上の規定の結果当然発生したる事実なり右の如く中央政府は裕繁公司が中日実業公司より資金の供給を仰ぎて運鉱鉄道を敷設することを承認し居るのみならず中日実業公司董事森恪と農商部当局との間の該運鉱鉄道の急設に関する打合せに基づき中日実業公司は裕繁公司の依頼に応じ該鉄道敷設に要する一切の準備をなし専門技師をして設計を作らしめ裕繁公司により鉄道敷設許可願を提出せしめ同時に所要の諸材料の購入に着手したり

十、民国五年七月中当社が鉄道材料を荻港に運送せんとするに当たり同地が開港地にあらざるを以て特別通関の取扱を受くるの必要に遭遇したるを以て日本公使を経て支那政府に許可を申請したるに裕繁公司の鉄道敷設を承認し居られる支那政府は直ちにこれが許可をなし八月十五日付を以て税務署より当社に対し左の如く許可の指令を交付せり
全文左の如し

李伯芝先生閣下貴翰御申越の趣拝承致候安徽省裕繁公司に於いて使用する鉄道材料を荻港に陸揚げするに付蕪湖税関より吏員を荻港に派遣し検査する件については前きに日本公使より外交部に対し照会ありたる趣を以て海関に於いて貨物を検査し関税を徴収するについては所定の規則に従うべきものなれども日本公使よりの依頼ありたるを以て今回に限り特別の便宜を計り本年八月中、中日実業公司の裕繁公司鉱山用鉄道材料運搬については蕉湖税関より吏員を荻港に派遣し検査の手続をなし右吏員派遣に要する経費は規定により中日実業公司にて負担することゝし今後かゝる特別の取扱は例となさざることにしたしとの旨外交部より通知に接し申候よりて本月九日右の旨蕉湖税関監督並びに税務司に命令を発し同時に外交部に対し照会の通り特別取扱をなすことにしたる旨回答致置

候

右御回答旁々如斯に御座候

匆々

税務處

十一、同五年十月中、裕繁公司が安徽省政府を経てその専用鉄道の許可を公式に交通部に提出したるに対し交通部は専用鉄道規則に照らし合法なるを認め安徽省財政庁に対し十一月十四日許可したる旨を示達し同時に当社にその旨を通知せり

当社の接したる全文左の如し

拝啓

裕繁鉄鉱公司の出願に係る鉱石運搬用鉄道の件は既に本部より安徽省長に対し許可することに命令を発し置きたりによりて右許可証発給に要する手数料金納付次第許可を発給する手続を取り可申候

右及御通知候

匆々

民国五年十一月十四日

交通部路政司

更に同六年六月六日総理代理から林公使宛てに左の回答が来ている。

拝復　陳者安徽省裕繁公司運鉱鉄道敷設許可証の件に関し六月一日付貴翰を以て御申越の趣委細了承致

候本件に関しては交通部よりの屡次の通牒によれば先に省長より取消の上に調査に待たれたしとの申越あり次で又省長よりは該許可証の発給あり度かつ霍守華の種々不正当の行為に関しては本省長は日本公使と商議し中日実業公司に干渉し得ざることとなれりとの書面に接したるも未だ切実なる弁法を声明しあらず最近復安徽省議会よりは断じて許可証を発注する勿れとの電請あり本部は疑義多きを以て應さに慎重に審査する要あるあり俄かに発注し難し云々との旨交通部より国務院に申越有之候審査するに該公司既に行為不正当なるにより鉄道許可証を取消されたる以上は前に実情を査命し正当なる弁法を確定したる後に非ざれば再び発給し難きはこれ行政上当然の順序に有之又査するに裕繁は華商鉱業公司にして中日実業公司は僅かに裕繁公司と鉱石売買の関係あるのみにて中日公司は前に又政府に対し支那に於ける営業は支那の規則を尊守する旨声明し有之候今こゝに御詢間に接し本代理総理敬んで資格を以てこの段回答得貴意候

敬具

民国六年六月六日

代理総理　伍延芳敬

林公使　閣下

以上のように**桃冲鉄道敷設**は交通部で許可したのを、地元の督軍倪嗣冲が頑強に妨害したので森が林公使に相談したところ、林公使は、

「交通部の許可証があるなら、よろしい。日本公使として許可しよう」

と言って、日本公使館から許可を出した。これは前代未聞のことで、林公使の剛胆な人柄を物語る逸話として伝えられている。そこで森は直ちに工事を始めるため鉄道工事に要する軌道その他の材料（九州鉄道の払下げ）を船に積んで行き、揚子江を遡って荻港に着いたが、倪の軍隊が陸揚げを阻止したので、森が我が海軍現地当局に、

「軍艦を貸して欲しい」

と申し込むと、豪放を以て聞こえた参謀増田高頼大佐は、

「よろしい」

と即座に快諾し、砲艦「嵯峨」に対し、

「荻港に急行して陸揚げを監視せよ」

と命を発した。

そこで砲艦「嵯峨」は鉄道材料を積んだ我が貨物船にピタリと寄り添って、砲口を倪の軍隊に向けた。倪の軍隊もこれにはびっくりして手も出ない。その間に森は陸揚げを済ませた。

この事があってから流石剛腹な倪嗣冲も折れて、仕事がスムーズに進捗した。森、林、増田の三氏、鼻柱の強いのが意気相投じた逸話として興味深いものがある。

四　蚌埠行

一九一八（大正七）年四月十二日、森が北京から上海の和田正世氏に宛てた手紙の中に、蚌埠（バンフー）の安徽省長倪嗣冲訪問に関して次の如く書いている。

銅官山の件は安徽省議会にて否決され上海の安徽人間に反対の声を挙げたることは新聞にても承知致居り八日付貴状にて更にこの傾向を確かめ申候、今日より回顧する時はこの山を倪と当方との共同経営になすべしと唱えたる倪の言葉に同意したるは小生の思慮不足の結果と申すの他なく候、鉄鉱暫行弁法が現存する今日に於いては倪の力を以てしても将又安徽省議会の決議を以てするも農部商はとても中日人の共同経営を承知致す筈なく、倪がこれを容易の事の如くに信じ居るものとしても当方よりその無理なることを説明して思い止まらせるが上策なりしに、この点に気付かざりしは小生の失策に御座候。この山は倪又は安徽政府の経営とし当方は今日の場合は代理経営又は鉱石の一手販売をとることゝし、他日支那の法律が許す場合に内約の通り共同経営にすべしとの覚書を交換しおくくらいが賢策なりしならんと存じ候、かくする時は反対者ありてもどうにか倪の勢力でまとまる望み有之候、倪氏は目下滞京中故、貴兄御同意なら当地にて小生会見一談判試み度と存候も同氏は明朝当地を出立の由にて目下非常に多忙に有之、とてもこの種の話をする暇を有せず万一無理な会見をなして第三者に漏るゝ時は噬臍の恐れあり、寧ろこの種の内談は同氏の本城たる蚌埠にて進行さすを便と愚考致候間会見申込を見合わせ申候、ついては同氏蚌埠へ帰省の上は貴兄御出張の上話をまとめらるゝ事に致度と存候、事今日に至っては何

らかの形に於いて当方と連絡をとることを主眼とし、大約、
一、銅官山は倪の勢力に経営権を収めさすこと
二、当方は売鉱権又は代理経営など何らか法律又は習慣の許す範囲にて連絡をとること
三、経営資金は当方に貸与えること
四、先方にて製鉄所を建造する場合には製品の一手販売権をとること
五、如何なる場合も「他日支那の法律の許す場合には当方と現在協議せる契約を締結すること」の内約を締結しおくことくらいのところを根本条約として話を進めるが宜敷、要は拙速を善と可致哉に存候
貴兄の御出張の時間なき場合には小生出張致しても宜敷（韓君をして倪氏の都合を聞かせ、韓君蚌埠にて小生を待ち合わすこと）と存候、尤も当地の運送公司の談判も肝要故この方まとまる迄は小生は可成北京にあることを便と致候、且つ最初からの行掛かりもある故可成貴兄御出張が都合宜敷かるべし、但し貴兄どうしても都合出来ぬ様なれば本件は大事の仕事故小生無理をしてでも出かけることに可致候尤も倪氏明日出立せず更に数日滞在する様ならば小生直接交渉を試み可申候（場合によりては韓君が居てくれたが便利と存候可或は一電致すやも許られずその節は直に御派遣下されたし）只小生の想像するところ似ては倪は当地での交渉は好まざるべし

以上の手紙を書いて程なく、一九一八（大正七）年末に森は安徽省蚌埠へ出向いている。和田氏とは南京で落ち合ったらしく、高尾亨南京領事に会った上で安徽省長倪嗣冲の本城蚌埠へ向かったのである。

当時の用件としては前掲の手紙にある**銅官山問題**の他、**桃冲鉄道敷設問題**もあったこと勿論である。前述

の通り交通部からは一九一七（大正六）年八月に許可発令となっているが、所轄当局たる安徽省政府の許可証握り潰しによって有耶無耶になっていたのである。

―和田正世氏手記―

桃冲鉄道敷設権獲得運動のために森さんに随って津浦線蚌埠に安徽省督軍の倪嗣冲を尋ねることになった時には、先ず南京で高尾亨領事に会ったが、蚌埠付近にペストが流行しているから暫く見合せ給えと注意された。随行者の私は「森さんは無論中止するだろう」と思ったので「ペストが怖いからもう少し待ってから出かけましょう」と言うと、森さんは予想に反し、黒死病何かあるという顔で「緊張して腹が据わって居れば病菌などは入るもんか、一緒に来い」と耳を貸さない。そして直ぐに高尾領事から倪嗣冲へ紹介の電報発せしめた。韓強士という日本語のうまい支那人も一緒に行く筈だったがやはり尻込みする。それでも森さんはそんなこと何が怖いかと無理矢理に韓も私も一緒に行かねばならなくなった。高尾領事から既に交渉があったので蚌埠では私共森さん一行に対して省長の派遣した軍楽隊が駅まで出迎えに来るという歓迎ぶりであった。ペストが怖いので私はハンカチーフを口に当てゝ街を行くと、町の中に死人が五つ六つ横たわっているのが眼についた。森さんは「成程死んでいるね」という様な按配であった。森さんは許可証を出すまでは何日までても頑張ると言って、督軍衛門に入り三日三晩倪嗣冲と膝を交えて談判して動かず、剛腹を以て聞こえた倪将軍を遂に屈服せしめ、凱歌を挙げて帰って来た。この一事はすべての難局に当たってもへこたれないという森さん一流の勇気の現れである。

こういう風に**森さんのやり方は「得た機会は絶対に逸してはいけない。況や国家の権益を増す事ではないか」と、心の奥底にある例の愛国心を燃え上がらせる**のであった。いよいよ敷設工事を始めるとまた支那側から圧迫してきて現場の者は困った。すると森さんは「そんな圧迫くらい驚くことはない。向こうの鉄砲で一人でも二人でも死傷者が出ればその結果日本の鉄道になるんじゃないか」と、こう言って皆を督励するという程の強い態度だったから、遂には先方も森さんに対しておべっかを言ってくるようになった。

しかし和田氏が凱歌を挙げて蚌埠を引き揚げたと言っているのは、許可証を獲得したことではなく、倪将軍と南京で再会を約することに成功したことである。それは次の森自身の手紙に書いてあるが、これを見ても安徽省当局が桃冲鉄道、裕繁公司乃至中日実業に対して如何に強硬な圧迫妨害を加えようとしたかが判る。森がペスト流行を意にかけなかったのも、国家のための事業だという自負自信を持っていたからと考えられる。

舌　代

三十日朝北京を発し三十一日朝蚌埠という津浦鉄道の一新駅で倪嗣冲の本営のある地に着いた。こゝは新開地で穀物の大市場だ。倪嗣冲の兵隊が七千くらい居る。停車場には倪から軍隊式の迎が来ていた。兵営に一夜を暮らした。周囲の状態が、何となくアメリカの西南部のカウボーイの集団中に入った様な気持ちを与えた。

こゝで桃冲鉱山の鉄道問題を議論したが終に不調に畢って、南京で再会を約して引き揚げた。昨夜この地へ来て今夜来着する倪を待っているのだ。這般の光景は全く植民地式だ。すべてに於いて多大の忍耐と工夫を要する。口に軽々と支那問題を議する徒輩の味わい得ざる快味である。僕は今の僕の仕事と様子が、頗るインドに於けるクライブのそれの如き類似点あることを感じて興味津々たるものがある。あわれ！僕の落ち行かんとする所も終に彼の運命である。
十七、八日には北京へ帰着する事と考える。
この地ソロソロ暑し。　　　　　　　　匆々
大正六年五月五日　南京にて　　　　　恪
小田原
栄枝殿

ロバート・クライブは周知の通り、セシル・ジョン・ローズ、ウォーレン・ヘースティングズらと共に英国植民地史に偉大な足跡を残した世界最大の開拓者の一人で、大英帝国のインド政策のために実に大いなる犠牲的活動をした人物である。

森が「僕は、今の僕の仕事と様子が頗るインドに於けるクライブのそれの如き類似点あることを感じて興味津々たるものがある」と言っているのは、即ち身を拓殖会社たる中日実業に捧げて、日本の国権のために尽くしている彼自身の行動の上にクライブを偲んで転じた感慨に打たれ、これを筆に託して夫人に伝えているのである。

そのロバート・クライヴについて詳しく紹介しよう。

一七二五年イングランド・シュロップシャーの名門の家に生まれる。幼くして冒険を好み、学業成績は悪く学校を転々とした。一七四三年、十八歳でイギリス・東インド会社に最下級の書記として入社し、翌年マ

資料２１　ロバート・クライヴ

ドラスに赴いた。この年、たまたまマドラスがフランス軍に占領され捕虜となるが脱出に成功し、一七四七年、英軍将校に任命される。軍人としてインドの覇権を目指すフランス・東インド会社と戦い、一七五一年にはマドラス西方の仏軍要塞アルコットを占領した。一七五三年、帰国すると英雄として迎えられた。

一七五六年、セント・デーヴィッド要塞知事として再びインドに赴くが、この年フランスと同盟したベンガル太守がカルカッタを奪取したため、一七五七年、クライブは六百人のイギリス兵、八百人のセポイ（インド人雇用兵）、五百人の水兵を率いて三万四千のベンガル太守軍をプラッシーの戦いで破った。この勝利によってベンガルにおけるイギリスの覇権が確立する。一七六〇年、再び帰国して下院議員の席を買い、一七六四年にはナイトに叙爵された。

一七六五年にはベンガル知事として再びインドに赴き、ムガル帝国皇帝からイギリスのベンガル支配を公認する勅書を受ける。これによってイギリス・東インド会社は単なる貿易会社ではなく、インドを直接支配する植民地支配機関へと変質する。

一七六七年に帰国すると、インドでの強引な振る舞いと巨額の資財を蓄えたことに非難が沸き起こり、議会で喚問されることゝなった。一七七三年、ようやく無罪の決定を受けるが、相当な屈辱を受けた上、健康が悪化し、アヘン中毒にもかかり、一七七四年にロンドンの自宅で自殺したのである（四十九歳）。

次に、**ウォーレン・ヘースティングズ**について詳しく紹介しよう。

一七三二年、イングランドのオックスフォードシャー・チャーチルに生まれる。一七五〇年、イギリス・

資料２２　ウォーレン・ヘースティングズ

東インド会社に書記として入社する。一七五六年、カルカッタでベンガル太守軍の捕虜となるが釈放される。一七五七年にムルシダバード地区理事官に、一七六一年にはカルカッタ管区参事会参事となる。一七六四年、帰国する。

一七六九年、インドに戻りマドラス管区参事会参事に。一七七二年にはベンガル知事となる。その時の「知識の蓄積、就中、われわれが征服によって支配を行使する人々との社会的コミュニケーションによって得られる知識は、国にとって有益」という彼の言葉が有名である。ヘースティングズの政策で注目すべきなのは、現地語重視政策と一七七二年の司法制度に関する規則である。

一七七三年には初代インド総督に就任。在任中、重要な改革を行い、又インドの文学や芸術を愛好したという。一七八六年、帰国する。

一七八七年、イギリス上院で不正行為を弾劾される。一七九七年に無罪決定。一八一四年、枢密院議員となる。

五　森の桃冲視察

一九一八（大正七）年の夏、森が桃冲鉱山から夫人に宛てた手紙に、桃冲の山の様子が次の如く認められている。

二通の御手紙この地にて入手致候、瓜生母上この程御不快にあらせられ候由、大阪父上も健康勝れざる御様子、只早く御快復を祈るの他なく、何れも一年増に健康衰えられ候事と存候間、万事を投げ捨てゝ孝養専一と存候。

この地は思いしよりは楽なり、尤も、東京、上海よりは暑きは論ずるまでもなし。この暑さを怖れず上下数百人の連中が山に野に活躍せるを眺むる時は苦も忘れ楽も忘れ雄心勃々禁じ難きを覚ゆ。あゝこれ余が意志の強さの発現なり。蠢々として虚位虚勢の争奪をこの事とする徒輩によりて国力の培れたる例なし。誰か敢て国権の登場を口にし得るものぞ。三四日内にこの地を去り、上海に四五日滞在北京に行き、更に当地に来る筈なり。

匆々

大正七年八月一四日

裕繁公司鉱務部桃冲鉄鉱

森　恪

小田原

栄枝殿

鉄道敷設工事が竣工したのは一九一八（大正七）年九月だから、もう程なく完工に近く、従って当時視察に行った時には鉱夫のみならず鉄道工夫らも営々と作業に従事していた。森としては支那当局の重なる圧迫と戦い困難を排し、飽くまで計画の遂行と事業の発展に努め、今や着々とその成果の上がりつゝある様を眺め感無量「苦も楽も忘れ只雄心の勃々たるを禁じ得なかった」のであって、右の手紙の中には、山に佇んで数百の労働者の営々と立ち働く姿を眺めている東洋のセシル、東洋のクライブ、東洋のヘースティングズである森恪の颯爽たる風姿の実に彷彿たるものがある。

「森が山の現場を視察する時の態度は実に立派なものであった」と、森の部下であり土木技師である宍戸弘三氏が語ったことがある。

序だがその宍戸氏が森の部下になった動機に面白い逸話があるので紹介しよう。

宍戸氏は鉄道土木技師として私鉄十九ヵ所の工事に経験のある人で、日本本土は隈なく歩き回っているし、それまでには様々の経営主に接したが、未だこれはと感服する人物には遭遇しなかった。ところが第二十回目の仕事で森を知るに及んで、初めて心服し得る人物を発見したのであった。

それは一九一六（大正五）年の夏の盛りであった。森が安徽省鄱陽県の知事訪問のための旅行に宍戸氏を随伴した。炎熱灼くが如き暑さなので上着を脱いで手に持ったが、肩には望遠鏡、写真機、食料品などを携帯していたので汗は滴々と湧いて流れる。宍戸氏も手に持っている上着を路傍へ投げ捨てゝしまいたいほど苦しかったので「森さんもさぞ苦しいだろう」と思い、

「上着を持ちましょう」

というと、森は、

「苦しいのはお互い様だ」

と邪魔になる上着も宍戸氏には渡さなかった。そんな時には部下の者に持たせるのが普通である。そんな世界にばかり接してきた宍戸氏はそこで先ず深く感動し、この主人のために身命を賭しても働こうと決心したのであった。

森はまた鉱山に働く労働者や請負師らからも絶対に崇敬されていた。例えば桃冲鉱山を視察する時には、蕪湖から揚子江を荻港まで船で遡り、荻港から五マイルの所を鉄道で現場に達するのだが、森が視察に来るというので社員が荻港まで出迎えると、船が着いても森はなかなか船室から出て来なかった。どうしたのかと待っていると、やがて森は半ズボンの姿も凛々しく、首にはタオルを巻き、すっかり現場員のいでたちで船から降りて来たのであった。つまり金時計、金鎖、カフスボタンなどの貴金属類や装飾品は全部取り外して鞄に入れ、服装を換えるために下船に手間取ったのであった。労働者に親しさを見せるための細心な心遣いである。

いよいよ現場へ来る途中でも労働者に出会うと、誰彼の差別なく、

「どうだい達者でいるかい、元気かい」

と先ず親しく呼びかける。

そして、その日は現場員に対しても仕事に関する事は一言も言わず、晩には一同と談笑の裡に食事を共にし、北京、上海、日本に亘るニュースを色々と話して聞かせ、

「仕事の事は明朝六時半から聞こう」

と寝につく。翌朝は六時に起き、六時半から現場の視察に出かける。今度は、細かいところまで眼を止めていちいち現場員に質問する。現場員がうっかりして曖昧な返答をすると森に突っ込まれてぎゅうぎゅうやられる。従って森にはどんな誤魔化しも利かなかった。

要するに森は、労働者は労働者なりに、部下は部下なりに、それぞれ縦横自在に使いこなしたわけで、その点南アフリカに於ける大開拓者セシル・ローズと相通ずるところが多いのである。

森は支那生活を切り上げてから一九二二（大正十一）年、五年振りに桃冲へ視察に行った。当時次のような手紙を書いている。

拝啓
昨夜桃冲から当地に来着致候、明日は大洋丸にて帰京の途に上り可申候、去月二十四日当地上陸以来多忙の間に約三週間を経過し去りたり。旧知の人と山河に接して支那生活の甘味は小生をして波瀾多き東京の煩瑣を忘れしめたり。五年振りの桃冲山は面目全く一新す。吾人数年来の苦心は終に能く白人の天下たる揚子江沿岸にありて一偉観を実現せしむる事を得たり。国歩支那大陸に縮らんとするに際して邦家のために欣快至極にあらずや。小生は長江を上下する毎に感じたり。黙々滔々として日夜流るゝ大江の雄姿は吾人の前途に対して一種のインスピレーションを与うるもの也。小生は今回も又この思いをなしたり。同時に今の我が国状の頗る十八世紀末の英国の如き観ある事を感じたり。当時英国は最も危険なる国運なりき。国内には政争のために外を忘るゝ国民あり、先進者が血と汗を以て得たる北米十三州は独立を宣し、アイルランドは自活を求め、メキシコ、アフリカ、西インド、地中海などは植民地を失いて国勢全く沈まんとするに至れり。しかも幸にこの間一つウォーレン・ヘースティングズありて土民の謀反、フランス人の来襲、本国人の制肘、非難、妨害ありしに拘わらず、能く百難と戦いてインドを保持して、以て他日国運復興する事に資する事を得たり。翻って我が国状を察するに、国人世界の大勢を洞察せず、徒に内争と自我の満足に没頭して国勢の伸ぶる事能わざるを解せざるが如き風あり。真に今は吾人の奮励努力すべき時也。
小生は下江の船上に立ち大江の流れに対して、近時遭逢の甚だ奇なるものあるを思いて感慨無量なりき。

吾人の前途風吹かば吹け、雨降らば降れ、吾人は断乎として邁往刻苦せざるべからず。小生は兄らの健在を祈る。上海を離るゝにのぞみ所感を書して君に送る。

不　一

大正十一年九月十二日

恪

東　京

松山小三郎君

第四章　搭連炭鉱と西安炭鉱

一　搭連炭鉱の由来と東洋炭鉱会社

森がその経営に参加した搭連炭鉱は後に満鉄事件を惹起するに至って満天下に名を知られたが、それは別としても優秀な炭鉱として、また**満洲に於いて最初に合弁を許された炭鉱**として専門家の間に知られている。

搭連炭鉱は、その初めロシアの撫順経営時代には支那人が狸(たぬき)掘(ほ)りをしていたところであった。狸掘りとは地上に現れている露出炭をその地方の人々が丁度狸のように穴を開けて採収するというところから出た言葉である。

前面に運河が流れ、右方には東洲河が流れて略直角に運河に注いでいる。後方は丁度山を負っており、一帯の地積が相当な急角度の傾斜をなして運河の方向に下っている。これが大体の地形であって搭連炭鉱は即ちこの右方の東洲河べりの地域であり、東洲河を隔てた向う彼岸が阿金溝、搭連から左方へかけての一帯が撫順の龍鳳坑（経営は撫順炭鉱に属す）となっている。

当時、支那に向かって主張された撫順の境界は丁度東洲河の所まで丶、この河の所で境されて阿金溝と相対することになっていた。然るに当時この東洲河の一帯地域内に多数の支那人が石炭の種々な採掘をしていたので、これが口実となって除外されること丶なり、遂に搭連と龍鳳との妙な中間地帯に境界線を引くことになった。かくの如くしてこの龍鳳と東洲河との中間に搭連という一種の地域が出来たのである。

支那人が狸掘りをしていたというのは、この山間部の高所地方に当たる露出炭である。一番初めに採掘が権利として現れて来たのは一九〇八（明治四十一）年の孫世昌他数名の五十畝(ムウ)（註参照）の採掘権で、これは南方山地の露頭部分のみであった。

次いで大興公司の三好亀吉氏が八百七十一畝（十七万二千余坪）という増区の出願をなし、一九一四（大正三）年十月に支那鉱業法に従って孫世昌と共同経営契約を締結し、翌年三月その許可を得た。

（註：畝の定義は時代によって異なり、畝の面積も時代によって異なるが、唐以降は概ね六アール程度であった。唐代以降は五尺を歩としたゝめ、一畝＝二百四十平方歩＝六千平方尺になった。メートル法への移行が進む現代中国でも、畝は今なお盛んに用いられる単位である。一畝は日本坪一八四・七坪に当たる）

これより先、一九一四（大正三）年九月中に新定された鉱業条例に基づいて更に鉱業権設定の申請をなし、越えて一九一六（大正五）年六月に北京農商部からその許可証の下付を受けた。次いで満鉄へ二万五千円で売り込みを交渉したが満鉄が買わなかったため、後間もなく四万五千円を以て上仲尚明氏がその権利全部を買収した。即ち上仲氏は本店の重役飯田義一氏から資金を仰ぎ、次いで大興公司全部の事業請負契約を支那側と締結し、事業経営上の安定を図ると同時に、飯田氏から受ける資金の額を増加し、本炭鉱事業に著しき進捗を見た。更に二十数ヵ所のボーリングを試みた結果、終に一九一六（大正五）年に至って四十尺層という重要炭層を発見し、同時に炭量の豊富なること並びに炭質の良好なることを確認したのであった。

時恰も欧州戦乱の影響が船舶や石炭の方面に向かって頗る有望な前途を示しつゝあったので、この景気に乗じていよいよ大規模な経営を決心し、一九一七（大正六）年三月、上仲氏自ら社長となり、森恪始め高木陸郎氏ら友人六名これを援助して資本金一百万円の**東洋炭鉱株式会社**を組織し、飯田氏個人の権利は右の会社に譲渡された。森は取締役となった。これが即ち本炭鉱の由来で且つ東洋炭鉱株式会社の組織された大略の経路である。

二　鉱業条例と搭連炭鉱

支那に於ける利権の開発は第一革命以後世界各国から集中され、而もそれは殆んど鉱業に限られていたのであるが、欧州人が支那の鉱山獲得に狂奔するに対して、支那人はますます鎖国主義を執ろうとする。然るに第一革命後に新内閣の農商部大臣になったのが張謇で、この人が搭連炭鉱の認可をしたのである。

張謇は実業家出身の非常に評判の良い人物で、頗る先進開放的な意見を持っていた。利権問題に対する意見の如きも、「外国人は支那の鉱山を自分の国に持って行くのではない、只鉱石を持って行くだけである。而もそれがために港湾を修築する、鉄道も敷設する。従ってその付近が開ける。道路も開墾する、店舗も開く。そのため支那開発の上に利益こそあれ少しも害はない。支那人が外国資本を排斥して資源をこのまゝ掴んでいるのは宝の持ち腐れであるから、大いに開放するに如くはない」というのがその持論であった。

そこで彼はこの開放的な意見を以て**鉱業条例**の起草に着手し、一九一四（大正三）年にこれを発布するに至った。然るにその内容を見ると張氏の意見は閣議で半分しか容れられず、ために外国人の完全な権利は認められずして只半分の合弁権に止まった。これは当時非常に問題を生じたのであるが、兎に角この条例が発布に至ったということは張謇の手柄である。

しかして本条例に基づき最初に合弁を許されたのは即ち**搭連炭鉱**であった。従って搭連炭鉱は支那の鉱業条例史上特記すべき炭鉱であり、且つまた沿革的に歴史的にいうと、**日本人が満洲の租借地以外に於ける鉱山に利権を得た最初のもの**として特に興味深いものがある。

三　東洋炭鉱会社と搭連並びにその他の鉱山及び満洲採炭会社の関係

東洋炭鉱会社設立に当たって上仲氏が社長、森は専務取締役に就任したのであるが、元来森は寧ろ支那本土に於ける事業家であって、満洲に於けるものには余り多く手を出していなかった。

森は欧州大戦勃発後、上仲尚明、高木陸郎の諸氏と共に東亜通商会社の中に高昌公司満洲鉱山部なるものを置いて満洲の事業に手を貸した。然るにこの事業が余り振わなかったので、搭連炭鉱を買収すると同時に協力して東洋炭鉱を興したのであった。

一九一七（大正六）年東洋炭鉱を創立した当時は、搭連炭鉱を中心に西安炭田、大台山炭鉱、賽馬集炭鉱、弟兄山鉄鉱、吉祥谷炭山などを経営する計画であったが、これらの事業が思わしく行かなかったので、右の五つを切り離して別個の事業に移し、東洋炭鉱は専ら搭連の経営に従事することゝした。

その結果西安炭田以下の全部は別に九州の安川家の資本が入って、全く別個の満州採炭株式会社が組織されたのであった。

而して森らは西安炭田以下の事業に対する借入金及び東洋炭鉱会社の払込資金に使われた借入金その他を

引括めて整理するために、満鉄保証の下に朝鮮銀行から六十三万円の金を借り入れた。その後一九二〇（大正九）年四月に至って搭連炭鉱は二百二十万円を以て満鉄に譲渡されたのであって、いわゆる満鉄事件を惹起するに至った問題の買収金二百二十万円というのが即ちこれである。これは森が代議士になってからの事件であり、且つ当時反対政党によって政争の具とされて政界に波紋を描いた問題なので、本書下巻に於いてその経緯を明らかにする。

四　搭連炭鉱の国家的重要性と満鉄買収の理由

我々は先ず**鉄が出来るまで**を理解する必要がある。

製鉄所で、鉄はどのように作られているのであろうか。

鉄鉱石から鉄を取り出すのが、製鉄所のシンボル・溶鉱炉である。すなわち溶鉱炉は、すべての製品の源「銑鉄」を生み出す製鉄所の心臓部なのである。溶鉱炉に与えられた使命は、安定した品質の「銑鉄」を供給し続けることである。溶鉱炉はその構造上、一旦操業を開始したら、その寿命を全うするまで止めることはできない。十年以上も安定して稼働し続ける溶鉱炉は、将に最先端技術の結晶である。世界の溶鉱炉の平均寿命は十二年程度といわれている。

鉄は鉄鉱石と石灰石と石炭から作られる。ほとんどの鉄鉱石は、溶鉱炉に入れる前にコークスや石灰石と混ぜ、焼き固めて焼結鉱にされる。還元材となるコークスは、石炭をコークス炉で蒸し焼きにして作られる。このようにしてブレンド専門家が、原料を最上級の焼結鉱とコークスに焼き上げ、原料処理をするのである。

鉄鉱石や焼結鉱、コークスを一緒に溶鉱炉の上から入れられ、炉の下からは千二百度の熱風を酸素と一緒に吹き込んで、鉄鉱石を湯のように溶かす。炉の中では鉄鉱石の不純物が上に浮かび、重い鉄分（銑鉄）は下に溜まる。これを取り出して、次の製鋼工場へ送り出すのである。

さて、話を戻そう。

搭連炭鉱の石炭は製鉄用コークスに適するので、第一に満鉄にとっては頗る必要かつ有利な炭鉱とされたし、同時に我が国家にとっても非常に幸いであった。

当時満蒙一帯に渉って製鉄用コークスを産する炭鉱としては漸く本溪湖、開平、龍鳳の三つを数えるに過ぎず、満鉄では右の本溪湖及び開平からその供給を受けていた。無事平穏な場合には以上でも足りていたが、我が国の将来を国家的見地から考慮すると甚だ心細い状態といわなければならなかった。

本溪湖（大倉組と支那側との合弁）は年産漸く四十万屯、しかも本溪湖製鉄所及び我が八幡製鉄所の使用炭であった点からして、満鉄としては決してその将来を期待されるものではなった。また開平は、英国資本家の経営であるのみならず、当時英国の資本で秦皇島製鉄所の設立計画が甚だ急であって、この計画が予定通り実現された暁には開平の石炭は到底満鉄の製鉄用コークスとして期待し得ないものであった。それ故に満鉄は搭連炭鉱を買収する必要を痛感していた訳で、況や当時戦乱の教訓に基づき製鉄事業の一大拡張を断行して我が鉄供給の基礎を確立しようと痛感していた満鉄としては、製鉄用コークスに使う搭連炭鉱を隣接鉱として経営するのは一大福音といわなければならなかった。

欧州戦乱勃発以来、国家的不安を感じられたものは即ち鉄の不足であった。かくして我が国鉄自給策の声は官民朝野あらゆる方向に於ける切実な叫びとなったのは当然の事である。同時に何人の目も等しく満蒙の地に注がれたのであった。

時恰も前の製鉄所長官としてまた軍人として鉄に少なからず理解のある中村雄次郎男が満鉄の総裁となった。氏は先ず満鉄資本による一大製鉄事業の計画を樹てた。これが即ち後の**鞍山製鉄所**として実現されたのであった。

一方、当時の満洲に於ける石炭の供給不足の状況を見るに、欧州戦争の進展と共に満鉄地域内に於いて実に数十万トンという多量の不足を来たし、ために工業の発展を阻害すること夥しく、石炭を目当てに満洲に起こした事業の蒙る損害は莫大なものであった。

即ち一九一九（大正八）年以来石炭の不足によって炭価の昂騰を来たし、ために満鉄は内地から逆に九州炭を買い上げてこれを補給しなければならなかった。

かくして内地から満鉄地域内に運ばれた石炭の総額は、

一九一九（大正八）年度

予算額　二九四、三六七屯

この価格　　六、七一四、三五六円
決算額　三三四、八三七屯
この価格　　七、五五三、二七六円
一九二〇（大正九）年度
予算額　二六四、〇〇〇屯
この価格　　六、五八三、二〇〇円
決算額　二二二、〇〇〇屯
この価格　　五、六〇〇、〇〇〇円

以上の如くで、当時は満鉄が屯二十円以上の高価な石炭を内地から買い込んだ。屯十二、三円も高く買っていたということになるのであった。

恰もこの時、一九一九（大正八）年の春、中西清一氏が満鉄の副社長になった。当時は原敬の政友会内閣の最盛期であった。原首相は自ら重要物資の自給策に関する意見を国民に発表して熱心にこれを奨励し、一方経済界は欧州戦争の好影響を反映して事業熱が到る所に勃発し、大規模な企業が興っている時であった。

中西副社長は満鉄の当局として先ず鉄と石炭とに着目して、新たにこれに関する政策を立てゝその所信に進まんとしたのである。即ち中西氏の立てた計画は先ず石炭政策に始まり、その第一歩が搭連炭鉱の買収として実現されたのであって、これは満鉄経営上の理想から見ても、また前述した石炭不足の状態からしても、最も当を得た策であった。

然るに果然搭連炭鉱買収問題を巡って中西氏が矢面に立たされるに至ったことは何人が予期し得たであろうか。これ全く政争の具に供されたのである。

而して当時僅かに二百二十万円の搭連炭鉱の時価は何千万円に価するか底知れぬものがあり、昭和の製鋼所で使用するコークスを搭連炭が一手に引き受けている状況を思う時、森の霊も草場の陰でうたゝ感慨深いものがあるであろう。

五　西安炭鉱の起源と東洋炭鉱との関係

西安炭鉱は奉天の北東約二百キロ、四平街より東方約八十余キロの地点にある。もとは大疙疸炭鉱と称し、一九一一（明治四十四）年に当時の西安炭鉱鉱区内に居住する一農民傳承文なる者が自家用飲料水の不足に窮して井戸を掘り大炭脈を発見したことにその起源を有するものである。

清朝時代に於ける西安一帯は、櫟(くぬぎ)類の落葉樹が繁茂して人跡未踏の未開発原野の地であったが、一九〇〇（明治三十三）年以来清朝による満洲移民政策の進捗と共に支那本土から移民激増し、これら移民の手によって近郊一帯開発のため、又は燃料資源として盛んに伐採され、その結果は遂に薪炭材料不足の嘆声すら聞くに至った。

その時、西安炭田の寶国公司及び寶興公司の開拓は乾土に慈雨の如く、付近一帯の冬期防寒燃料の要を充たし得たのみならず、当地に於ける唯一の新興家内工業たる油房及び焼鍋業に一大貢献をなした。

この盛況に刺激され一九一九、一九二〇（大正八、九）年迄は既に猛虎亮付近に寶華、富海、中益、富華、大成、永記、富国、裕興、利華、寶興の十鉱区が陸続と開抗し、各炭鉱が不統一のまゝ乱立して同業者間の激烈な自由競争対立抗争を招来し、そのため最初の投下資本を殆んど費い果たし、純朴な農民を巧みに籠絡して新股（新株金）を募集し、以て辛うじて経営を持続するに過ぎない状態にあった。

この時、たまたま倒産の危機に瀕していた二、三の公司から各炭鉱の合体運動が叫ばれたが、他の経営者はやせ我慢を張ってこれに賛同する者なく、そうかといって彼ら自体としても救助方法を発見出来ず、遂にその経営資金の供給方を東洋炭鉱会社の森恪に懇請して来た。東洋炭鉱奉天事務所は直ちに西安炭鉱の試錐調査に当たりその内容を審査した結果、埋蔵量豊富にして将来極めて有望なる事を知るに至った。

当時各鉱区の一般状況は左の如くであった。

（鉱区名）	（代表者）	（鉱区面積・畝）
中益	劉子金	六五〇
寶華	曲壽山	六六三
富海	曲紫瀾	六四〇
富華	戚輔忱	五七〇
大成	任字廣	一、三〇〇
永記	金作武	五八〇

裕興	金作聲	一、五四〇
富国	傳興周	四七五
寶興	張宣三	五五〇
	趙樹増	
利華	姜化東	四〇七

（一畝（ムウ）は日本坪一八四・七坪に当たる）

東洋炭鉱会社はこれら十鉱区を買収統一しようとしたが、前述の如く搭連炭鉱経営の事情があったゝめ、森は一九二〇（大正九）年末、西安十鉱区を主体とする**満洲採炭株式会社**を別個に組織設立し、専務取締役となった。

六　満洲採炭と明治鉱業の関係並びに張政権の圧迫

然るに当時は恰も大隈内閣の投じた**二十一ヵ条問題**が発端となり、支那各地に膨湃として起こった反日風潮が絶頂に達しつゝあった時なので、西安鉱区の買収も遅々として進捗しなかったが、森の努力によって漸く前記十鉱区の内七鉱区の買収に成功したのであった。

一方また、時を同じくして九州の安川家の資本による明治鉱業会社が、西安炭田南部の泰信、健元、健兆の三公司の鉱区を買収して試錐調査に当たっていた。

かくして猛虎亮、仙人洞方面七鉱区は森らの満洲採炭会社の統制下に、南部三鉱区は明治鉱業の傘下に統合され、こゝに日系の二大資本の対立を見る結果を生じた。

然るに常に大局の趨勢を凝視し日本民族の大陸発展国策の遂行に努力していた森は、かゝる一地方に兄弟相食むが如き対立的現象を招来するを好まず、一九二一（大正十）年爾来調査した資料及び獲得した利権をすべて明治鉱業に移譲するの意を決し、一九二五（大正十四）年に至って西安炭鉱各鉱区の実権は明治鉱業に譲渡されたのである。

一方満洲の情勢は**張作霖**東北政権の全盛時代で、民衆搾取の政商が三千万民衆をして窮乏のどん底に呻吟せしめ、政治的要諦はこれを忘れて省ず、しかも張作霖は帝位の野心を抱き郭松齢事件を惹起し、次いで張作霖爆死事件となって悲惨な自滅的最期の幕を閉じた。

代わって**張学良**が東北政権を握るや俄然排日風潮が積極化し、これが満洲に於ける**鉄道利権回収運動**となり先鋭化して全満を風靡するに至った。そして学良は中央と結んであらゆる合法・非合法手段を尽くし、日本人の生活さえ圧迫する魔手を伸べてきた。

旧東北交通委員会が中心となって**満鉄包囲線計画**を策し、一九二七（昭和二）年五月、その一幹線として資本金二千万円の官商合弁奉海鉄路公司を設立して工事に着手し、同年中に奉天—海龍間と支線西安線が早くも完成した。更に吉林方面にあって資本金一千二百万円を以て官商合弁の工事を設立し、一九二九（昭和四）年五月、吉林—朝陽鎮間が開通し、奉天—吉林間の完全な連絡がとれ、東北政権多年の宿望が達せられたのである。

かくして一方では、満鉄包囲計画の竣工が着々と歩を進められると同時に、地方に於いては**鉱業条例**を発布して各種鉱業の外国人との合弁経営を一切厳禁し、自国民商合弁または実業家の手によって開拓することを奨励した。

而して後者による場合には農鉱庁より官吏を派遣し、鉱物の売上高よりその幾分かを徴収して省庫収入となし、官有鉱区税規則十一ヵ条、官採、官留、各鉱産買上徴収簡章十四ヵ条を施行して極力外国資本の収入を防ぎ、且つ外国人の既有鉱区権をも否認するに至り、その結果、明治鉱業は西安炭鉱統一強化の目的の下に投資を行っても単なる資金の供給者としての存在しか認められず、炭鉱経営は不可能となり、従来の辛苦も水泡に帰せんとする逆境に立ち至った。

奉天省庁では前述の排日風潮先鋭化と相俟って、奉天市場を支配していた撫順炭を排撃するために、新設鉄道に対する燃料の供給を西安炭鉱及び北票炭鉱に求め、且つ一九二六（大正十五）年十一月、官商合弁西安煤鉱公司の設立を強要、実現させた。ともあれ交通不便未開の僻地に過ぎなかった西安が奉海線（後の奉吉線）の開通によって漸く文明の風に浴し、炭鉱の将来は世人の注目するところとなった。

七　満洲事変と西安炭鉱

一方明治鉱業は、猛虎亮、仙人洞方面七鉱区を森らの経営する満洲採炭会社から譲り受けて、南部三鉱と共に更に資本を投下して統一強化に努めた。

後に西安炭鉱は幾多の曲折を経て遂に二分され、一方には猛虎亮十鉱区を擁する官商合弁西安煤鉱公司あり、他方には半截河三鉱区を死守する西安明治炭鉱ありとなった訳である。即ち前者は支那排日政策の規定をなす満鉄包囲線に関連して企画された政策的国家企業会社であるに反し、後者は何らの政治的支援を有しない純然たる日系企業会社たるところに、いわゆる「持たざる我が国」の大陸発展の民族史が苦難苦闘の血をもって描かれていたのである。

従ってこの両者の間に必然的に利害損得を超越した暴逆なる政治的圧迫と民族的対立意識が醸成され、これがし烈を極めると同時に機略抗争が次第に先鋭化していく事は、火を見るよりも明らかであった。

即ち当時官商合弁西安煤鉱公司警備主任白子恵が西安県署員をして明治鉱業の投資下にある泰信、健元、健兆の三鉱区を調査せしめた結果、支那の国家資本下にある官商合弁十鉱区は、連年に亘る無統制な採掘によって鉱区が無秩序乱脈の状態に放棄され、その収拾に困難を感じているに反し、明治鉱業の三鉱区は整然と鉱区の統制も成り、その面積に於いても略同一なる事を知るや、彼らはこの三鉱区を無謀にも国家権力によって日系資本から奪取せんと試みた。もしこれが失敗に帰した場合には排日の風潮を政治的に利用して鉱区の取消を申請するか、または梅河口より西安に至る支線を名義上官商合弁西安煤鉱公司の運炭専用線となし、一般民間の乗車使用を禁止することによって明治鉱業の運炭、引いてはその事業の進展を中絶せしめ以て鉱区を一挙にして奪掠せんと画したのである。

かくして政治的弾圧に次ぐに無謀なる要求、暴言に次ぐに愚弄を以てする貪婪なる彼らの前に明治鉱業は断乎として屈せず、開拓の意義と使命との下に、あらゆる迫害を忍従して事業の存続に孤軍奮闘をなしつゝあった。

天何ぞこの暴政のもとに牢固として奮闘する同胞を見殺させんや。果たせるかな青天の霹靂の如く一九三一(昭和六)年九月十八日、柳条湖に於ける満鉄爆破を発端として勃発した**満洲事変**は端なくも日本の生命線確保運動となり、満洲三千万民衆の満洲国独立運動となり、東洋民族の新たなる歴史的発展を招来せしむるに至った。

即ち当時の苛酷なる政治の状況は満洲国建国宣言に、

> 我が満蒙三千万の民衆が命をこの残暴無法なる区域の内に託するは死を待つのみ、何ぞよく自ら脱せんや、今や何の幸ぞ手を隣師に借りてこの醜類を駆り積年軍閥磐踞し秕政萃聚せる地を一旦にして廓清す。これ天我が満蒙の民に蘇息の良機を与えしなり。今にして我が満蒙民衆は天賦の機縁に於いて萬悪なる政治国家の範外に振抜して自ら脱する事を求めざれば勢必ず皆溺れ同じく尽くすに至らん。

と明示されてあるのによっても窺知し得る如く、その政治下にある無辜の民にして然り、況や政治的政策のために醸成されたる排日の渦中にあった我が同胞の苦痛苦難は察するに余りあったのである。**森が満洲事変と満洲国建国に深い関係のあることはよって深い原因があるのである。**

かくて我が皇軍が民族的正義感の下に、この暴逆限りなき張軍閥に膺懲の戈を翳し聖戦酣なりし一九三一（昭和六）年十二月、満炭理事長河本大作氏らが、かつては豹虎の威をかり暴逆排日の権化である官商合弁西安煤鉱公司を支那側から断乎接収し、満洲国及び満洲人の炭鉱たらしめ、後に資本金一億六千万円の日満合弁による**満洲炭鉱株式会社**の関係炭鉱として満洲炭業界の王座を占め躍進的に発展した。

一方三鉱区を擁して凡ゆる迫害の下に苦闘し続けて来た明治鉱業も、一九三七（昭和十二）年満洲国の国策的重要産業統制法の実施と共に「**満炭**」と合併し、**西安炭鉱泰信採炭所**と改称された。

かくして国際情勢の先鋭化と日満共同防衛の見地から、日満経済ブロックを一貫とするところの炭業増産五カ年計画が立てられ、軍備の充実化に伴う重工業の原料資源の新分野が開拓されたのである。

森の部下であり西安炭鉱公司課長だった榎並直氏は次のように語っている。

―榎並直氏談―

西安炭鉱は今や満炭所属の炭鉱中でも最も重要な炭鉱の一つと目されて著しい活況を呈しているが、往年早くもこの炭鉱に着目された森先生の達眼には全く驚嘆の他はない。森先生はしばしば「俺は天下の権を握って国家民衆のために働く夢を抱いている」と座談の裡に語って居られたが、その御言葉と照らし合わせて、

——かつて未開広漠のしかも邦人未踏の満洲東辺道の奥地西安に、満洲建国に遡る十幾年前、こゝに鍬を下ろし、その開拓に着眼努力した森先生の偉大なる卓見と大国民的熱情に誰か感嘆しないものがあろう？

以上によって桃冲鉱山、塔連・西安両炭鉱など、それらの開発事業は、いずれも森が単なる事業家としてではなしに工業並びに国防の将来に関し国家的立場から致したことであったことを思えば、支那に於ける鉱山の開発史上に森の功績の偉大なるものゝあったことを知るに難くないであろう。

第五章　支那に於けるその他の開発事業

一　壽星麺粉公司

森は長沙に在勤して当時麦粉の売買に成功したことがあり、麦粉の知識に関しては造詣が深かった。北支には麦があるが麦粉が少なく上海辺りからわざわざ輸入したので、森は早くから北支に製粉工場の設立の必要を感じていた。一九一三（大正二）年天津に資本金二十五万元の**日支合弁会社壽星麺粉公司**を創立し、自ら専務取締役として麦粉穀粉製造販売並びに穀類精選買売事業を興した。

従来北支では日支合弁で成功した会社は皆無であった。在支企業家は日支合弁では駄目だと誰もが見限っていた。それを森は見事に成功したのであった。何故森が日支合弁で成功したかというに、それは絶対に損をしないシステムで経営したからである。

即ち問屋からは固定資本を出させ、三井物産からは流通資本を出させ、原料の仕入と製品の販売を三井物産が受け持つという方法で、**エーゼント・システム**と称して英国がインドの貿易に用いて成功した方法を採った。このシステムによると問屋（支那人）が結局資本主なので排日の影響を受けることはなく、従って三井物産でも損をする筈はないのである。

以上の如くして**北支に初めて製粉業を興したこと**ゝ、**日支合弁に新しいシステムを試みて成功した**のが森の天津における功績であった。

その後、**支那の開発は先ず政治的開発に俟つべしとの認識と信念を抱いて政界へ飛躍した森は、やがて政**

界と実業界とを両股にかけることの困難と煩雑を感じた。代議士に当選したのをきっかけに徐々に事業から手を引いていった。一九一九（大正八）年には先ず壽星麺粉公司を整理し、これを支那人に譲渡した。その任に当たったのが松山小三郎氏で、氏は整理を了したのを最後に多年の在支生活を打ち切り、東京の森恪事務所に呼び迎えられた。

昨日当地安着貴書拝見致候、壽星の件は御帰任後直に御解決被下候由快心の事に御座候、御尽力深く謝上候、漸次この調子で御進退被下度御依頼申上候、小生は明日桃冲に向かい三日に当地へ引返し五日の船で帰朝の心組みに御座候、支那に来りて常に感ずるは百事懸りて我党の双肩にある事に御座候、自重せざるべからずと存候（後略）

大正八年六月二十八日　於上海

恪

天津

松山君

また七月には森恪事務所の藤井元一氏宛てに次の手紙を送っている。

昨夜遅く貴信拝見、壽星の成り行き困ったものに御座候、支那事業打切の方針も初めて可なりしを認むる次第に御座候、何れにしても本日は日曜の事故致方御座なく明日書類を見て善後策研究可致候、北京へは左の通り御架電願上候

電見た壽星の件四五日中に意見取極め返事する　森恪
小生は今朝出発小田原に参り明早朝或は本夜遅く帰宅可致し候　匆々
大正八年七月二十日　帝国ホテル
森　恪
藤　井兄
尚この種の電信休日に御届被下候節は壽星の運命を研究に必要なる定款決算書類なども同封被下らば一層便宜に心得可申候御含み願上候

文面に窺われる通り以上二通は壽星麺粉公司を整理する当時の森の手紙である。

二　東洋塩業株式会社

一九一四（大正三）年十月、ドイツの根拠地たる青島が陥落し、山東省膠州湾は我が陸戦隊の軍政下にあった。当時森は我が海軍現地当局から膠州湾内に於ける塩田開発の許可を得たのであった。

そこで翌年四月、森は秋元定恭氏（一九一四（大正三）年北京中日実業会社研修生にして森の部下）をして山東省膠州湾塩業を調査すべしと命じた。

秋元氏は直ちに現地に至り、現在塩田及び未開塩田地を視察し、更に日本を中心としてこの塩田地を開発するため、日本内地、朝鮮、満洲、渤海、浙江などに亘り主なる塩田及びその塩業を視察した結果、我が国の水産化学などの事業に対して将来重要な関係を生ずべきを痛感し、膠州湾塩業の有望なる事を報告し、且つその調査書を森並びに中日実業会社に提出した。

その結果一九一七（大正六）年四月、中日実業の子会社として資本金一百万円の**東洋塩業株式会社**が設立され、社長は置かず森はその専務取締役に就任し一切の責任をとって事業の発展に努めた。藤田秀雄、秋元定恭の両氏は常務取締役として森を補佐した。

森は社員に対して次の如く語った。

この事業は採算的に有望なると共に国家のために是非遂行せねばならないものである。日本の工業及び漁業の発展は今後目覚ましいものがあるから食用塩の他に工業塩、漁業塩の需要が増大する。乍併これを遠く外国からの輸入によって安心しているわけにはいかない。日本に近く従って海上権の確保せらるゝ場所に於いて日本人が塩田を開発し、多量の塩を製出することを必要とする。特に山東省に日本人が大規模の塩田を持つのは今後一般邦人発展のために甚だ喜ばしいことである。

―藤田秀雄氏談―

即ち森は遠き将来に亘る事業計画書を立てると共に、国力の伸張を深く念頭に置いて事業に着手したのであった。当時青島塩田の有望性を伝え聞きこの方面に投資を希望する者が頗る多く、速開を希望した当時の守備軍の方針と相俟って数千町歩の塩田が新たに開発されたが、内地の工業は未だ森らの予想した如く急瞬には興らず、塩の需要がその生産に添わなかったので、各塩業者はいずれも経営上多大の苦労を嘗めなければならなかった。

一方また、塩田開発工事に着手した当初既に欧州大戦は終息し、次いで一九二二（大正十一）年ワシントンに於ける青島還付条約により、この塩田事業も支那民国政府より補償金を得て支那に還付する事となった。東洋塩業株式会社は、山東の塩業には尚多大の希望を残しつゝも株主に補償金を分割配当し、遂に一九二四（大正十三）年四月これを解散するに至った。

山東の塩田開発と塩の販売についてはその後もしばしば私から森さんに意見を呈したこともあったが、森さんは、**支那の開発は先ず政治的解決をなして後進むより他に途なしとの信念**を語り、当分慎重に将来の期待を持てと言われ、専ら政治解決方面に没頭した。

―秋元定恭氏談―

三　錦屏燐鉱公司

日独戦争中には世人何れも山東経営の必要を説き、官民共に青島及び山東鉄道沿線にのみ注意を集中していたが、独り森は、山東には概して資源の見るべきもの少なく、寧ろ山東省より南揚子江沿岸に至る一帯の海岸線、特に海州を起点として西甘粛省蘭州に至る海蘭鉄道の沿線に留意するの一層急なる事を力説し、これを政府並びに当時の青島軍当局に進言するところがあったが、一方森恪事務所をして自ら先ずその急先鋒として同方面の開発に努力することゝした。

即ち、一九一七（大正六）年在海州の鎮守使兼師団長たりし白寶山将軍と折衝し、これと堅く連携して同方面の治安を確保せしめ、更にその後援によって青島―海州間に**日本汽船の定期航路**を開かせると共に、**錦屏鉱山の採掘**に着手するに至った。

錦屏鉱山は江蘇省徐海道東海県にあって県城たる海州を距る南南東約十八支里の地にあり、東山、昫山、中山、西山の諸山よりなり、鉱区面積二千百六十八畝余に及んでいる。当初は鉄山として開発されたものであるが、鉄鉱としては頗る貧鉱であったゝめ一旦放棄されていた。

然るに森は一九一七（大正六）年末、白将軍の護衛下に、土匪の中心地帯と目されていた錦屏山一帯の地方に技師を派遣して調査せしめた結果、**燐鉱**を発見した。その後当山は**燐鉱及び満俺**（マンガン）**鉱を主とし少量の磁鉄鉱**（マグネタイト）**あり**、その埋蔵量は満俺五十万屯、燐鉱三十万屯と称せられるに至った。

錦屏鉱山の権利は初め森個人としてではなく中日実業として取ったもので、後間もなく森は中日実業からそれを買収したのである。

一九一九（大正八）年十二月四日、森は東京森恪事務所から奉天に出張中の藤井元一氏宛てに左の手紙を書いている。

海州鉱山に関する中日実業の権利も金二万五千円を支払いて無事当方の手に回収致候、これにてこの山

も当方自由に経営至得る都合に候、燐鉱の許可書も滞りなく手に入り候由南京より来信有之候

かくして森は**人造肥料の原料たる燐鉱石**の内地への必要を感じ、海州の豪族沈蕃と連絡をとり、その名義を以て支那政府の完全なる開鉱採鉱権を獲得し沈蕃との共同事業としたが、当時支那人間には排日思想と利権回収熱極めて旺盛だったので、日支合弁事業として発表するを不利と認め、便宜上外部に対しては沈蕃個人の事業の如くに装い、森はその名を出さなかった。しかし事実上は森が一人で経営したのであった。

今その創業以来の事業経過を顧みるに、一九二〇（大正九）年諸設備完了し、同年六月までに約八万屯を出鉱して内地の肥料会社、主として大日本人造肥料会社に納入したが、同鉱山の市価は財界恐慌の影響を受けて大暴落を演じ、爾来漸落の一途を辿ったので採算不能に陥り、一九二五（大正十四）年八月遂に休山の止むなきに至った。

然るにその後満俺鉱の雄大なる鉱床を発見し、一九二八（昭和三）年春から試掘作業に着手したが、動乱及び支那政府の圧迫などにより、翌年十一月遂にこのたびも事業休止を余儀なくされた。その後治安稍々定まったので再び事業を開始すべくその準備を進めていたところ一九三一（昭和六）年九月、満洲事変勃発し情勢頓に悪化したので三度これを中止、爾来休山をやむなくされている。

この鉱山については森の手柄話というべき逸話がある。

時は一九二一（大正十）年十月、我が陸軍の飛行隊が所沢―長春間の連絡飛行を挙行したことがある。それは九州の大刀洗から長春へ飛ぶのだが、そのうち小澤軍曹の乗った一機だけは対岸に着陸したことだけ判

って、対岸のどの地点であるか一向に不明であった。

やがてそれが対岸江蘇省の阜寧に無事着陸したことが判明した。阜寧は青島からずっと南下して揚子江流域に向かう、その真ん中辺に当たっている。しかもその地方は張勲の縄張りで旅行者などは足を踏み入れることの出来ない馬賊の巣窟であった。

そんな所に着陸しながら搭乗者も無事であり、飛行機も完全に解体して持ち帰る事の出来たのは不思議であるとして当時問題とされたが、その後間もなく北京の弁護士大会に出席した花井卓蔵博士らが青島に立ち寄った際に、由比光衛司令官主催の晩餐会席上で話題に上がった。同司令官が「実は小澤軍曹の助かったのは錦屛公司という燐鉱石を採掘する会社の御蔭であるが、その会社は実は日本人の経営で、付近一帯に勢力を持っている。我が国人の対支発展もかゝる地方にまで及んでいるという事は愉快に堪えない」と感慨談を述べた。その錦屛公司とは即ち森の経営であったことは前述の通りで、同公司にいた森恪事務所の寺田春二氏が当時鎮守使白寶山将軍の請によって同鎮守使の顧問をしていた関係上、万事が好都合に行ったのであった。

もしも森が売名家であったならば、錦屛とは己れの鉱山だと新聞にも盛んに喋り、広告もするであろうが、森は少しも吹聴しようとしなかった。

四　森と支那紡績事業

日露戦争直後、三井物産上海支店長山本条太郎氏が、露清銀行で担保流れになっていた興泰紡織（後の上海紡織）工場を買収した。買収するにしても紡績についての実質的知識を持っている者がいないと経営に不便なので、山本氏は先ず森を興泰紡織工場に、ある期間臨時見習に入れて実地にその知識を習得させた。

当時上海の各紡織会社はいずれも数年来無配当を続け気息汲々の状態であった。しかし山本氏がこれを買収せんとした理由は、支那に於ける紡績事業の将来性を考慮し、上海紡織を三井物産が持つことは、支那に進出する三井物産の諸事業の根本商策として甚だ効果的であることゝ、更に国家のためにも対支政策上重要であることを認めたからであった。

山本氏の薫陶を受けた森も又、同じ様な国家的見地から、やはり支那で紡績工場を手に入れたいとの希望を持ち、友人田辺輝雄（後の日華紡織社長）、桜井新四郎（後の三越専務）の両氏を説き、三人協力してこれが実現を期そうと計った。それは一九一七（大正六）年欧州大戦の最中であった。上海に瑞記という英人所有の紡績工場があり、これを買収しようと計画し、田辺氏は上海にあってその交渉に当たった。森と桜井氏は東京で金策に奔走した。その結果、和田豊治氏が出資しようということになったが、欧州大戦当時の財界に最も変動の多い時の事とて、最初は七、八十万円という振れ込みであったのが、忽ち相場が昇って百万円でないと応じないということになった。一方和田氏は百万円以上の出資を肯じなかったので、遂に瑞記工場の買収は実現に至らなかった。

然るに当時の森の計画と熱意とが動機になって、後に田辺、桜井両氏らが遂に他の紡績工場の買収に成功した。

即ち後に田辺氏が社長となっている日華紡織がそれで、一九一八（大正七）年、和田豊治、喜多又蔵、桜井新四郎、田辺輝雄の諸氏が創立した繊維工業組合で買収したものである。

五　東華造船株式会社・上海印刷株式会社

東華造船株式会社の創設されたのは一九一八（大正七）年、即ち欧州戦争の末期で、しかもいよいよ今日から工場を開くという日が休戦の日、十一月十一日であった。

元は支那人経営の工場であったが、その経営者が、中日実業の依頼で造っている舟を担保に金を貸してくれと申し込んできた。森はかねてから日本人経営の工場の必要を感じていたので、金を貸すよりも一層のこと工場の経営全部を引き受けたいと考えて直ちに視察に行った。

先方は支那の相当な有力者であり、森もまた事業家として支那人間に名声高かったので話はスムーズに運び、物件は先方が提供し、資金は森が出すことになった。

森が部下の中から常務取締役に抜擢して一切の事業を委任した小野梧弌氏（後のダットサン自動車販売会社常務）が当時のことを次のように語っている。

—小野梧弌氏談—

実は誠に森さんには済まなかったのだが、最初は紡績工場の機械ばかりをやるつもりで目論んだのを、やっていくうちに私は船の方へそれてしまった。当時森さんが三十五歳で、私が三十歳であった。今考えると私の様な若僧に資本金三十五万円の会社をどうして委してくれたかと思うくらいだ。内地では三十そこその若僧にそんな会社を委す人はちょっとありそうにも思えない。やはり大陸だったからともいえるが、それにしても森さんの果断がなければ出来ないことである。

当時我が海軍省では国策事業には積極的に援助しようという時代であり、後の総理大臣岡田啓介大将が艦政本部長の職にあった。そんな訳で工場の貧弱さは第二として、支那に於ける唯一の日本の工場だから盛り立てゝやれというのでこれに援助を与えた。最初は軍艦の修理をさせて会社の経営を援けた。その後造船の注文が入り、揚子江上に新しい船を造るようになった。軍艦「勢多」「堅田」の二隻は海軍の依頼によって東華造船が造ったものである。

—小野梧弌氏談—

軍艦二隻の進水をして海軍に引き渡し、私は東京の森さん（森さんは既に政界に雄飛していた）に報告に帰って来た。実は仕事は出来上がったが算盤をはじいてみると会社の大損だったのである。森さんに会うと「どうもご苦労だった。兎に角軍艦が無事に終わって良かった」と大いに歓迎して私の手を取って握手された。森さんは私共には無闇に握手する人ではなかったのだが、非常に喜んでくださった訳である。ところが実は森さんに叱られるために帰った私なのだから、さァこうなるともう大損をしたのだと実情を報告する訳にも行かぬ。その日はそのまゝ引き下がった。それを言ったら大目玉だと内心びくびくしていたので、これ幸いと逃げ出したものゝ、それを言わずに済まされる訳のものではない。翌日は森さんの顔色をおそるおそる窺いながらとうとう腹を決めて逐一大損の報告をしたところ、いきなり「馬鹿ッ！」と言われた。それは怒ったのではなく、森さんの例の「馬鹿ッ」なのであった。

当時の支那造船界を観るに、日支事変に於いて最初の爆撃で有名になった江南造船所が支那唯一の半官半民会社であった。もう一つ支那人経営の求新所というものもあったが、これは規模が小さく数えたてる程の仕事もしていなかった。その他には英人経営の上海造船所が一つあった。

それにしても東華造船は初め支那人の求新所に較べてさえはるかに小さく、造船所とは殆ど名ばかりで、ドックに入れるものあれば、他所のドックへ持って行って口銭取りをやるといった調子であった。しかしどうせやるならドックもやれというので森は浦東でドッグにする土地を買った。ところが前述の通り軍艦二隻の建造で大損したのが責となって一九二七（昭和二）年には解散のやむなきに至ったので、土地を買っただけでドックは遂に実現しなかった。

また、やはり一九一八（大正七）年に森は上海に於いて**上海印刷株式会社**（資本金五十万円）の創立に尽力している。小柴英侍氏を社長に、同じく竹馬の友澁谷権之助氏も重役となったが、森は他の事業の関係上表面には立たず、顧問としてこの事業の発展に努めた。

当時支那の印刷技術は未だ幼稚であり、支那人経営の印刷所には見るべきものがなかった。独り英人経営の大規模な印刷会社があって、これが支那政府や民間の主要な印刷物、例えば煙草、薬品、化粧品の美装、宣伝ポスターなどを殆んど一手に引き受けて、その勢力は支那印刷界を圧倒しつゝあって、これに対し邦人経営の群小印刷業者は、その規模に於いて技術に於いて全く比較にならない状態であった。

そこで森は文化の第一線を行く印刷業の重要性に早くも着眼し、将来この分野に日本人の勢力を扶植する必要を感じた。たまたま東京で印刷を生業とし斯界の権威とされている友人小柴氏を説いて上海に印刷会社を経営するに至ったもので、その後優秀なる機械と技術を以て遂に斯界に於ける英人の勢力を徐々に駆逐して行くことに成功している。森は直接同会社に名義を有しなかったとはいえ、その貢献は多大なるものであるとされている。

六　華森製材公司と吉林省の水力電気

森はまた一九一八（大正七）年、吉林省の森林に対し二百万円借款を結び、**華森製材公司**（資本金二百万元）を設立している。当時右の借款問題については森が次の如く書いている。

拝啓
その後御健勝に被為在候事と奉存候、扨て森林借款については小生帰着直様後藤男爵に面会要領を報告致候ところこれ丁度大兄よりも公文通牒ありて外務省方面大賛成に有之次で大蔵大臣に本借款の金融方を依頼致たるにこれ又引き受くべしとの事にて諸事安心致し居りたるに大蔵大臣の紹介したる朝鮮銀行にては何故乎瑣末の点に迄やかましき事を申立て終に期日に至る迄金融手続きを完了するに至らずため に外務省の助成などありて大分に混雑を重ね申候、尤も期日迄には中央政府の正式承認を小生迄報告致来る事に打合せ致居るに拘わらず今日に至るもその通牒に接せざる故借款金交付多少遅延致し候共小生の方には責任なき次第に御座候得共これは支那側の事にて日本側の方も大局に着眼せず徒に内規などに拘泥せるには実以て閉口憤慨の事に御座候、大兄より外務省に御架電の事も本日外務大臣より承り頗る御同感御助成感銘致仕候、大臣も貴説にはすべて賛成貴電を基として大蔵大臣に交渉相成候事に相成候間遅くとも明日中に金額交付の事に可相候と存候、何れにして当地その後の事情を報告旁鮮銀より金融を受くるに至れるにつき再担保せる事を支那側に通知手続のため藤井元一君を小生代理として明朝急行致させ候事に相成候、詳細は本人より御聞取の上可然御助成賜り度奉願上候、不取敢右申上度如此に候

頓首

大正七年七月三日　東京

森　恪

吉林

上仲尚明様

○

―藤井元一氏談―

森林借款の二百万円は当時私が朝鮮銀行吉林支店から受け取り、吉林省長へ届けたのを覚えている。その必要なしと断ったにも拘わらず支店長が心配して領事館の人を護衛のつもりで出してくれた。

華森製材公司はしかし未だ事業らしい事業をしないうちに間もなく王子製紙に譲渡され、森、上仲氏の手を離れた。

吉林省では尚、やはり華森製材と前後して森が**水力電気を興す権利**を獲ったことがある。当時支那では水力電気に関する法規もなく、地方官の許可に過ぎなかった。この事業を始めるには先ず土地の買収が必要だったので、森は極秘裏に范漢生氏（事変前京城駐在中華民国総領事）をして土地買収のため鏡泊湖方面へ派遣したことがある。それが民間から訴えられ吉林官警の知るところとなって、范氏は迫害を受けて吉林を遁れたこともあった。

この権利はその後間もなく森の手を離れて転々したが、後に満洲に於ける大倉組などの事業家の間に共同経営されることゝなった。

――上仲尚明氏談――

要するに吉林省の森林にしろ水力電気にしろ、**森は色々の権利を取り事業を開拓し、日本人及び日本国家の勢力を満洲中心部に扶植して、結局は満洲を乗っ取ろうという森の持論とする大陸政策上の抱負からやったことで、森にとっては事業の経営そのものが目的ではなかった。森は生来決していわゆる事業家ではない。徹頭徹尾政治家であった。**それは彼のなして来た色々の事業の跡を総覧しても判る事であろう。ただ彼が大陸にあって数々の事業を興したのは、少年時代からの彼の夢であったところのセシル・ローズたらんとしたからであった。

七　雙橋無線電信と森との関係

一九一七（大正六）年、デンマーク人ラーセンが、北京郊外雙橋に五百キロワットの無線電信発送電の設備をするため支那政府海軍部との間に五百万円の借款契約を結んだ。

五百キロワットといえば、当時欧州大戦時にあっては世界でも最も強力な無電で、東洋では勿論驚異に価する画期的なものであった。それで、この契約締結が同盟国側に判り、且つまた実はドイツがデンマーク人に名を借りてやったところのドイツの仮装であることが探知されるや、同盟国公使団は支那政府に対して厳重抗議した。その結果支那当局はラーセンとの契約を破棄するに至った。

以上の経緯を北京の事業家にして森の知己である鮑宗漢が知り、「それを日本がやってはどうか」と森恪事務所に相談を持ち込んで来た。当時森は東京に居たので、北京の森恪事務所からこれを報告すると、森は直ちに「我が国として必要であるか否か先ず研究せよ」と電命を発した。

そこで北京森恪事務所の井坂秀雄氏が公使館海軍武官伊集院俊大佐（後に鹿児島市長）に意見を叩くと、伊集院大佐は即座に「それはどんなことがあっても必ず日本で取らねばならない。君達の手で是非とも契約を取って貰いたい。五百キロワットの発送電が支那に出来たのでは軍艦の電波が撹乱されて我が海軍は戦争が出来なくなる」というのであった。現在では五百キロワットの発送電で海軍の無電が悩まされるという事はないが、当時としては非常な驚異であった。次いで代理公使芳澤謙吉氏を尋ねると、芳澤も「海軍でそういうなら、よかろう。是非やり給え」との意見であった。そこで井坂氏が以上の如き研究の結果を森に報ずると、森からは「では着手する、支那当局との交渉はそちらで直ちに適当な処置をとれ」との返電があった。一方森は直ちに三井物産に交渉し、三井がアクセプトして五百万円資出し、表面は三井洋行として契約する事となり、その衝に当ったのが当時の三井物産北京支店長大村得太郎氏であった。

その後多少の経緯もあり、不調に終わりそうな形勢にもなったりしたが、結局折衝の結果、支那海軍部との借款契約が成立した。ところが交通部が、無電事業は交通部の権限に属すると横槍を入れ、一方に於いては殆んど時を同じくして交通部はアメリカと契約して眞茹に無電台を設備する三百万円の借款契約を結んだ。かくして結局は雙橋にも眞茹にも無電台が出来たのであった。

雙橋無電台は実現したが、その後使用せずに放置されていた。一九二三（大正十二）年九月の関東大震災の時初めて活用されたという。

「儲けるためではなく、これは国家的事業として是非ともやらねばならぬ」と言って森さんが裁決して三井にやらせたもので、直接に森恪事務所の仕事であったとはいえないが、森さんのやられた仕事には違いない。それにつけても先駆者としての森さんの偉大さを、時が経つにつれていよいよますます深く覚える。

—井坂秀雄氏談—

八　隴海線鉄道と森恪

森は欧州大戦勃発直後、前後二回に亘って支那奥地へ調査員を派遣した。

第一回は一九一六（大正五）年の春で宮崎嘉一、栗野俊一の両氏、第二回は翌年八月で大道寺徹、和田重次郎、高畑亀之助の諸氏が着任し、第一回は北京から河南、陝西、甘粛の三省へ約三ヵ月の旅行、第二回の旅行は約八ヵ月を要した。

―大道寺徹氏手記より―

北京より京漢鉄道にて鄭州に出てそれより隴海鉄道にて河南省の観音堂駅に至る。観音堂駅は当時隴海鉄道の最西端駅なり。これより徒歩山谷関、潼関を経て西安に至り一寸北進して陝西省の三原（西安の北約九十支里、北陝西の富裕地）を観、更に西安より伊犂街道を進み平涼を経て蘭州（甘粛）に至り地方状況を顧慮して西進を止め、南方秦州より陝西省鳳翔に出てこれより秦蜀の桟道を越え四川省に入る考えなりしも、都合により取り止め、西安に出て秦嶺方面に遊び、引返して河南省の観音堂駅より、鉄道にて洛陽を経て江蘇省の徐州を経、南京より上海に出ず。これより海岸線を青島に出ずる企画なりしも沿道不安なりし故中止して鉄道にて天津を経て北京へ帰る。

（中略）二十五、六年前の事にて夢の如き心地致候、この旅行は丁度白狼匪憂乱の行動を尾行したるが如き結果となりたる観あるは可笑しく御座候、勿論この旅行は海蘭鉄道（**隴海鉄道**）予定線沿道視察も或は目的の一なりやも知れず、これは支那に於ける列国の鉄道利権争奪戦時代の一現象にて当時日本にこれを建設する実力無かりしも、日本も支那に於ける鉄道利権には大いに関心を有し、他国のなすところを袖手傍観するものに非ざるの意気を示したる一例乎とも存候。

当時事務所でも単に支那奥地の物資輸出のための調査とのみ考えていたが、実は単にそれのみだけでなく、森は実に遠大な抱負の下に以上二回に亘る大調査を行わしめたのであった。

支那本土の中央を東西に走る大鉄道隴海線は、白耳義（ベルギー）の借款団と支那政府との借款契約によって出現したもので、運輸もその一部を白耳義借款団が受け持つことになっていた。ところが欧州大戦勃発し未完成のまま中絶された。しかるに同契約によれば半年以上も工事不履行の場合には契約が取り消されることになっていたのである。

そもそも隴海鉄道は支那大陸中央部を東西に貫き、その延長は更に中央アジアを通って遥かに欧州へも突き抜き得る大鉄道で、アジアに於ける最も主要な幹線をなすものである。その意味からこの線を我が国の勢力範囲に掌握することの政治的重要性を考慮し、森はこれを肩代わりしようと企画した。これより先、森が中日実業で交通借款を結び交通部当局に接近したのも以上の如き遠大な腹案を腹に持って居たからで、彼の深慮遠謀は当時事務所員さえ推し量り難き偉大なものであった。

二回に亘る調査員の**旅行の目的は即ち河南、陝西、甘粛の三省、主として後の隴海線沿線の物資集散状況の研究が主なるものであった**のである。

調査員の調査報告を研究した結果、森は確信を得たので、北京森恪事務所の井坂秀雄氏をして交通部総長許世英に交渉させると、許総長は「あとを引き継いでやってくれるというのは好都合である」と即座に内諾した。森はそこで「ではやろう」といよいよその準備工作に取り掛かる時分になったが、折悪くもある疑獄事件に連座して許総長が議会で弾劾され失脚し、代わって葉恭綽が交通部総長の椅子についた。

葉氏は許氏とは別派であったため、許総長時代の内諾だけでは交渉の仕様もなく、折角途中まで進んだ計画も断念するの止むなきに至り、かくて森の遠大な抱負もこゝに挫折したのであった。幸いにして右の計画がもしも実現されていたら、東洋のセシル・ローズ足らんとした森の理想も或は夢にのみに終わりはしなかったであろう。

ともあれ森の計画した海徐線は、現在の隴海線として殆んど森の予定線と同じ線として実現されたのであるが、当時の森の鉄道計画は大略次のような高徐線（これはその後も実現されなかった）と海徐線の二線で、森はその敷設の急務を左の理由から提唱している。

高徐線又は海徐線敷設の急務

北江蘇に於ける洪澤湖周囲より宿遷を中心としたる地方及び南山東の沂州、莒州付近の広大なる地域が周囲各地の発展に比し、更に進歩発展の見る可きものなく、依然として土地荒廃、只徒らに塩梟土匪の跳梁に委されつゝある所以のものは、実にこの地一帯が人文開発の血脈たる交通運輸の便を有せざるに起因す。故に先ず海蘭線の終点たる徐州より山東鉄道の高密に連絡すべき一線並びに徐州より直下海州に達する鉄道を敷設し、物資輸送の途を開き民生の便を計らば、該山一帯の未開の富源現れ人文開発の先を作る事を得べし。海岸線を擁する本鉄道の敷設は唯に地方の開発のみならず、国家の自衛上最も緊急要事たるや言を俟たざる所なり。元来この地方は国家の要路を隔てること遠きを以て特に利便の法を講ずるにあらざれば終に開発の期なからん。よって地方人民の苦を救わんがために進んで本鉄道敷設の計をなさんと欲す。特に鉄道の敷設一は啻に人文物資の開拓に効あるのみならず、該地方の治安を保持するがため必要欠くべからざるものなり。

《支那に於ける森の事業を総括する》

以上、主として森が政界に入った前後の時代を通じての南北支那に於ける開発事業の全般に亘って大約を述べて来たが、これを要約すると、**鉱業に電業に工業に産業各般の開発**のため絶大なる経綸を画し、以て或は塩業を興して我が国曹達(ソーダ)工業の発達を促進せしめ、或は江蘇沿岸に**燐鉱**を開発しては肥料界に優秀なる原料を供給し、**炭鉱**を開き**鉄山**を開発して燃料界製鉄界に多大の貢献をなし、**マグネサイト鉱業**を興しては軽金属工業の発達に寄与し、更に**造船**に**紡績**に**製材**に**印刷**に、凡ゆる部門に亘ってその範囲は実に広大というべきである。

しかもそれら**創業の精神たるや悉くこれ国家及び東亜の現在より未来への発展を理想とする烈々たる憂国の至情から発露したものであって、遂には彼をして事業家としては踏み止まらせずに、これを駆って敢然政界へ飛躍せしめた所以のもの**で、即ち燃えるが如きその浪漫精神の発展的高揚の姿に他ならない。

幼少期に早くも芽生えたこの精神が彼をして大陸へ雄飛させ、祖国をして東亜の日本、世界の日本として彼に自覚させ、現実への認識を深めさせるに従って政治家たらざるべからず結論に到達させ、遂に政治的実際行動を後生の天命としてこれに身を挺した彼の一生を通じて滔々として貫き流れ、理想家的革新的力とし、

血として事々に随所に表現されたのであった。
従って、第二維新の黎明に「亜細亜に還れ！」と獅子吼して早くも革新の警鐘を告げた先駆者森恪の、いわゆる扁々たる代議士業者、人気取り政治家でなかった正体と真価は、彼の過去遠く支那に於ける事業家時代に遡ってこれを検討吟味せずして断じて評価するを許されない。

以上述べて来た森の事業の跡を通覧しこれを総括するに、開拓した事業が各般に亘ってその数の多い割に、各個に継続され完成されて、その後これらが森の遺した事業として指摘されるもの僅か一、二を数え得るものであることに気付かざるを得ない。

これは何故であろうか。**また何を意味するであろうか**。一応我々はこの疑問に当面する。しかしながら即ちこの現象は、彼の仕事はすべて手段であり過程であって、事業そのものが彼の第一次主義的目的でなかったことを証明するものであって、彼はそもそも事業家に非ずしてその根底に於いて質に於いて常に政治家にあったことに思い及べば容易に納得されるところであろう。「**森は生来いわゆる事業家でなく、徹頭徹尾政治家であった**」と語る莫逆の友人上仲尚明氏の言葉は蓋し至言である。

とはいえ、彼の開拓した事業がすべて無意味に泡沫の如く消え去った事実をもって、事業家としての森の価値を否定するものではない。

例えば桃冲鉄山の開発から東洋製鉄株式会社を興し、更にこれを八幡製鉄所へ譲渡したが、大資本へ合流することによって発展拡充せしめているのであって、結局は、事業自身は森の手を離れたとはいえ、それが国策的にはより一層大なる組織の中へと発展して、換言するならば**森の事業とその創業の趣意がそのように変貌して今も尚継続されて生きているのである。**

以上の如くに検討して来ると、事業家としての森の特殊性ともいうべき一つの性格が明瞭になって来るし、同時にまたそこにこそ事業家森恪の充分に評価さるべき確固たる領域があるであろう。

森の遺業を継承して来た唯一の存在たる**中公司**は、前身**森恪事務所**の時代からその後二十余年間、前述の如く始終一貫して支那、主として長江筋に於ける鉄鉱資源の開発と、これの日本向け輸出に専念したものであるが、日支事変後国策会社**華中鉱業**が設立され、中支諸鉄山統制の結果、これらの事業はすべて同会社に包容せられ、中公司は事業の全部を失うに至った。森の存命中にも、例えば錦屛公司には七十余万円、福利民公司には六十万円、振冶公司には三十万円投資している。

而して事変前に中公司が関係していた福利民、裕繁、振冶、寶興、益華、錦屛などの諸公司に於ける有形無形の権益は実に少なからざるもので、これを喪失した中公司の大打撃は全く致命的といわなければならない。華中鉱業成立後辛うじて振冶公司の鐘山のみは中公司に下請けさせることゝなったが、一九三九（昭和十四）年一月に至って、「諸般の関係及び既存権益は寸毫もこれを認むる趣旨に非ず」の通達に接し、中公司は以降、鐘山並びに海州鉄山の権益につき華中鉱業並びに当局に対し請願を続けたと聞く。

——沖津保平氏談——

華中鉱業は昭和十三年四月に設立されたものだが、同年三月洪大佐（同社顧問）が同社創立委員会の席上で雑談中、「太平付近の鉄山が直ちに日本国家の御用に立つに至ったのは森恪氏の功績に負うところ多大である。

仕事が具合よくなったら馬鞍山（積山碼頭）に森氏の銅像を造って記念とするんだね」と言った。森さんが支那鉄山の最初の開拓者であったことはこゝに言うまでもない。そこで私は「必ずそれの実現されるよう御配慮ありたい」と答えた。単にこの雑談のみを以てしても同会社設立に当たって故意に中公司を度外視することは能わなかったことを認識した証左であろうにも拘わらず、中公司のすべての権益を取り上げて解消を企む如きは言語道断である。

しかし乍ら、中支資源開発に努力した森並びに中公司の過去の多大の国家的功績については、洪大佐始め華中鉱業幹部中にも充分の認識を有する人々もいるであろうから、やがて中公司の既存権益も華中鉱業に於いて認められ、森の過去の功績も世上一般に広く認められる日が遠くないと思われていた。

第六章　森恪事務所の事業

《森恪事務所・中公司》

本章では森恪事務所関係の事業を通覧して、彼の事業的というよりはむしろ多分に政治的功績を明確に評価すると同時に、彼の一貫した国家主義思想とその人物を摘出するのが目的である。

森恪事務所の創立は一九一七（大正六）年三月で、本部を東京市麴町区永楽町東京駅前の東京海上ビルディングに置き、上海、青島、北京に各々支部を設けた。

森が初めて衆議院議員に当選したのは一九二〇（大正九）年だが、政友会に入党したのは一九一八（大正七）年であった。従って、年代的には政治家森恪を反面的に持つところの事業家森恪に接する事となる。

森恪事務所は、単に事業家の事務所とはその面目を全く異にしていた。森は単なる雇主ではなく、又所員は単なる使用人ではなかった。**事務所の人々は一身一体であり、事務所は一城一家であった。森はその家長であり、城主であり、絶対的権力者であった。**森は事務所に於ける森一党の団結強化を図るため自ら筆を取って覚書を設定し、部下とその団結を誓った。いわば森恪事務所のスローガンであり鉄則である。

覚　書

一、森の理想主義を一同の理想主義としてこれを実現するがため一同は一切を挙げて没頭する事を誓う。
二、一同は森を首領と指定、すべてに対し森の決定に絶対服従す。
三、首領の倒れたる場合に於いて新首領を選定すべし。

四、新の団員を加入する場合は団員全部の同意を以てこれを許可す。

大正十三年五月三十一日

森　恪

その後、支那に於ける関係事業を着々整理するに伴い、北京、次いで青島の各支部を閉鎖し、東京と上海のみとなった。その後一**九二七（昭和二）年四月、中公司と改称した**が、それは森が田中内閣の外務政務次官に任じられたからである。

森恪対中公司の権利承継契約証

森恪事務所は昭和二年四月二十二日付を以てその有する一切の権利及び義務を株式会社中公司に譲渡し、株式会社中公司はこれを承認したりため後日契約証依而如件

昭和二年四月二十二日

森恪事務所　森　恪　㊞

株式会社中公司
常務取締役　寺田春二　㊞

政治家森は、事業家出身であり経済事情に通じていたのみでなく、例えば大陸政策の経綸にしてもその企画し提唱した政治的行動のすべてが、政治の基礎建築としての国家経済の確立という一貫した目的の上に厳として立脚していたのであるが、これこそ彼の不動の信念の原動力をなしたところのものであり、同時に彼をして一世の稀に見る剛毅な政治家として世にクローズアップして見せたものゝ正体である。その意味に於いて彼の事業家時代はやはり政治家森恪そのものの準備期間時代であったことを今更の如く痛感せざるを得ない。

一　小田原紡織と山十製糸

一九一八（大正七）年、森は**小田原紡織株式会社**の取締役となり、国家重要産業としての紡績事業に貢献した。同社は社長飯田義一氏、常務益田信世氏であったが、事業振わずこれを援助する意味で森は重役に推されたのであった。

森は、就任と同時に部下木村寛一氏を同社総務部長に据えて、直ちに案を建て改革に邁進した。資本金三百万円を間もなく六百万円に増資し、事業は俄然活況を呈するに至った。

森は平取締役であったが、如何に同社の事業に熱意を持ち、その振興発展を図ったかは次の書簡を見てもその一端がおよそ窺われるであろう。

小生儀今夜遅く小田原より帰京仕り十六日付御書面本朝忝拝見仕候、荒川氏宛信世君出状は御注意に由り取調候ところ、間違いなく夫々発送済みと相成居り荒川君も明朝着京新撰技師候補者も同道致参る由申越候間御放慮被下度候、明朝荒川君着京の上は直に信世宅（わざと今回だけは会社を避けたり）に於いて武智、小柴、信世、荒川並びに小生参集して協議致し、衆議一致を見たる上、これを貴下に御報告申上御承認を得たる場合は該協議会を正式重役会として手続き致直に実行に取懸る事と致度と存候、約前後七時間程工場に入り研究の結果によれば、

一、大体に於いて順調なり、創業時代としては成績寧ろ良好と認む。

一、今や創業時代を過ぎ整理時代に入らんとする過渡期にあり。

一、各担任者に緊張せる気風なし。

一、消耗品の取扱い頗る乱雑にてこれを整理するだけで一通りの成績を挙げ得べし。

一、現在の人数と費用のみにて組織上に幾多工夫の余地あるものゝの如し。

一、帳簿と店内の方は見る時間なかりしも只今のところは大体佐藤に任せ置き工場の方を取りまとめたる上にてこの方に手を下して差し支えなきものゝ如し。

一、心を仕事に集中せしむるためには当分の間小生度々出張する必要あり。

一、工場の仕事を幾種にか区分して部分的に関係者の智と力を働かせてその革新を計るを善とするが如し。

一、仕事の上の参考材料皆無故これを工夫する必要あらん。

などが直覚的意見に御座候、何れこれらにつきては各位と研究の上御取捨願い出る心組みに御座候

乱筆ながら不取敢右申上候　　頓首

大正八年八月十八日　　森　恪

飯田義一大人

森はこの事業に臨むやその抱負は遠大であった。彼は国家重要産業の一つとして紡績事業を重視していたが、やがて小田紡の基礎が建て直り革新されるや、更にこれを拡大発展させようとの計画を立てた。即ち森は小田紡に関係して約一年後には、相模紡、富士紡などを併呑し、これを小田紡の支配下に統合して、大資本をもって国策上から紡績事業の発展を図ろうと計画を進めたものであった。

それについては木村氏に向かってしばしば次のように言った。

「相模紡、富士紡を合併させることは訳ないことだ。そのつもりで研究しておいてくれ」

更に三井物産の某氏を富士紡に入社させたのも、合併の準備としての森の工作であった。これは森の在任中に実現までには至らなかったが、それと同時に一方満洲方面にもこの事業を興そうとして天津に五百万円の会社を設立する計画を立てた事実もあったことを合わせ考える時に、紡績事業に対する森の抱負の奈辺にあったか、また国家産業として如何に重視したか、大略察せられるであろう。

森さんの計画はいつも大きすぎて、私らとしては突飛過ぎるように考えられることばかりであった。それでその当時は唯ぼんやり聞いていた訳であるが、ずっと後になって考えると決して無意味でも出鱈目でもなく、

――木村寛一氏談――

いずれも筋道の立った計画であったことに気付き、成程森さんは偉かったのだと感心する。また森さんは何事につけても「報告書を出せ、調査書を提出しろ」とすぐ言う。ただそれを作成して提出したところで「よろしい」と言われたことは一度もなかった。「これでは駄目だ、研究が足らん」と突き返す。幾度作り直して出してもそう言われるのである。実は種々に作成させて一々それに眼を通し、森さん自身がそれによって研究するためであったらしい。だから森さんは何事につけても実に詳しく通じていた。

一九二三（大正十二）年九月一日の関東大震災時に小田紡井細田の大工場が崩壊し、職工二百名の死者を出し、致命的損害を蒙って再起困難を告げた。更にドル払込金を徴収してこれを復興すべきか、或はまた解散すべきかの決定を擁する事となったが、結局森の解散説に従って株主総会は遂に解散を決議した。

かゝる場合には重役としては事業の継続を希望するのが普通である。特に森は小田原地方を選挙区とする代議士であった関係上一層会社の存続は好都合なのであるが、森は私的立場を顧みることなく、株主全体の利害を考慮して会社の方向を定めたのである。

これについては当時やはりこの会社に顧問として関係していた藤田秀雄氏が、

「森さんが重役として株主に対する誠意の深いことには全く感服した」

と語っている。

森はまた山十一族から頼まれて**山十製糸株式会社**の復興にも随分尽力した。同会社は、一時は片倉製糸と肩を並べる我が国第二位の大製糸会社であったが、種々の蹉跌から金融困難に陥り、一九二八（昭和三）年森はその救済方について藤田秀雄氏に左の如く説いた。

「我が国の製糸は、その原料たる繭が日本の土地及び日本人の努力によって造られるのであるが、その製品の最大部分は外国に輸出する事業であるから、農村振興と国際貸借の関係から是非ともこれを保護し、その発展を助長しなければならない。この意味で山十製糸を更生したいと思う。君は他の仕事を断ち、表面から山十の人間となってその復活に努力を払っては如何」

当時森は外務政務次官在任中で表面には立てなかったのである。そこで藤田氏は森の言葉に従って山十製糸の代表取締役となった。しかしながら不幸にしてその後我が国の製糸業界は状勢不振の一途を辿り、山十製糸は復活の機会を得ず債務累積のため一九三一（昭和六）年遂に倒れた。

この間、森さんは国家の重要産業たることゝ、多数従業員及び農家の福利について大なる関心を持ち、個人的には何ら報わるゝところ無かったに拘わらず、非常に忙しい政治生活の中にあって一方ならぬ尽力された。

―藤田秀雄氏談―

山十製糸は以上の如く終に再起不能にして倒れたが、その事業は債権者によって数個の製糸会社に分立した。その中で山十の優良工場を糾合したものは安田銀行の後援による昭栄製糸会社で、同会社は一九三一（昭和六）年に創立され引き続き営業していた。

二　南海漁業公司

森が琉球近海に漁業を試みたのは大正の末期、多良間燐鉱開発事業準備中であった。たまたま同方面の漁業の殆んど未開なのに着眼した森は、これを開発し、引いて遠く南洋にまで漁業を開拓せんとの企画を抱いた。言い換えれば我が国漁業の進出と南洋開拓の一助として先ず琉球にそのテストを試みた訳である。

最初大島與吉氏が琉球に於ける定置網、八田網（はちだあみ）などの漁業権を三、四十件得たのに端を発し、これを森に譲渡することゝなり、森はこれに出資し事業化を計り、部下の日笠正治郎氏をして一九二二（大正十一）年五月、鰹釣を目的として船を琉球に派した。（南海漁業公司）

漁船は最初の計画では現地で雇入れる予定であったが、現地には良い船がなかったので先ずこれを新造した。三十五馬力・八ノットの石油発動機船で二十屯と十八屯の二隻であった。

昔、源為朝が初めて上陸したと伝えられる由緒ある小漁港運天（うんてん）に根拠地を置いて、そこに加工場を設置した。鰹釣には生餌を用い、鰯が最良とされているが、琉球近海には鰯がいないので代用として鯵を獲っていよいよ鰹釣に出帆した。

漁業権の中で定置網や八田網の権利は即ち餌を獲るための漁業権で、それがないと漁船は餌に困るからあらゆる方面にその権利を取っておいて、どこでゝも餌を漁船に供給出来るという準備手段が必要なのであった。

ところが餌が内地の鰹漁船に比べて劣っている上に、鰹は予想したほど釣れなかった。それでも約三ヵ月間漁労を試み、獲った鰹は早速加工して鰹節となし、前後二回東京で売捌いた。しかし地元の漁師には良い釣手がなく、はるばる島根県から鰹釣師を、土佐から加工職工を雇い入れたりしたので経常費が意外に嵩み、それが引き合う程度までは釣りの成績が上がらなかったので、結局収支が償わなかった。

しかしこの失敗は漁獲量の予期に反して不漁続きであったによること勿論であるが、もっと根本的な原因は漁業権に対する認識を欠いていた故で、森にとっては良き経験であった。即ちその漁業権は相当なもので鰹漁のみならず他の一般漁業も独占的に並行可能と思い込んでいたが、実際は誰にも容易に認可される種類のものに過ぎなかった。

あの事業も漁獲額の予算通りの成績を挙げ得たならば、必ず相当有利な事業であり、また事業の性質からしても、我が国としても大いに発達を図るべきものであったが、失敗のまゝ中折したのは返す返すも残念である。

—日笠正治郎氏談—

森はこの試験事業に結局私財約五万円を投じた。事業そのものとしては失敗であったが、その後間もなく我が国事業家らが南洋漁業開拓に乗り出す事になり、森の研究と経験が陰に陽に多大の貢献をなしたもので、その意味に於いて先駆者森の企画が断じて無意味ではなかったと思われる。

三　多良間島の燐鉱開発事業

森が琉球多良間島（たらまじま）の**燐鉱開発事業**に着手したのは一九二〇（大正九）年であった。この事業は、森のかねてからの抱負である**南進政策の第一歩**として着手されたもので、その具体的な計画を立て、また実際の仕事を担当したのが山田慶三郎氏であった。

山田氏は、森の部下であると同時に旧友であった。商工中学時代の同級生である。卒業後森は三井物産修業生として上海に渡り爾来十数年支那にあったので、その間山田氏は久しく森に会う機会がなかった。森が東京海上ビルに森恪事務所を持った時に、たまたま山田氏が藤井元一氏、松山小三郎氏らと共に森の傘下に集まったのである。

近代国防の最前線は飛行機によって支配される。飛行機の機体は殆んど軽合金を以て構成され、発動機にも多量の軽合金が使用されている。一言にしていえば軽合金なくして国防は確立されなくなったのである。

従来よりアルミニウムは台所道具として大衆生活と深い関係を持ってきたが、これはアルミニウム中の低級品で、こゝに述べる軽合金は純粋に近いアルミニウム鋼、マンガン、マグネシウムなどを配合した合金で、これを**アルミニウム軽合金**と称するのである。そして当時三、四年前までは我が国にはアルミニウムの生産はなく、全部輸入していた。アルミニウムはまた自動車その他の軍需品の資源として絶対必要なものであるから、これが国産化は過去二十年来の懸案であった。

しかし我が国にはアルミニウムの優良なる原鉱石、即ち世界各国が多年研究実験した結果、優良な原鉱石として確認した**ボーキサイト鉱**がないために、明礬石(みょうばんせき)又は礬土頁岩(ばんどけつがん)（朝鮮又は満洲産）などの如き劣悪な貧鉱石を処理する他になかったので、この問題の解決は文字通り悪戦苦闘であった。

その後漸くこの難関を突破してアルミニウムの国産化が実現されるに至ったが、前述のアルミニウム軽合金その他に使用し得る純粋に近い優良アルミニウムの採算的生産には達していない。

二、三のアルミ製造会社はできたものゝ、例えばそのうちの日本アルミニウム会社（三井、三菱、住友、古河四大財閥合作）にしても、スマトラ産ボーキサイトを輸入して精錬を開始し、辛うじて僅かに月産二百五十屯（年産三千屯）程度の優良アルミニウムを生産し得るに過ぎず、他のかゝる高級品は採算的に算出し得ない現状にあった。しかも日本アルミニウム会社製品と雖も原鉱石を海外に依存する以上未だ完全に国産とは言い難かったのである。

森は早くもアルミニウムの将来性を認識し、国防上の必要から我が国がその資源を持ち、アルミニウム製造の自給自足を図るべきことを痛感した。海州錦屏公司の燐鉱山開発事業はそのためであったが、同鉱山は埋蔵量も相当豊富で品質も中度物であった。

その頃森は二十万円を投じて大日本人造肥料会社の株式を取得し、肥料界を東西に横断し、西に住友あり東に森恪あらしめんとの計画の下に、海州燐鉱の他、更に琉球多良間島に燐鉱試掘を試みた。（多良間燐鉱公司）

一九二三（大正十二）年六月、森は琉球本島運天に本拠を置く**南海漁業公司**及び多良間島の**多良間燐鉱公司**の現場視察に赴いている。

多良間島は、宮古島と石垣島の中間に位する周囲三マイル余りの小島で、宮古島から約二十マイル、船で約四、五時間を要する。

拝啓

昨日十時過ぎ当地来着致候、降雨甚だしく迚も見学出来不申と存候間永原は直ちに九州に渡らせ鹿児島へ直行致させ候、小生は大吉楼に参り田中隆君と会見致候、田中君は二十七日頃上京由也、東京にて小生自動車使用致度由申出候承知致置き候、差し支えなき限り御貸被下度候、中村組堀井氏は神戸に行き不在、若松の支店長門司に来り小生を待ち受け居り、門司と下関にて電話にて打合致二十二日朝迄に鹿児島に来て呉れる事に致候、三井島田君は上京中の由なり、枝光の上野君出迎えてくれ種々に製鉄所談聞取申候、桃冲の探鉱は製鉄所側としては余り執着は致居らぬ由に候、要するに次長らが勝手な行動をなしたるに過ぎざるやに御座候、九州一帯大変な雨に候、鉄道も不通の恐れなきや懸念致候、本朝この地発直行可致候、原田君の病状如何あるべきや誠に心配に御座候、人肥の二神君先日来この方面に来遊致たる由に候

匆々

大正十二年六月二十一日

下関大吉にて

恪

東京

松山小三郎様

和田君は帰路製鉄所並びに安川家に顔を出して行くが宜敷と存候

昨夜下関を発す、中村組の人と坂東と停車場に来り居りて面会す、田坂・坂東両氏は夜汽車にすると申居たり、小生のみ門司より乗車す、福岡県一帯大出水民家浸水気毒千万に候、汽車久留米を過ぎて大牟田に入れば雨は知らぬ間に晴れて西日輝々として車窓にあり頓に暑さを覚え申候、北九州の惨憺たる光景に反し熊本県は青嵐野にあり男女嬉々として耕転に従事せる有様なり、僅かに四、五十マイルの差にてこの大変化あり、人事変化如かくものにあらざる乎、夜十時鹿児島に着す、永原と薩州館の主人停車場にあり、雨は烈しきも門司博多の如き事なく静穏に一夜を過ごせり、本日はこれより市長伊集院俊君を訪ね幸に午後出帆する様なれば直に乗船するつもりに御座候、田坂・坂東らは正午に来着致す事と存候

匆々

大正十二年六月二十二日　鹿児島薩州館にて

恪

東京

松山小三郎君

本朝松本君宛に報告書に加筆して郵送致置候、二十三日大義丸にて三時頃鹿児島を発して十四日午前十一時半大島着、午後二時発、二十五日朝七時当那覇へ安着致候、本日午後四時宮古丸と申すが出帆致す筈故これにて宮古に渡り可申候、沖縄の風物は極めて趣味多く覚え候、在那二日昼夜接客に追われ寧時無之名所の見物も不致候、思いしよりは涼しく候、身心頑健御安心被下候、県よりも土木の専門家を多良間へ出張さす事と相成小生と同行可致候、永原・坂東らすべて元気に候　匆々

大正十二年六月二十七日

那覇にて

恪

東京

松山君

右の森の手紙にある通り、当時森に随行した森恪事務所の永原正雄氏の手記を左に抜粋する。

—永原正雄氏談—

大正十二年六月十九日、森氏は当時森恪事務所傘下にて経営され居りし南海漁業公司及び多良間燐鉱公司の現場視察のため永原正雄御供致し東京出発、鹿児島にてこの行を共にする中村組船舶監督の田坂與一郎、多良間燐鉱公司の坂東精一両氏と落ち合い那覇へ渡り、同月二十七日和田沖縄県知事、花城代議士ら政客多数の見送りを受け宮古丸に乗船、翌二十八日宮古島着同島一泊、二十九日朝いよいよ目的地たる多良間島へ渡る事となったが、普通には便船なき所故、多良間燐鉱公司所有船金剛丸（発動機船）が迎えに来る筈になっ

て居ったが、どうした訳か影を見せず、尤も旅程の途中から打電したがその電報が島の公司へ届き居るや否やも不明な次第故、森さんは「予定通り行け」とて遂に他の船を雇うことにしたが、注文通りの船なく、漸く十五馬力位のポンポン蒸気隅田川の伝馬船くらいの石油発動機船栄山丸というのを取り極め、一行はこれに乗り込み、午前四時宮古島を後に多良間島へ向かった。一行は森氏と私と新聞記者一人と他は船長だけであった。このような船なら宮古・多良間は大体六、七時間で達する予定であったところ、出帆以来既に七時間を経過しても島の影さえ見えなかった。黒潮に流されたのである。行けども行けども果てしない大海の真只中であった。折悪く風が次第に荒れ、船は木の葉のように波に翻弄されるばかりであったし、羅針盤一つない小舟のことで、曇天で雲が濃く太陽の所在が不明なので船の位置を知る由もなく、船長は何十年も船乗りしたという男だが、黒潮に流されてはどうする事も出来ない。おまけに発動機に故障が生じて、今は波任せの他はないと船長から宣告された時にはどうなる事かと心配でたまらなかった。すると森さんは「永原もう駄目だぞ。もしも流れて無人島にでも着いたら二人で百姓でもして時の到るのを待とう。又ひっくり返ったらこの辺は鱶が多いから食われて死ぬ他はない」と言われて船の中へ大の字になり寝転んでしまわれたので、私は森さんの覚悟のよさに感服し成程森さんの言われる通りだと覚悟を決める他はなかったのである。一同は運を天に任せ船もろともに海の藻屑となる腹を決めて、破れた帆木綿を引き裂き皆の身体を縛り付けたが、波はますます激しくごろごろと船中を転がって少しも安定することが出来ない始末であった。しかしながら責任を重んずる船長は、必死になってエンジンをいじくっていたが、どうしたはずみか幸運にも発動機が動き出した。その時の一同の喜びは言葉に譬えようもなく全く生き返った気持であった。そうして午後四時過ぎになって漸く多良間島の島影を遥かに発見した時に一同は雀躍して思わず歓呼の声を挙げた。かくして一同は急に元気付いたので宮古島から携帯して来た日の丸弁当二食分を水も飲まずにパクついたのだが、その時の弁当の味は生まれて初めての美味で、森さんもその後「あの握飯の味は天下一品だった」と幾度か話されたものである。森さんが大の字になって、どうせ死ぬんだと大きな気持ちを示され、少しも心配の顔をせず静かに船長に任せたから、船長も心を落ち着けてエンジンを動かす工夫を凝らすことが出来たのであろう。そこにも森さんの偉大さを見ることが出来ると思う。さて午後四時過ぎになって森さん始め私共一行が漸く多良間島の白砂に第一歩を印したのであるが、上陸するとつい二、三時間前のあの生死の境を逍遥した恐ろしい不安などけろりと忘れ、森さんは例の頑張りでもって、殆ど休息も取らず早速現場視察をされたのであった。島へ渡って四日目であったが、同島村長その他有志者によって森氏一行歓迎会が島に唯一の小学校内で催された。その時の森さんの演説は大体左のような要領であったと記憶する。

「諸君私が先に村長様から御紹介いただきました森恪であります。失礼ながら旅行中略装で且つこの高座から一同を代表しまして御挨拶致す事をお許しください。私も疾くに一度御当地に参り皆様にお眼に掛かり親しく御高話を拝聴いたしたいと思っておりましたが、何分にも多忙の身でありまして、今日まで延引した次第でありますが、漸くこの頃僅かの暇を得まして参ったところ、御歓迎に預かり深く感謝致します。

最初山田を派遣して燐鉱に関係せしめましたが、中頃支那や三井に事業の関係ある者及び燐鉱に関係ある者まで皆手を引いてしまったのであります。ただ一介の技師が望みないと言ったくらいで従来多額の費用を投じて採鉱したものを直ぐ様断念するわけにも参りません。御当地の人は儲けのためだから当然と思召すかも知れませんが、しかし私共関東に居る者ははるばるこゝ迄来なくても仕事はいくらもある。然るに二ヵ年間継続した今日も仕事になるか否か確信がない単に男の意気で始めているので、仕事になるかならぬか力を入れて研究中で、結果は未だに分かりません。よって大きな顔して援助してくださいなどは遠慮すべきであります。失礼乍ら普通の人情からいえば、従来私共の態度が悪かったかも知らぬが、名を捨てゝ実を取る方針であるから無礼者と思われたのでありましょう。今回突然参上したのも、有望であるから参ったのではない。多数の友人や私の先輩からは気候風土人情の異なった上に交通は極めて不便のところに行き金をかけて部下を労しめるのは決して賢い事ではないと忠告を受けた事も幾回か知れません。東京付近よりも生活に苦痛の多いこの遠隔の地に三年に垂んとする苦労をさせながら、これを少しも見てやらぬという事は私の性質上忍びないから、これを慰めてやりたいと思い、一ヵ月くらいの時間を割いて俄に思い立って来たわけで、内密に来て引き取りたいと思います。私も皆様のお宅に参らず、却って村長その他、二、三の御訪問を受け且つかく多数御集まり下され望外の喜びと同時に心中慙愧を感ずる次第でありますが、前申す通りの事情故御容赦願います。

さて私のこの事業の消長は当村の皆様に少なからず影響あろうかと存じますから、この機会を利用して仕事の事情を大略申し上げお礼に代えます。一体事業にも商売にもならぬものを将来どうするつもりか、施設をする価値があるか否かというに、すべて全く不明で研究の途中にあると言わねばなりません。かゝる事情にあるという事は当地の皆様の方が却って御詳しい事と存じます。野天原の事故秘密もないが、費用をいくらかけたかも分からないでしょう。燐はどこにでもあると言ったところでこの貝殻を拾って商売になるか。港の施設をするだけの燐があるのかどうか。実は御承知かもしれませんが東部の塩川（地名）の各所を掘ったが思わしくなかったのです。技師を呼び燐に経験ある学者を顧問として調査しましたが不得要領でありました。塩川を中止して長嶺（地名）方面に手を付け、莫大な時間と力と金とを費やしたが不結果だったので、再び塩川に着手し、ある程度まで発見したが、どの辺に多量にあるかが分からない。今日十ヵ所や百ヵ所掘って五千屯や六千屯で何になるか。港の設備は数十万円を要するのです。又燐鉱の掘り出しにも数千万円は要ります。この費用を如何にして償うかは問題であります。しからば燐鉱が全く無いのかというに、あることはあるのですが量が少ない。それで経済的に価値があるか否かについては今のところ確答が出来難いのであります。では友人の言に従って打ち切るかというに、塩川方面に無ければ長嶺方面に探査して研究を継続するつもりです。それでも無ければ仕方はないが、兎に角今年一杯はやる決心であります。皆様から御覧になればどうか知りませんが、実は一生懸命やっているのです。例え金が続いても体力は続くかどうかも懸念されるし、また周囲の者も止めてしまえと言わぬとも限らない。その間種々苦心の存するところをご了解ください。かくの如く不便な場所で三ヵ年間費やした金も多額であります。もしも私が失敗したならば、更に第二の森恪が出るかどうか断言出来ませんし、現在は私の事業であるけども実は皆様の事業、当村の事業ではありませんか。単に我利一片ではありません。自分の利益のためには何物も犠牲に供する様なものではない。私はこの態度で事業を続けますから皆様も老若男女にすべてこの精神を宣伝して皆様の仕事の一部であると思っていただきたいのであります。現在に於いても御承知の通り金剛丸をもって当地と宮古島間とを航海させていますが、これも間接に公共的利益となっているではありませんか。又分析所を持っておりますので学校の先生や生徒の理科の実験などに必要な御研究には如何様にも御便宜を与える事も出来ます。その他当村の事情を各地に紹介の労を取っております。東京で多良間島を知っている者は少ないのです。沖縄に行くのさえ外国に行くが如くに思っているのです。況や多良間を乎です。これは実に想像以上であります。かゝる事情を他の方面の人々に了解させるだけでも大きな利益であります。また今日までは例え燐鉱を掘り出しても積み出す事は出来ないから宝の持ち腐れであるという人がある。今度中村組の田坂君に来てもらって現場を観て頂きましたところ、相当費用をかければ積み出しが出来ると断言されました。この事は海運界の一大驚異であろうと思います。今一つ御了解を得たいのは本邦の中心市場に当地の産物を紹介するのみでもたいしたことですが、単にそればかりの意味でやるのではない。幸いに皆様が非常に広い考えを御持ちになり、我々の事業が当村を紹介する糸口になれば大幸であります。もし我利一片と観察せられ、また我々の方も理解がなくて、つまり双方が西と東のような考えであったなら私はこの事業をやらせません。投資しようとすれば他に仕事が沢山あって愉快に経済的に生活をなす事を得るのであります。どこまでも意志が疎通せずにいては意気が沮褒します。皆様の将来と私共の利害は決して衝突するものではなく必ず一致するものである事を確信します。我々の心と諸君の心とが一致するならば、この事業に御援助ください。またもしも不行届きの点があるならば御忠告下さい。そしてまた不行届の点は私共が当地の風俗人情を知らむ結果であると御寛大に御願い致します云々」

大略以上のようなものであった。その後私は多良間島に居残り、七月三日に森さん及び他の人々は南海漁業鰹船山城丸で帰途につかれた。

―宍戸弘三氏談―

以上の森の演説の内容から想像するに、当時この事業に対する多良間島の理解が浅く、その間現場責任者としての沖津保平氏の苦闘の程も窺われるのである。

尚森の演説中に築港について言及しているが、これは森が現場視察直後、起工に着手すべく宍戸弘三氏を派遣してその任に当たらせた。

私は森さんから多良間島の小築港工事を命じられ多良間島に出張して工事に着手したが、間もなく突如とし

て九月一日の関東大震災の報に接した。その電報は九月五日に多良間島に入ったが、それによると関東は殆ど全滅ということだったので、私は何よりも森さんの安否が気遣われ仕事にも手がつかなかった。森さんからは何らの命令電報も来なかったが、先ず森氏の安否を確かめるために直ちに便船に乗って内地に向かった。当時多良間島までは大阪商船の定期航路があったが、海が暴れるとしばしば休航するので、定期航路とはいえないものであった。東京までは約二十日の日数を要するのである。その船は神戸から発着する。そこで私が神戸に着いて噂に聞くと、森恪事務所のある東京海上ビルも地震で倒壊したという事だったので、私の心配は更に一層深まった。東海道線不通で汽車は途中までしか行かなかったので、私は神戸からまた船で横浜に着いた。横浜はまるで荒野原と化しまだ所々に死体があったり、実に酸鼻を極めていた。リュックサックを背負った私が横浜から軌道の被害程度を視ながら鉄道線路伝いにテクテク歩いて漸く東京駅に着いた。それは忘れもしない九月二十六日だった。見ると海上ビルは倒壊どころか被害という程のものもなく無事だったので先ずホッとし、森さんの無事を心に祈りながら勇んで海上ビルの森恪事務所に入って行くと、森さんが首にタオルを巻き、半ズボン姿も凛々しく、いつもの部屋にどっかりと腰かけていた。私は森さんの平常に変わらぬ元気な姿を見た瞬間初めて安堵し、はるばると出かけて来て見て良かったとしみじみ思った。だが森さんは私の顔を見るなり「君は誰の命令で戻って来た」と叱責された。「何誰の命令でもありません。私一個の考えで帰って参ったのです」「君には受け持ちの仕事がある筈だ。俺が呼びもしないのに勝手に職場を離れてはいかん。直ぐに引き返して工事を続け給え。君の家も家の者たちも皆無事だぞ。直ぐ引き返してくれ」「私は家の事を案じて戻って来たのではありません。ただあなたの安否を知りたかったのです。あなたがこうして御無事でおいでのところを見て安心しましたから、私はこゝから直ぐに多良間へ引き返します」。私は実際そこからすぐに多良間島へ引き返すつもりで一礼して部屋を出掛けると、「ちょっと待て。引き返すにしても船の都合を調べなければなるまい。折角来たのだからまァ二、三日は逗留してもいゝだろう。直ぐに君の家へ行って見てやれ」。当時私の家は赤坂一ツ木にあった。家へは立ち寄るつもりもなかったが、行ってみると家族の者は無事だったが、裏の崖が家の中にまで崩れ込んでいる上に近所の避難者たちが多勢寝泊りに来ていて寝る場所もないくらいであった。森さんがいち早く部下の私の留守宅を見舞ってくれたことを聞き、私は深く感激したのであった。私は東京に五日間滞在して十月上旬再び多良間島へ帰った。そして翌年一月二十三日、森さんから電報で呼び戻されて直ちに箱根電車の復旧工事に取り掛かった。

一九二三（大正十二）年六月に現場を視察した時には、森は同年一杯研究続行の予定であったが、九月の震災を契機として森恪事務所の事業を整理縮小する事となり、多良間島の燐鉱採掘事業も遂に不成功のまゝ打ち切る事となった。その間山田慶三郎氏が燐鉱探検に苦心没頭する事三ヵ年、十五、六万円の調査費を費やしたが、これに対して森は一度も愚痴を言ったことは無かった。

—松山小三郎氏談—

森さんの傑れた特徴として思い出されることはいくつもあるが、決して過去を言わないという事もその一つであった。一例を上げると多良間の燐鉱の時にも二十万円近い莫大な損をして、しかも事業は結局失敗に終わったにも拘わらず、愚痴一つこぼさなかったのである。事業打ち切り時にはサラリと打ち切り、責任者山田氏に対しても小言一つ言わなかったばかりか、却って他の者たちの非難を戒めたくらいであった。

多良間島の事業には金が掛かるのみで一向に実績の上がる様子もなく、山田氏からは「有望だ、有望だ」

と報告して来るが、東京の事務所には鉱石の見本さえ送って来ない始末で、果たして燐鉱があるか否か極めて不確実だったので、事務所の人々は「この事業は諦めて打ち切っては如何ですか」と再三進言するのであったが、森は「やりかけたものだからもう少しやらせておけ」と取り合わなかった。
それで事務所では現場の山田氏から要求されるだけ送金していたが、二十万円近く費やして遂に失敗のまゝに終わったので、事務所では兎角山田氏を非難する者が多かった。
そこで森は事務所の沖津保平氏を新たに現場へ派遣したくらいである。

山田氏は「有望だ」と報告して来るのみで実情がよく分からぬので、私は森さんの命令で現場に行った。その後に森さんが視察に来られたのである。私は事業の整理に行ったようなものだった。森さんの視察の結果、翌大正十三年一月に試掘期限の切れると同時に事業を打ち切る事となり、私は同年八月まで多良間島にあって整理をして引き揚げた。

―沖津保平氏談―

以上の経緯からして多良間燐鉱開発事業は中途にして打ち切られたが、一方森は次第に政界に重きをなして政治生活が多忙となるに従い、漸次事業から手を引くことを余儀なくされていった。
当時、大日本人造肥料会社に於いては、飯田義一氏を社長に、森を専務にとの話し合いもあったのだが、森自身に既にその意志がなかった。

四　小田原電鉄の復興

> 小田原電鉄は小生が副社長となり中根君を社長とする事に一昨日の重役会は決定致候

森は一九二三（大正十二）年十二月十日、東京帝国ホテルから森恪事務所の松山小三郎氏宛ての手紙に右のように書いている。

これより先、森はかねてから**小田原電気鉄道株式会社**の取締役であったが、一九二三（大正十二）年九月、関東大震災によって同社が甚大な損害を受け、数ヵ月の日数と数百万円の費用を以てしても復旧困難（一説には三百万円の費用と三ヵ年の日数を要しても尚不可能であろうと噂された）とされ、社長中根虎四郎氏始め何人もこれの復旧の衝に当たるものなく、重役会は森に対してその任に当たられんことを懇望した。恰も中根社長は病身のため、森は副社長に就任し、そこで社長の実権を行うとの了解の下にいよいよ**復旧事業**に当たることになった。

同社の営業の大略を左に列記してみると、

一、運輸事業

地方鉄道　　　湯本―強羅・登山電車・五哩六分

軌道　　　　小田原―湯本・電車・四哩四分
ケーブル　　下強羅―上強羅・索道電車
自動車　　　小田原―箱根を主とす

一、電燈電力供給事業
　発電所　　三枚橋、畑宿
　変電所　　平塚、足柄、仙人台

一、強羅土地家屋経営事業

であるが、これらの事業に対して震災による損害の総額は一、七九九、六八三円余であって、その中主なる災害と復旧行程は大体次の如くであった。

一、軌道（小田原―湯本）
　御塔坂、三枚橋、山崎、湯本国道の各崩壊個所被害多く、一九二四（大正十三）年一月上旬起工、同七月復旧して全通。

一、三枚橋発電所
　登山電車に次いで被害最も多く、一九二四（大正十三）年一月起工、同五月中旬復旧。

一、電燈電力
　一九二三（大正十二）年九月十七日（震災後十七日目）街頭点光を開始、翌年七月に至るまでに全供給区域に送電復旧。

一、登山電車

同社の被害中最も難工事にして一時その復活を危ぶまれたが、一九二四（大正十三）年六月末起工と共に全線五哩六分を四工区に分割し、国道破壊その他幾多の困難を排し昼夜兼行その工を進めた結果、同年九月、起工後二ヵ月にして湯本―出山鉄橋間一哩余の開通を見、次いで、

同年十一月二十四日　出山鉄橋―大平台　一哩四分弱
同年　同月　同日　小涌谷―強羅　一哩余
同年十二月二十八日　大平台―小涌谷　二哩一分余

の開通と共に全線直通をなし、その他諸建設物も又全く震前に復旧を了した。

復旧工事に際して森は、月に一、二度現場視察に回って従業員を激励した。視察にはいつも半ズボンに巻ゲートルといった風の現場員そのまゝの服装であった。これはかつて桃冲鉄山で労働者を手なずけた時と同じ手法である。果たして土方も従業員も等しく森に心服し快く働いた。復旧工事が驚くほど短期間に完了したのは技師長宍戸弘三氏の監督の宜しきを得た結果であったが、その背後には森の熱誠に打たれた現場員一同の精神力が働いた結果でもある。

会社の幹部の中は民政党色が濃厚だったので、政友会代議士たる森の立場としては仕事がやりにくいのであるが、以上のように森が一挙にして全従業員・労働者一同の嵐の如き尊敬と信頼を集めたので、反対党も敵もすべて圧倒された形であった。

また登山電車復旧開通に当たっては、森は「御客を乗せる電車だから、会社の責任上俺が初めに乗って試運転する」と真っ先に乗ったので、運転手や車掌もすっかり森に心服してしまった。

これより先、関東大震災後、森は神奈川県復興委員に挙げられた。復興委員としての森は次の如き意見を持っていた。

「復興には外人から金を引き出すのが良策であり急務である。しかしそれには外人に金を費わす遊びの場所の設備がなければならない。箱根は日本人の箱根でなく寧ろ世界の箱根であるから、外人のための大遊覧場たらしめるには先ず箱根の復旧から着手すべきだ」

小田原電気鉄道の副社長となり同会社復旧の雑役を買って出たのもそのためであったが、就任するや森は直ちに土木技師宍戸弘三氏を琉球多良間島（森恪事務所の仕事で出張中であった）から呼び戻して小田電嘱託とし、軌道その他の破損状況の調査並びに復旧工事に要する日数、経費などの予算を一週間以内に提出すべきことを命じた。かくして森は急遽復旧案を立て、一方その資金を安田、日本勧業、小池の各銀行に求め、電光石火的に復旧工事に着手したのである。

しかしながら宍戸氏の森に対する涙ぐましいほどの献身的な努力がなかったならば、森と雖も短月日に復興を完成することは不可能であったと考えられる。小田電復旧の功労者としては森の名と共に宍戸氏の名も又没却することは出来ない。

宍戸氏の調査の結果、登山電車と三枚橋発電所の被害が最も大きかった。発電所の復旧には百日を要する（当時は一九二四（大正十三）年二月末だったので三月初めより起工して六月十日までの期間）見込みの下に着手したが、六月六日に至って、十日までの予定を四日残して早くも復旧して灯火が点じた。この復旧工事の予算額は二十万円であったが、結局宍戸氏は十八万円で完成した。

登山電車は、トンネル十二ヵ所のうち無事だったのは僅か一ヵ所のみで、残り全部は悉く補工しなければならなかった。

宍戸氏の提出した工事予算は、

湯本―強羅　　六十万円
湯本―小田原　　五万円
計六十五万円

これに対し会社専属技師長の予算合計は二百万円、鉄道技師太田圓三氏の予算が百万円であった。森は太田予算と宍戸予算との中間を採って七十五万円と決定、工事に着手したのであったが、恰も前述の発電所工事中に衆議院議員の選挙があり、地元に選挙区を有する森は二度目のこの選挙では不幸にして落選の憂き目を見た。

その後いよいよ登山電車の復旧に取り掛かる時、森が宍戸氏に、

「湯本―強羅間は、六十万円は少し予算が多いと思うからもっと節約できないか」

と言った。六十万円というのは他の人の予算よりも少なく、宍戸氏としてもぎりぎりの見積もりであったが、

何を思ったか、

「五十万円でやりましょう」

と決然と答えた。

森だとて宍戸氏の見積もりはぎりぎりのものであることは知っていたが、一万二万ならともかく、いきなり十万円も減じようと言い出されて流石に驚き、

「しかし、君が六十万円と言うのを、今度は五十万円でやるとは一体どうした理由なのだ。十万円も差があるではないか」

と突っ込んだ。

「それにはもちろん理由があります。しかしそれは只今は申し上げられません。それだけは聴かずにおいていただきたい」

「よろしい。俺は君を信じている。それでは聴かずにおこう。では五十万円で直ぐに起工して呉れ」

かくして湯本─強羅間の工事がやがて竣工したが、費用は結局五十万円の予算のうち一千三百円残り、予定日数では一ヵ年のところを前述の如く六月二十七日から十二月二十七日まで即ち満六ヵ月で完了した。

登山電車の被害の中でも最も難工事とされた湯本─強羅間がかくも僅少な経費と短月日を以て復旧した事実は全く世人を驚嘆させたのであった。

以上の如く宍戸氏が予算を最小限に切り詰め、しかも五十万円以内で立派に完成させようと決心したのも、実は森が選挙に落選して弱り目の場合であったがための宍戸氏の心遣りで、即ちその上工事が遅れたの、経費が多過ぎたのと森のために不評を買いたくない、何とかして森の面目を立てたいとは、桃冲以来の森を股肱として心服する侠骨宍戸氏の熱情と意気地であった。工事に当たって極力冗費を除き、最小限を以て最大

能力を発揮した宍戸氏の苦心と努力は察するに余りあると言うべきである。

工事が終わったある日、森は宍戸に、

「君が六十万円の予算を五十万円に減じて引き受けた時、その理由を言わなかったが、その後俺にはその理由が判ったよ。ありがとう」

と、それだけ言った。森の両眼には涙が滲んでいた。


かくして森は副社長就任後約一ヵ年の月日と約百五十万円の費用を以て小田電全事業の復旧を終え、一九二五（大正十四）年上期には早くも六分の配当を復活し得た事は、当時関係債権銀行、同業会社などが等しく驚異の眼を見張ったのであった。

これは実に森がその熱誠と信念を以て関係銀行の信頼を受けると同時に、全社員が森の意気に一致し勇往邁進した結果に他ならなった。かくして森と小田電との関係はこれを言い換えるならば正に「小田原電気鉄道復興史」であった。

当時森の部下として同会社会計課にいた安藤吉之助氏は次の如くに述べている。


—安藤吉之助氏談—

復旧後、病気の中根社長が、復旧が出来たら自分でもやれると、再び出馬して来そうな気配を示したので、社内事情は少しく面倒になった。その上重役始め大体あの会社は民政党色が濃かったので、重役会や株主総会には相当苦心を要した。しかし森さんはいつも一気に押し切って株主総会なども大抵僅か五分くらいで済んだ。それでもその裏面では、「どんな事を株主から質問されても困らぬ用意をして置け。定刻の十時になったら戸を閉め鍵をかけ、後からの出席者は絶対に入場させるな」と細かい点まで私共に命じられた。重役会でも会議の始まる前に当時の中立派の重役二、三人には一人一人ちゃんと説明を了させられて、会議に入ると中根氏やその他反対派の重役から横車が出かゝっても一気に押し切り、実に簡単に済んだことは、結局細心にして大胆に行うという森さんのプリンシプルとして今に私としては仕事の上に座右銘としている次第である。

一九二四（大正十三）年末全事業の復旧を終わり、翌年上期に配当を復活すると共に、森は更に積極的な小田電の経営並びに地方の開発を企画し、整理拡張案を立て、復旧資金の社債化をなすと同時に計画実行に一部着手した。

しかしながら烱眼なる森は、復旧は出来たが復興の困難を認識し、大資本と合併してこれを遂行することを大局的に有利なりと思考するに至った。間もなく一九二七（昭和二）年四月、田中内閣の外務政務次官に任じられたのを機に副社長を辞したが、蔭にあってこの合併の促進実現を援助したので、同年中に日本電力との合併が実現されたのであった。

一九二六（大正十五）年一月十六日、登山電車が宮ノ下のカーブで脱線、崖下に墜落して惨死十八名、負傷十余名を出したことがある。運転手の過失というよりもむしろ乗客の側（乗客はいずれも酔っぱらっていて、その無遠慮な談笑が運転手の心を乱したことに原因するのであった）に責任があったのであるが、新聞は会社側の過失として攻撃した。

この惨事について東京の新聞記者連中が小田電に押しかけ、会社の落度を突っ込んだので会社側では弱っていると、そこへ副社長森自身が出て行って、記者連と激論を戦わせて遂にこれを撃退した。原因は運転手の過失即ち会社の落度ではなくて、天災と見るべきであることを説き聞かせたのであった。最初息巻いていた記者連中も森の議論の正しさとその熱誠に感動し、すっかり惚れ込んでしまって、それ以来何れも森の崇拝者になったという逸話も残っている。

五　東京鉄道計画

森は大東京の交通文化にも一早く多大の関心を持ち、社会政策上から交通機関の完備に深く留意していた。その一つの現れとして一九一九（大正八）年、彼は**地下鉄道を計画**し、自ら発起人代表となって**東京鉄道株式会社の設立**を企画した。その内容は次の通りである。

計画の趣旨

近時産業の異常なる発達は都市に於ける人口の集中を促しその増加率頗る急激にして東京市の如き近郊を合し最近七年間に於いて約五十万の増加を見尚この趨勢は滔々として底止するところを知らざる状態なり。加うるに事業の複雑繁多の度著しく増進したるため交通頗る頻繁となり現に市内電車の如きも乗客数年々約一割の率にて遁増す然るに一方その設備はこれが収容に充分の余裕を有せずために今日目撃する如く乗客は殆んど貨物の如く車中に詰め込まれ而も尚乗車を得ずして空しく停留場に佇立し雨雪寒暑に曝されるもの頗る多く就中老幼婦女にありてはその困憊の状最も同情に価すその如きは現代文明の一大欠点たるのみならず社会政策上の緊要問題として一日も忽諸に付すべからざるものなり。これが救済法としては市電の能力を発揮せしむるにあれども市区改正未成線完成の如きは従来の例に照らすに頗る長時日を要し加えるに地表緩速度の電車は近距離交通には利便大なりと雖も遠距離の乗客に取りては徒に時間を空費せしめ諸事敏活を要する今日決して適当の交通機関に非ず又乗合自動車の如きこれが補救の一方法たるを失わざるべきも現在の道路状態及び幅員にては経済及び安全の上より見て到底ロンドン市に於けるが如き有効のものとなし得べからず。結局現時の交通機関の不備を救うの策は唯**地下及高架の高速度鉄道を新設する他なし**と断言するを得べし。

鉄道を地下或は高架にて設くるときは地表道路の交通に毫も支障を与えざるを以て車輌を高速度にて走らせ且つ信号の設備を完全になすに於いては車間の間隔を一分或はそれ以内にてなし得べく又三台乃至五台連結の運転も容易なるにより多数の乗客を短時間に輸送し得べし。特に朝夕の繁忙時には回数列車数を増加して今日の如き不便は根本的にこれを芟除し得べきなり。

東京市の地形で日本橋区京橋区は市全体として中心をなすと雖も更に各区にその小区域の中心をなす箇所あり従って彼のニューヨークに於ける如く商業中心地と住宅地とを連絡する如き鉄道を以て足れりとせず必ずやパリ、ロンドンなどに於けるが如く住宅地各区域商業中心地、全市商業中心地を互に連結することにより初めて鉄道網の完成を期し得べし。

今日市内電車交通の状態より見るも各区商業中心地相互の交通は比較的少なく全市商業中心地との間交通最も頻繁なり従って高速道路は全市中心地へ各区域商業中心地及び住宅地より集中せしむるいわゆる

中心集中線を施設するを最も便利なりとす各区域商業中心地を連絡する環状線は或は将来その必要を認む時期あるべきも当分の間はこれを市内地表電車に譲りて可なるべし。

高速電車を運転するに高架によるべきか地下によるべきかは大に考慮を要する問題となす時は架線構造の費用は地下線に比し廉なりと雖も地上物件の高価なる箇所に於いてはその買収費多大なるべきを以て通算すれば必ずも廉なりという能わず加えるに高架線は日光を遮断し騒音を発し高価なる土地の使用面積を狭め且つ相互の交叉に当たりて線路の構造甚だ不便なるなどの不利ありこれに比し地下鉄道は工費多額を要し乗客に幾分不快の念を与えるもすべて前記高架線の欠点を脱し得るを以て今日最も文明的なる交通機関なるべし。

現今市内に於いて高架鉄道と略その性質類似せる鉄道院線路は左記の如し。

一、山ノ手線　　　　　　二、東京―品川間線路

三、満世橋―中野間線路　　四、上野―田端間線路

五、両国―亀井戸間線路

これら線路の延長として東京―満世橋間は近く開通の運に至り、尚満世橋―上野間、両国―満世橋間も遠からず新設せらざるべきものならん。

これら線路完成する時は山ノ手線は近郊環状線となり亀井戸―新宿、品川―田端間は市内高速線となり市民に多大の便宜を与うべしと雖もその恩恵に浴するものは尚且つ小部分に過ず又両国―新宿間、品川―田端間と雖も遠距離列車を運転する関係及び乗降の不便などより市内鉄道の性質を完全に具備するものといゝ難し。

よりて現時の交通状態に鑑み吾人は左記の五線路を計画せり。

一、五反田を起点とし三田新橋浅草橋付近を経て向島中ノ郷に至る線（五反田―中ノ郷線）
二、渋谷を起点として新橋日本橋付近須田町上野浅草を経て南千住に至る線（渋谷―南千住線）
三、原宿を起点として青山新橋東京停車場前須田町白山付近を経て巣鴨に至る線（原宿―巣鴨線）
四、内藤新宿を起点として四谷見附東京停車場前を経て洲﨑に至る線（新宿―洲﨑線）
五、目白を起点とし神楽坂付近須田町春日町を経て池袋に至る線（目白―池袋線）

これら線路の配列を見るに各線路間の間隔は殆んど一様にしておよそ一哩となり且つ交通の頻繁なる個所は略通過せるを以て市民の大部分はこれを利用するを得べし尤も今日の状態に於いては山ノ手線以内の地域は人口密度多きを以て終点を概ねこの地点に止めたりと雖も線路の配置に於いて郊外鉄道の連絡に充分意を用い右地域以外の住民に対しても有効なる交通機関たらしめん事を期せり、尚市内電車との連絡の良否は直接市民の利害に関するところ大なるを以てこの点特に留意し置きたり。

これらの内隅田川横断の工費洪水などを顧慮し隅田川以西はこれを高架線とせり或は全市の中心たる日本橋京橋付近も洪水氾濫の憂あるを以て高架とする方可なるべしとの説あらんもかゝる殷賑の地に高架線を架設する時は前述の如く住民に甚だ不快の感を与えるとこの地は尺地寸土を剰さず利用せらるゝ箇所にして洪水に対しても些少の設備をなせば充分これを防御し得るべく且つ乗客の昇降に際し地下線は高架線に比し遥かに軽便なるにより主として地下線を採用することゝせり。

これら線路完成の暁には運転系統も又一より五に至る各線独立なるを以て運転は極めて簡単にして従って危険の度少なし而して各地方より全市内に至るには乗換えなきか或いは接触点に於いて一回の乗換えを要するのみにて足り又遠距に至るには新橋満世橋或は東京駅にて直ちにこれに連絡するを得べし目白

池袋の如き箇所より洲崎に至るには二回の乗換えを要するもその如き交通は比較的少なし。

停車場の数は乗客にとりては多きを便とするも列車停車の度数を多くし速度を減ずることゝなるを以て外国に於ける実例及び各局所の状況に鑑み大凡半哩に一ヵ所の割を以て配置せり。

これら線路の建設を全線同時に着手するときは工費巨額工事又困難なるを以て完成を期するに約十年を俟たざるべからずよりて先ず現時交通の繁閑を按し第一期、第二期、第三期線に分けて建設せんとす。現在市内電車乗客数より見る時は新橋、日本橋、須田町を経て上野に至る線は運転回数の絶頂に達しこの上増加すること困難なり然るにその乗客数は日本橋付近に於いて一日約十万に及び丸ノ内市電車線の乗客数はこれに次ぎ九万二千に達すこれらの地域は地下鉄線の必要一日も緩にすべからざるを以てこれを第一期線とし渋谷―新宿間は現今鉄道院甲武線及び東海道線の中央に位しもしこれを新設する時は市民が利用する所甚だ大なるべきによりこれ又第一期線とし尚浅草―千住間の乗客は比較的少なかるべきも鉄道院千住駅に連絡するを便とすべく且つ車庫設置場所の必要上同じく第一期線とせり。次に池袋―満世橋間は鉄道院甲武線及び山ノ手線上野―田端間の中央に位し市民が現在の鉄道院線を利用するに最も不便なる位置にあるを以てこれを第二期線とし新宿―洲崎間及び新宿―茅場町―浅草に至る線も第一期線に次ぎて乗客多数なるを以てこれ又第二期線とし浅草―向島―中ノ郷間は東武鉄道及び京成電車に連絡し且つ終点車庫の関係上同じく第二期線とせりその他各線路は必要を感ずるも第一期線、第二期線に比し比較的緊急ならざるを以てこれを第三期線とせり。

地下線の構造は外国に於いて種々の様式ありロンドン市の如き地下の深所に設けたるものは鉄管式にして圧搾空気を用いてこれを施設しその費用巨額に達したり現今ボストン、ニューヨーク、ベルリンなどの諸都市に於いては出来得る限り道路を応用しその地上を掘鑿して墜道を設けこれを埋め立て路面を旧態に復しむる方法を用い居られるがこの様式は費用比較的低廉なるを以て本計画に於いては主としてこれらを参酌せり下町にて線路の都合上大建築物の下底又は河川の底部下水道の下部を通過する場合には地質及び浸水の多少によりボストン市に於けるが如き圧搾空気を用いて施設したる混凝土管式の地下線を造る必要あるべしと雖もこれらの箇所は極めて少なき見込なり。

速度は停車場停止の時間を含み平均一時間約十六哩となりとす、一哩は三分四十五秒にて走り得べく仮に平均二分半毎に一列車を出すものとし午前五時より午後十二時迄の十九時間即ち一千百四十分を運転期間とする時は往復を通算し一日約九百十二列車を運転し得、一台百人乗りの三車連結とし乗客人数が座席敷の三分の一と仮定して一日毎一哩の通過客九万一千二百人を収容し得べくもし一分毎に四台連結の列車を出し乗客数と座席敷との比を前の如く仮定する時は一日毎一哩当り通過客三十万四千人を収容し得る計算となる故に将来車両数を増加しこれに応ずる信号設備を増施するに於いては長くこの規模計画を以てますます頻繁となるべき交通の要求も又充分これを充たすことを得べし。

然れどもその如き鉄道は工費の大なるに対し収益の比較的少なると事業の性質純然たる公共的なるとにより市にてこれを経営するを妥当となすと雖も現時の東京市に於いては市区改正、道路改築、補石施設、電車未成線完成、上下水改良新設、東京湾築港、電燈拡張など幾多なすべき事業ありてその所要資金多大なるに高速鉄道の如き巨額の費用を要するものはこれを施設すること恐らく不可能というを得べし、然れども市民が今日交通機関の不備より蒙る苦痛は既に看過するを許さざる所なるを以て敢えて本鉄道の建設を提唱せる所以なり、尤もその如き巨額の投資は少数者の力の能くする所に非ざるとその事業より生ずる利益も又これを少数者間私すべからざるを以て吾人は成るべく多数市民諸君の投資を求めこれを市民共有の事業たらしめんとす。

如上の計画により本年二月三日別紙軽便鉄道免許申請書に目論見書、仮定款などを添え内閣総理大臣に申請せり、惟うに交通状態の改善方法として高速鉄道敷設の必要なることは当局者に於いても充分諒解せるところなるべきを以て本申請がその許可を得べきことは吾人の断じて疑わざるところなり。

東京鉄道がその事業の免許を申請したのが一九一九（大正八）年二月であった。

発起人は左の十一名で森は発起人代表であった。

飯田義一　西大助　森　恪　倉知鐵吉　松尾寛二　尾崎敬義
伊澤良立　古賀春一　高木陸郎　飯田邦彦　高山長幸

前記趣意書に述べている五線路のうち、渋谷—南千住間並びに新橋—須田町間を第一期線とし、新宿—洲崎間、新橋—中ノ郷間、須田町—池袋間を第二期線、原宿—新橋間、須田町—巣鴨間、五反田—新橋間、目白—須田町間を第三期線とし、第一期事業資金五千万円、第二期第三期事業資金一億一千万円の予算で、鉄道の種類及び軌道は低圧直流六百ボルト第三軌条式電気鉄道で全部複線とし、大部分地下鉄道であるが前記線路中霊岸橋付近—洲崎間及び浅草公園付近—向島—中ノ郷間は高架鉄道とする計画であった。

東京鉄道の計画による布設出願は、一九二〇（大正九）年原内閣の時に免許状が下付されたが、これより先一九一九（大正八）年四月一日から株式募集を開始する手筈であったが三月七日に至って俄然未曽有のパニックに遭遇し、遂に計画悉く書餅に帰せんとした。然るに時を同じくして早川徳次氏、根津嘉一郎氏を代表とする**東京軽便地下鉄道**が計画されていて、両社合併することゝなり左の覚書を交換した。

覚

下記署名者は東京軽便地下鉄道と東京鉄道とを大体左記の原則により合併せしむることに同意し責任を以てその実現を期す。

一、両団体を合併すること。
二、合併実行については両団体対等たるべきこと。
三、双方の出願者は双方の出願に対し一日も速やかにこれが許可を得ることに協力して最善を尽すこと。
四、現在出願中の双方線路計画に対し双方の発起人は彼是交叉して追加出願をなすものとす、但しその手続をなす時期は双方協議適当の時期に実行すること。
五、役員の組織、員数、人選の如きは双方の重立たるもの合議の上、将来の経営上最も適当なる範囲基礎の上に協定すること。
六、双方の出願線路中何れか先に許可を得たるものを双方の第一計画とし、後に許可を得たるものを双方の第二計画とし、第一計画の許可を得たる時双方の発起人は直ちに会社設立に着手して事業を開始すること、又第二計画許可を得たる場合も同じ。
七、合弁は双方の発起出願者の同意を経たる上に於いて初めて正式に確定すべきものたること勿論なるも下記署名らは右の手続未済と雖も今日より直ちに合併せると同一の精神を以て双方協力して事業を進捗せしむること。

以上

大正八年四月三日

地下鉄問題も当分企画通り相成本月中に会社設立の運に可致と存候、只小生としてこれ迄に乗り出すが利益なるや、会社が出来た機会に面目が立つ事とし手を引くが宣布や、考物に御座候、御高見御漏願上候

○

森は一九一九（大正八）年十二月四日、東京森恪事務所から、奉天に出張中の藤井元一氏宛てに右の手紙を書いているが、企画通りとは東京地下鉄との合併条件が森の予定通りに行われたという意味であろう。

然るに前述の如くパニックに遭遇するや東京軽便地下鉄道代表者根津嘉一郎氏は、例え一千万円に減額しても会社だけは設立しておく必要有と主張するに反し、東京鉄道の森はその要なしと反対し、**遂に両者は袂を分かつに至り森は布設権を持って引き揚げた**のであった。そこで東京軽便地下鉄道一派は覚書を盾に同権の引き渡しを強要して来たが、森は頑としてこれを一蹴した。

かくするうちに東京軽便地下鉄道側に有利な憲政系の加藤内閣に変ったため、早速鉄道省からは森に対し「同権は布設許可申請期限満了の故を以て無効なり」と通告して来ると同時に、東京府からは、

大正九年三月十七日監第三八八号免許願別途主務大臣より指令相成その免許は失効候に付右免許状は本府経由返戻相候度候〔大正十三年九月六日〕

と、許可証書の返還方を再三要求して来た。東京府からの督促は一九二四（大正十三）年十月、一九二五

（大正十四）年四月、同年七月と数度に亘って繰り返されている。それでも森は「今に政友会内閣になったら役立てる」と頑強に応じなかったが、その後一九二九（昭和四）年の督促によって遂にこれを戻し、布設権は東京市の所有に帰した。

第七章　支那革命と森の関係

一　森の帰朝と三井物産の支那革命援助

一九一一（明治四十四）年十月、武昌に支那革命の凱歌挙がるや、ニューヨーク支店の森の許へ三井物産本社から帰朝命令が飛んだ。革命側要人は殆んど南方人が多かったので、もしも共和政体が組織されると三井の支那に於ける事業も、将来主として南方人との折衝によらなければならない。従って南方人に知己の多い森が急遽米国から呼び戻されたのであった。

革命党との交友は革命前に我々がやってきたものだ。今の張継とか張自忠はその時はいなかったが、黄興や曹浩森らは始終僕の所へ来ていたので、森は革命前から彼らを知っていた。

——高木陸郎氏談——

かつて上海並びに湖南省長沙に在勤した森は早くから南方の有力者らに知己を持ち、右の他に王一亭、陳其美、張静江らとも交友があった。

森の帰朝した月日は不明であるが、三井物産の記録では十二月東京本店勤務となっている。例の江南機器局を乗っ取った陳其美らと革命援助の三十万円借款が三井物産との間に成立したのが翌一九一二（明治四十五）年一月で、この事件の蔭に森も活躍しているから、遅くとも十二月中旬前には帰朝していたものと考えられる。しかも帰朝以来ずっと東京に居たわけでなく、籍は本店に置きながら頻繁に東京と中南支那の間を往復したのであった。

孫文の顧問として革命に活躍した山田純三郎氏は、その手記で次のように述べている。

森氏は革命のために身心を厭わず斡旋これ力めたもので、陳其美氏の時にも藤瀬政次郎氏と協力して三十万円の融通を試みた。

――山田純三郎氏手記より――

初めに**三十万円借款問題**の顛末を付記しておきたい。

雑誌『実業之日本』の中で、本山桂川氏は次のように書いている。

孫文と内田良平との関係は余りにも有名である。（中略）それからまた四、五年経過した後の事であるが、それまで内田らの運動に大に力を添えていた桂太郎が内閣を投げ出して、跡を継いだ西園寺公望は初め支那問題に対しては頗る冷淡なものであった。そこで内田は国内に見切りをつけ朝鮮に向かった。時の朝鮮総督府寺内正毅や憲兵司令官明石元二郎を説伏するためであった。その途中汽車の中で、かねて知り合いの山下亀三郎（山下汽船社長・山下財閥創始者）に出会った。山下は当時船成金でたんまり懐が膨らんでいた。そこに目を付けた訳でもあるまいが、車中の談話は支那革命の事に及び、図らずも内田は山下の話によって、太平組合が多数の武器を船積みして北京政府に送ろうとしている事実を知った。この太平組合というのは三井、大倉、高田などの合同事業なのである。

そこで内田は下関に着くや否や、三井の大番頭益田孝に手紙を出した。「太平組合では今専ら北京政府に武器を供給しているそうだが、それはよくない事であろう。既に清朝は累卵の危機にある。革命は必ず成功する。願わくば大勢に鑑みて革命党を援助して貰いたい」という意味のものであった。京城に着くと益田から貴翰の趣承知したという電報を受け取った。内田は手応えのない寺内や明石を横目に睨んで東京に取って返し、三井側との交渉を始めた。益田は井上馨の意見を求めた。井上は内田の説に同感の意を表し、それには桂も同道して西園寺を説く必要あろうと注意した。一方内田は上海にいる宮崎滔天に電報を打って孫文及び黄の名で、西園寺、井上、桂の諸氏に宛てた嘆願書を発せしめた。話は万事好都合に運んで、西園寺も首を縦に振った。三井の革命援助はこゝに一決し、三十万円の借款契約は成立するに至ったのである。

契約全文は次の通りである。

証

今回三井物産株式会社上海支店より黄興、朱葆三、陳其美、王一亭、宋教仁、張静江らの連帯保証を以て中華民国政府上海都督府へ金参拾萬圓貸渡の契約をなしたるに付、該契約に基づき中華民国政府上海都督府は代理人たる内田良平（以下単に内田と称す）と三井物産株式会社（以下単に三井と称す）との間に左の通り契約す。

第一条　三井は上海支店の締結せる契約により金参拾萬圓を内田に支払うものとす。

第二条　内田は別紙明細書の軍器を三井の手を経て購買する事を約し右代金弐拾五萬四百弐拾壱圓は前

条の借受金参拾萬圓の内を以て直ちにこれを支払い差引金四萬九千五百七拾九圓を受領するものとす。但金員の授受については別に受取証を作成するものとす。

第三条　借受金参拾萬圓に対しては本契約調印の日より一ヵ年八分五厘の利子を償還日まで支払うものとす。

右契約の証として本書二通を作り各その一通を領有するもの也。

明治四十五年一月　　日

三井物産株式会社
代表取締役社長　三井八郎次郎㊞
中華民国政府上海都督府
代理人　内田　良平㊞
右保証人　大江　卓㊞
右保証人　小善田　隆義㊞

二　森と犬養毅

黄興を中心とするいわゆる**辛亥革命**は、先ず武昌を陥れ、漢口を攻め、革命の火の手は疾風迅雷的に広がり、湖南、広東はじめ独立を宣言するもの十余省、忽ち革命勢力は全国の大半を制し、黎元洪総督の下に、各省に胡漢民（広東）、譚延闓（湖南）、蔡鍔（雲南）、陸栄延（広西）、陳其美（上海）、孫道仁（福建）、閻錫山（山西）の都督を配し、一九一一（明治四十四）十一月には黄興を大元帥に黎元洪を副元帥に推し、十二月に南京を攻略した。

当時米国に滞在中であった**孫文**は急電に接して急遽帰国の途に上がり、十二月二十五日に香港を経て上海に到着。同月二十九日南京に集合した革命軍代表会議によって**臨時大総統**に推された。

―山田純三郎氏手記より―

私が森氏と初めて会ったのは明治四十三年の春、満鉄から石炭販売研究を命ぜられ上海三井洋行石炭部に席を置いたことがあり、その時分森氏は長沙から上海の店に帰って来て石炭部に居て私と席を並べた。自分は初めて会った時から中々磊落な面白い男だと思った。じっとその執務振りを観ていると石炭部の一社員として顧客廻りをするでなし、問屋と会うでなし、恰も外部の者か或は支配者の如き態度を取り、殆ど事務らしい事務を執らない変わり者であった。毎日そんな風で仕事をするでなし、天下国家を論ずるという様な大きな事ばかり言うので妙な奴だなくらいに思っていた。ところが幾何もなく翌年の春ニューヨーク支店詰を命ぜられて渡米したが、その年がつまり第一革命が始まった年で、革命が始まると間もなく同氏は米国を後にして再び忽然と上海に舞戻って来た。

こゝで話は孫文の事に移るが、その時孫氏も米国に滞在中で革命勃発の声を聴くと同時に帰国を思い立ち、日本通過の事を犬養先生に依頼したが、当時日本政府としてはこれを許可する裁量がなかったので、孫氏は止むを得ず欧州経由で帰国することになり、忘れもせぬ明治四十四年十二月二十五日クリスマスの日に私と

―宮崎滔天氏とが香港まで出迎えに行き、それから一緒に上海に着いたのが二十九日であった。

一九一一（明治四十四）年十一月、犬養毅氏は病臥の身を起こして渡支し、次いで頭山満氏も二十三日上海に向かった。これより先十三日には寺尾亨、副島義一両博士が既に上海に到着していた。

犬養氏らの一行は早稲田大学教授松平康国、古嶋一雄、美和作次郎、柏原文太郎、小川運平、浦上正孝、藤井種太郎、山本貞美、柴田麟次郎、岡保三郎、大阪朝日新聞記者中野正剛氏らで、犬養氏は十九日、頭山氏は二十七日上海に着いた。

犬養・頭山一行の渡支は、革命軍にとって多大の声援であって志気大いに揚がるものがあった。かくして上海に到着した孫文は直ちに犬養、頭山両氏と会見したのだが、その時孫文は両氏の手を取ってその信義に感涙したと伝えられている。

その際、森は孫文とも初めて会見したのであるが、それは後に述べるとして、後年政治的縁故の浅からぬ犬養氏とも、彼は動乱の渦中上海に於いて初めて面識を得たのであった。

―古嶋一雄氏談―

私が森氏と初めて会ったのは第一革命の時、上海に於いてであった。そして森氏も犬養氏にはその時が初対面であった。

後年政友会内閣における犬養総理と森書記官長の対照、政治的見解の遂に相容れなかった深い溝を有した両者関係を思う時、この両雄の初対面が支那動乱の真只中、砲声轟く上海で行われたことは、いずれにせよ

両者の間に何らかの浅からぬ因縁を感じせしめてまた感慨なきを得ないものがある。両雄は今、青山墓地に墓を並べて永久に眠っている。

三　森と孫文の初対面

森は孫文が上海に到着した日に会っている。

——山田純三郎氏手記より——


香港から上海に向かう船の中で孫文氏は私に言った。

「お前は三井のような金持ちの所にいるのだから金を揃えてくれ」

確かに私は当時三井の方に籍を置いていたが、

「一体どのくらい要るのか」と尋ねると、

「越多越好」

多いほど結構と言うのだ。私は精々小遣くらいの事かと思っていたので、

「多いといってもどれだけか」と再問すると、

「壱千万円でも弐千万円でもよい」

と答えた。私も些か驚いて、

「私のような一下級社員ではそんな大金が作れようか、そんな大きなことを言っては困る」

と言うと、

「何でもやってみないで出来ないと言うのはいかん。やってみてそれで失敗して構わないのだ、やってみても良いではないか。今直ぐ三井のマネジャーに相談せよ。革命のためには何事も躊躇するな」

と言うので、二十九日上海に到着すると直ちに私は三井洋行の支店長藤瀬政次郎氏に面会して孫文氏の話を持ち出した。すると藤瀬氏は、

「孫文という人は偉いということは聞いているが、未だ一度も会ったことがない人と金の相談をする事は出来ない」

と答えた。

私はその話を孫文氏に伝えると、孫文氏は直ぐに会おうというので、両人は初めて会見することゝなった。両人の間で暫く話していたが、その結果一週間待ってくれということで別れた。これは孫文氏が上海へ着いた日の午後のことである。


会見の場所は藤瀬氏の社宅であった。森も同席したのである。これが森と孫文氏との初対面である。

―藤瀬政次郎氏未亡人談―

藤瀬や森さんが初めて孫文氏とお会いしたのは私共の社宅でした。会見中に社宅の近くに砲声が聞こえて私共はびっくりしたことを記憶していますが、何でも革命軍の軍艦からどこかへ発砲したのでした。

この時、藤瀬、孫両氏の間に進められたのが即ち五百万円の借款問題（本章第八節参照）であった。

四　十五万円事件

一方支那に於いては、一九一二（明治四十五）年一月元旦、孫文は中華民国大総統に就任、同月八日孫文、黄興両氏からの正式会見申込によって犬養、頭山両氏が南京総統府で会見し、爾来しばしば相議するところあった。二月二十五日に至って黄興氏が来訪して、袁世凱と断つ事の不可能なる事を告げたので、犬養氏は我事已むとなし、尚懇切な忠告を与え、三月十六日孫文の送別宴に臨み、同月二十六日筑前丸で上海を発して帰国の途についた。

―古嶋一雄氏談―

犬養は孫文に、
「君が仮に革命を成し遂げたとしても北京には袁世凱がいるじゃないか。これをどうするつもりだ。袁が頑張っている間は思うように行くまい。武力だけでは成功しない。知能もなければならない。そこで岑春煊（陝西都督）と黄興と三人大同団結してやれ、さもなくば革命は決して成功せぬ」と言った。しかし孫は岑とは主義が違うので提携しなかった。犬養は孫が自分の意見を聞き入れぬので日本へ帰った。果たして孫は袁と提携して一旦革命を成功させたが、間もなく袁に利用されて第二革命にはしてやられる結果となった。

ある時、革命党に身を投じていた菅野長知氏から、藤瀬政次郎氏へ軍資の調達について依頼してきた。藤瀬氏は直ちに快諾して翌日金十五万円を菅野氏に渡した。

当時支店の機密費から金を引き出すにしても十万円以上の金は重役の内諾を得ずして自由にはならない内規があったのだが、事甚だ差迫っていてその余日がないという話だったので、藤瀬氏は独自の英断で処置をとったのであった。

それで右の報告が東京本社に達するや、常務取締役山本条太郎氏は驚いてこれを益田孝男に伝えた。何しろ三井の顧問井上馨侯も最初は革命援助に反対であったし、また外務当局も反対であった。そこで益田男は急遽上海に駆けつけ藤瀬支店長を詰問してみると、実は森がやったことゝ判り、森を呼びつけてその越権を責めると、森は憶する色もなく滔々と支那の現状から説き起こし、

「大勢を良く見極めて事に当たるべきだ。支那の革命は必ず成就する。しかし革命側には資金がなくて困っているのだから援助を与えてこれを成功させるべきで、革命成功の暁には揚子江一帯の利権を三井即ち我が帝国の手に収める事は国家永遠の策である」

と論駁した。

森の達識には益田男も舌を巻き、対支認識を新たにするところ少なからずあった。しかしその場は、

「兎に角出してしまった金は仕方ないが、今後は本店の許可なくして勝手な処置をとることは断じてならぬ」

と言明して東京に引返した。

「上海では十五万円損したが、その代わり掘出物を得た。森は流石にどえらい奴だ」

東京へ帰った益田男は周囲の人たちにそう言ったと伝えられている。

その後これがきっかけとなって三井は、井上馨、桂太郎その他政府要路を説き革命援助に乗り出すことになったのである。一九一二（明治四十五）年一月に三十万円借款が成立したことは前に述べたが、十五万円事件はそれ以前の事、即ち森がニューヨークから帰って間もない時の様である。十五万円事件は三井の革命援助のトップを切ったもので同時にそれは森の仕事であった。

一九一二（大正元）年になって三井が革命援助に乗り出す方針が決まってから、同年五月森は上海支店の穀肥係主任を命ぜられたが、それも、支那人は非常に面子を尊ぶから、孫文その他国民党要人と何かにつけて交渉を持つにしても何か資格をつけなければならないというので、藤瀬政次郎氏が森のために元輸出部の一部であった穀肥係を特に独立させ新設したのであって、名目は同係主任であったが、当時の森の仕事は専ら国民党との種々の折衝であった。

五　革命反対の我が国の対支政策

当時の支那は清朝の末期で、全国に革命の空気が漲っていた。孫文らの革命の他にも、康有為や梁啓超の清朝改革派があった。しかし当時は孫文らの運動がやがて成功し、支那が必然的に共和政体になるものとは誰も考え至らなかった。我が政府では当時、支那に共和政治を行わせぬ方針であった。

かつて犬養氏は次のように述べている。

——犬養毅氏談（東京朝日新聞所蔵）——

明治四十四年に第一次革命が勃発し、この間に処する日本政府の対支政策というものは、まるで幽霊みたいにフラフラしているんで、南方でも日本の態度を非常に危んでいた。そこへ持ってきて支那浪人という利権家がウンと南方で跋扈して、向こうでも手に負えぬというんで、同年頭山と吾輩とが渡支することになった。その秋いよいよ出発することゝしたが、行く以上はその前に政府の対支方針というのを聞いておけば何かと都合がいゝと思って、時の首相西園寺さん（当時第二次西園寺内閣）の許に出かけて、

「政府はどうしても支那の共和政治は行わせない方針であるか」

と聞いてみると、

「そんなことはない。隣国がどういう政体なろうと日本の関する限りではない。しかしそれは外務大臣もおることだから、内田（康哉）にも相談して御返事しましょう」

と至極訳の分かった話。そうすると二、三日して内田から会いたいと言ってきたので行ってみると、西園寺さんの話とはがらりと変わって、

「支那に共和政治が行われるようになっては甚だ困る。日本は極力これには反対するつもりで、場合には武力を用いても君主政体を維持させる考えである。そしてこの方針は南方革命党の領袖にも通じて貰いたい」

と途方もない事を言う。そこで吾輩が、

「冗談言うもんじゃない。そんな馬鹿な伝言が革命党に出来るもんか、もう一度考え直してはどうか」

と忠告してみたけれども聴かぬ。聴かぬはずだ、内田は山縣から押さえられて動きの取れぬようになってい

――たんだ。

当時日本の外交も日英同盟にそろそろ倦怠期が来ていた時代で、何とか外交政策を打開しなければならなかった。桂太郎や後藤新平は既にそういう見解を抱いていたが、外務当局は前述の如く「支那の革命を助けるなどとはもっての他だ」という偏狭な意見を持し、山縣有朋始め軍部首脳も反対であった。ただしかし現地駐在武官、主として本庄繁、松井石根、柴五郎、井戸川辰三らは支那の現状に通じているだけに理解を持ち、（現地では大体に於いて陸軍は比較的好意を持ち海軍は中立的態度をとった）、犬養、頭山両氏と互いに連絡をとって革命を援助した。

――古嶋一雄氏談――

私が犬養らと革命援助のために支那へ渡る時に、機密院顧問官都築馨六（井上馨侯の婿）が私に是非会いたいと言ってきた。会うと「君は犬養と支那へ行くそうだがけしからんではないか。一方にアメリカという共和国があり、こゝに又支那という共和国が出来ると、その中に日本が挟まって一体どうなると思うか」と言う。これは井上も山縣もそんな考えであったらしい。当時は要路の間にもそんな頭しか持っていなかった。

六　山本条太郎乗り出す

三井物産の元老益田孝男が十五万円事件で上海へ急行し、森の達識に驚いて帰って革命援助の有利なる所以を悟った次第、並びに内田良平氏の説に同意して三十万円借款に乗り出すに至った経路は前に述べたところであるが、時の三井物産常務山本条太郎氏も又これに同意して援助に乗り出すに至った。それについては山本氏自ら述べている。山本氏は一九〇八（明治四十一）年一月理事として上海より本店詰となり、翌年十月常務取締役となったので、革命当時は支那にいなかった。

――山本条太郎氏談（東京朝日新聞所蔵）――

僕が二十幾年の支那生活を終えて漸く三井物産の本店詰重役となり、常務の椅子についた時である。上海の三井支店には藤瀬政次郎君はじめ森恪君などがあり、革命の起こると共に上海、武昌間で活動してこれに援助を与えていた。

今でも覚えているが、その年（明治四十四年）十二月三十一日大晦日の晩、時の八幡製鉄所長中村雄次郎君が僕を訪ねて来て、

「南方支那政府は日本各方面に対し借款を申し込んできているが、誰も相手にしない。借款の担保物としては将来有望な某鉄山を以てこれに当てるというのであるから、君一つ国家のために一肌脱いでくれないか」

と言う。丁度その当時藤瀬君からも、日本が南方支那政府を援助しなくては南方政府は財政的に今にも倒れるなどの情報を寄こしていた。又事実南方政府は新政府組織後間もない時ではあり、又軍隊を整備せんとす

る時であったから金が非常に要るのであった。然るに財政は頗る窮乏を告げ、このまゝでは今後二ヵ月もすれば行き詰まる他ない状態を呈した。政府は許よりかゝる事柄に立ち入る事は出来ず、又民間の実業家にしたところで果たして革命の前途が成功するものか否かの見極めさえつかないので、誰一人として援助せんとするものはなかったが、僕は中村君の話を聞いて、それでは援助しようという決心のほぞを固めた。というのは仮にこの金が全部無駄となったとしても決して日本のためには無益な事にはなるまいと考えて、直ちにこれに応ずる覚悟を極めたのである。翌一月元旦は屠蘇の祝もせず早朝僕は中村君と両人車連ねて時の外務大臣内田康哉を訪ね、政府の意向を探ってみた。内田外相は、

「政府としてはかゝる保証は勿論出来ず又これに関係すべき事柄ではない。しかし一応西園寺首相の耳に入れて措くべきであろう」と言ってくれたので、両人は直ちに沼津に静養中の西園寺首相を訪ねて、事の経過と実情につき交々説明して我々の計画を打ち明けた。

然るに新春の初閣議にこの事を外務次官石井菊次郎君より詳細に報告したものだから、閣議では一向に承知せず、「国の代表機関には公使がある。それを一会社の重役などが出しゃばるなどもっての他だ」と相当波瀾を起こした。しかし僕はそんなことなど眼中におかず、四方八方飛び廻って所要の金額三十万円を揃え挙げた。その金を藤瀬君に托して南方革命軍の手に渡ったのはそれから間もない時であった。然るにその後南北の局面は一転して妥協は促進し遂にその成功を見るに至った。従って我々の目論だ計画は見事失敗に帰した。

山本条太郎氏述べるところの中村氏談の借款担保の鉄山とは盛宣懐所有の漢冶萍の事である。

兎に角、先に犬養氏の談にあったように政府の強硬な反対があった当時で、山本氏も内田外相の意向を右

資料２３　山本条太郎

のように述べているが、それらの反対機運を押切って借款を結んだのだから余程の確信を持った英断であったと言わなければならない。その裏面には、益田孝男が井上馨侯を説き、井上侯の賛同を得て更に桂太郎公その他へ働きかけ、政府要路を動かしたという側面工作があった訳で、これにも森は主要な一役を演じている。それについては二千万円問題（本章第九節参照）に関連して後述しよう。

七　藤瀬政次郎と支那革命

一方上海に於いては革命党の帷幄にあって活動していた邦人、宮崎滔天、萱野長知、山田純三郎諸氏が藤瀬支店長に接近しつゝあった。

上仲尚明の所に宮崎滔天が来て資金関係で多少話せるというところから藤瀬氏に近づき、そのため藤瀬氏は革命党との直接の折衝には森を働かせていた。つまり森は藤瀬氏の代理として革命党との折衝に当たった訳である。

——高木陸郎氏談——

山本条太郎氏は、前述の談話の中でしばしば情報を受けたといっているが、それによって藤瀬氏の対支認識——支那の共和政体は避くべからざる必然的趨勢である——との彼の識見が察知されて余りある。

一般には藤瀬政次郎氏の名は山本条太郎氏の名の蔭に隠れて余り世に出ていないが、質性温厚、しかもその識見高遇にして気宇雄大、稀に見る人物で、革命党からは絶大な尊敬と信頼を寄せられた人であった。

——森恪伝記事務所「座談会」速記録より——

尾崎敬義氏—藤瀬氏と山本氏を比べると寧ろ藤瀬氏の方が人物が大きかった。
上仲尚明氏—藤瀬さんという人はどこかに将来大きくなるだろうという希望は皆持っていたね。
高木陸郎氏—兎に角先生は算盤でないところがあったな、革命党の孫文でも宮崎でもそういう点があった。

また藤瀬未亡人が「支那にいられる山田純三郎さんも、今もって、日本にいらっしゃるたびに必ずわざわざ訪ねてくださいます」と言っていることから考えても、その徳望家であったことが判る。森もまた藤瀬氏を徳として尊敬していたこと言うまでもない。

——藤瀬政次郎氏未亡人談——

森さんは主人が亡くなってからも毎年元旦には一番先にきっと訪ねてくださいました。

藤瀬政次郎氏は後に三井物産重役となり一九二七（昭和二）年一月他界した。森は氏の徳を慕うのあまり、その伝記を世に残したいとかねてから念願しており、一九三二（昭和七）年（森の歿した年）の春、藤瀬未亡人を訪ねて、

「伝記を書き残しておきたいと思いますが」

と言った。未亡人が、

「主人は伝記を出されたりすることの嫌いな人だったし、資料となるようなものも今では何も残ってはいません」

と答えると、森は、

「革命当時のことだけでも書き残しておきたいのです。それは私の手許に資料はみんなありますから」

と言うのであった。

しかしながら間もなく森は病魔に襲われ、長く念願とした藤瀬氏の伝記が実現されずして、その年の暮れ森自身遂に不帰の客となったことは両氏のため返す返すも遺憾の極みである。しかも、森が手許にあると言った革命当時の資料はどこを捜しても発見できない。焼却したものか、或は又、彼の頭脳の中に記憶として保存してあることを意味したのか判明しない。


こゝで改めて藤瀬政次郎氏を紹介しよう。

氏は、長崎県出身。東京商法講習所（現在の一橋大学）卒業。三井物産株式会社に入社し、香港支店を経て、上海支店長、綿花部長を歴任し、取締役に就任。東洋綿花株式会社の設立に関与（同社の設立は三井物産綿花部が分離独立したもの）、後に代表取締役社長に就任した。

政財界に幅広い人脈を持ち、東亜同文書院教授で満鉄社員の山田純三郎を通じて孫文の辛亥革命を支援したり、犬養毅、新渡戸稲造らと共に南洋協会の設立発起人となったり、澁澤栄一、中島久万吉らと共に日米電信株式会社創立委員なども務めた。

晩年は、財団法人滝乃川学園の理事も務め、同学園創立者の石井亮一の事業を援けた。石井とは「竹馬の

資料２４　藤瀬政次郎（公益財団法人三井文庫所蔵）

友」の間柄であり、藤瀬の逝去の報に接し石井は、「手足をもぎ取られたようだ」と落胆したと伝わっている。

夫人の秀子は歌人として知られる一方、夫と同様、社会福祉への理解が深く、財団法人あそか会の理事などを務めた。秀子が夫の死後に晩年を過ごすために建設した神奈川県逗子市の別荘は、後に経済学者脇村義太郎の自宅となり、現在も蘆花記念公園に「旧脇村邸」として現存されている。

八　漢冶萍借款問題

一九一二（明治四十五）年一月、三十万円借款契約の結ばれたことは前に述べたが、山本氏のいう三百万円借款もほぼこれと時を同じくして成立した。

前掲の山田氏の手記の中に、孫文が上海に着いた一九一一（明治四十四）年十二月二十九日、藤瀬支店長に会見したことが書いてあるが、その時にこの借款の相談が持ち上がったのである。

―山田純三郎氏手記より―

この時に森氏が大いに画策に力めたわけで、三井の方では漢冶萍を日支合弁にすることが出来るなら五百万円出そうということを藤瀬氏から言われたので、私はそれを聞いて五百万円だけでも借款が出来ればこれが基になって段々できるだろうと考えたのである。孫氏もこれを承諾した。藤瀬氏は尚この確答は一週間猶予して呉れという事になった。越えて四十五年一月一日、孫文氏は南京に出発したが、約束通り一週間後藤瀬氏と自分と面会して漢冶萍の銑鉄代金の先払いの名義で五百万円の借款が成立した。その契約の調印については自分が孫文氏及び黄興氏の所に持ち廻って藤瀬氏に渡したものだ。しかしその五百万円は遂に全部孫文氏に手渡しするに至らず、手渡したのは三百万円だけで、あと二百万円は立ち消えになってしまった。

漢冶萍の三井借款は世に二百万円とい〻、或はまた三百万円という。しかし山田氏も高木氏も三百万円と言っている。契約は五百万円で実際には三百万円、残額は政府の方針の変更によって結局不履行のま〻に終わったのである。

この借款は、革命党に担保がないので支那有数の鉄山漢冶萍を担保として契約を成立させたのであるが、漢冶萍は元来革命党の所有物ではなく盛宣懐のものであった。盛宣懐は北京政府の郵伝部尚書で、一方支那屈指の事業家として漢冶萍の他にも上海の招商局などを持っており、また保険界、紡績界にも有力者と知られその勢力は非常なものであった。なお、漢冶萍煤鉄廠鉱公司とは大冶鉄鉱、漢陽製鉄、萍郷炭鉱の三つが合同したものである。

そもそも支那第一革命の口火を切ったものは**鉄道国有借款問題**であった。これは**盛宣懐が鉄道国策論を提唱したことから起こった問題**である。即ち盛は外債によって全国の幹線鉄道を国有とする事を主唱し、一九一一（明治四十四）年五月二十二日、突如上諭を以て発表した。この計画は忽ち全国に漲っていた利権回収熱によって猛烈な反対を受けた。次いで利権回収運動は、列強の政治的経済的侵略に対する反動として全国を風靡する大きな与論となった。この与論の底流をなしていたものが即ち革命党及び日本留学生出身者で、これがやがて母体となって地殻を破り革命の烽火となって燃え上がったのであった。

第一革命の勃発した当時、高木陸郎氏は漢冶萍の日本代表として東京に居て、商務代表としてしばしば北京との間を往来していた。

盛宣懐が鉄道国営の資金調達に関してその元凶だといわれ革命党につけ狙われていたのを、僕らが連れ出しに青島へ行って、青島から大連に行き、大連から日本に連れて来た。漢冶萍を革命党へ提供すると革命党から睨まれなくて済むから、関西の芦屋へ連れて来て無理に承知させて判を押させ、それを担保に孫文に金を貸す、その金は三井が出すということになったのである。調印は藤瀬政次郎がしたが、革命党との交渉は森がやった。三井の方は山本条太郎がやった。

――高木陸郎氏談――

盛宣懐は革命軍に首を狙われた上に、その事業根拠地たる武漢（大冶鉄鉱、漢陽製鉄、萍郷炭鉱などの所在地）を革命軍に蹂躪され、それらの事業が殆んど継続不能となったのである。一方我が八幡製鉄はその銑鉄の大部分を大冶から輸入していた関係上、それが大冶から来なくなる事は我が製鉄界にとって極めて重大時であったので、中村製鉄所長が山本条太郎氏を突然訪問した理由も自ら首肯されることであるし、また山本条太郎、高木陸郎、森の諸氏が一方では**支那実業界の巨峰盛宣懐の危急を救うと同時に我が製鉄界の危機を有利に切り抜けるべく、盛宣懐と革命軍とを結び付けようと画策**した真意も理解されるのである。

三百万円の先払いと契約調印は話があってから一週間目、即ち一九一二（明治四十五）年一月上旬に既に済んでいたが、担保ものとしての漢冶萍の方は、盛宣懐との関係で同年五月頃になって漸く成立した。

小生用事の都合にて昨夜俄に上海出発帰朝の途に上り候、途中芦屋に盛宣懐を訪い更に大阪に父を見舞いて直様上京の心組みに候云々

明治四十五年四月十三日・黄海航行の春洋丸にて

○

扨小生一昨日二十五日朝東京出立、同夜大阪着、遅く迄父と談笑し翌二十六日は午前を旅支度に費やし、午後は芦屋に盛宣懐と会し夜に入りて神戸に山下家を訪い、十一時単身朧月を仰いで本船に便乗致し候云々

明治四十五年五月二十七日・上海三井洋行にて

以上二通の手紙は婚約中の森が瓜生栄枝（後の森夫人）に宛てたもので、高木氏が盛宣懐を芦屋に連れて来、そこで調印が行われたというのは、森が上海と東京を往来の途中芦屋に立ち寄った頃、即ち四月頃と考えられる。

三百万円借款の結末については山本条太郎氏が次のように述べている。

——山本条太郎氏談（東京朝日新聞所蔵）——

南北妥協の後問題の金は革命軍から正金銀行を通じて返済して来たはずだ。その金は今尚受取手もなく、謎の大金として正金銀行の地下室深く蔵されている事と思う。

この借款は契約書では三井物産が金を出したことになっているが、そのことは三井物産の記録にもなく、三百万円は未だに謎の金とされている。

山本条太郎氏は生前に、

「あの金は三井振出しの名義になっているが自分の目の黒い間は三井にその金の利子は取らせない」

また、金の出所については明言を避けて、

「或は西園寺公ならばその辺の消息を透破しておられるだろう」

と人に語ったそうである。

要するに三百万円の出所は公然の秘密である。

左に本章の資料として漢冶萍公司と三井物産会社の契約書原文を掲げるが、これは山本条太郎氏が秘蔵していたもので、生前かつて他に示さなかったと伝えられる。

漢冶萍公司に関する文書（原文中日付けなきは正体の調印査証の関係に由る）

契約書（甲の一）

中華民国政府と漢冶萍煤鉄鉱有限公司（以下公司と称す）と三井物産株式会社（以下三井と称す）との間に契約すること左の如し

第一条　公司は資本金を日本金貨三千万円とし支那日本両国人共同の会社事業とし経営する事

第二条　支那人日本人の持株は同数とし各株の権利は同一なる事

第三条　公司は現存するところの日本よりの借入金一千万円の他に更に日本金貨五百万円を日本より借入るゝ事（右借入金総額千五百万円は日本人の持株に変更する事）

第四条　右五百万円の借入金は公司より中華民国政府へ貸与する事、但しその支払方法は一部は現金を以て交付し残金は中華民国政府が三井より買入の軍器代支払に充当すべきものとす

第五条　中華民国政府は右借入金支払に付き受取人を指定し委任状を交付すべし、三井は同人の受取書に対し支払をなすべし

第六条　右五百万円の借入金は中華民国政府にて明治四十六年一月　日に返済すること、但し利子は年八分（百円に付八円）とし四十五年七月　日と四十六年一月　日の両度に支払うべきものとす

第七条　右政府借入金の支払、返済及び利息の支払に関し為換は三井にて取り極めをなす事

第八条　中華民国政府は支那より輸出の銑鉄輸出税を免除すること事

第九条　公司既定の契約は中華民国政府にて承認し向後制定する定款及び定款の改正、取締役の採任は第一条の主意支那人日本人の共同事業によるべき事

第十条　公司にて前政府より得たる権利は中華民国政府にて承認する事

第十一条　本契約の中華民国政府の借入金に関する件はすべて三井を経由する事

第十二条　本契約書は漢日両文各三通を作り各自各一通を分有すもし字句に付き疑義を生じたる時はこ

れに添付の英訳文により決定する事

右各項は契約者一同これを承諾してこゝに契約を締結し各自記名調印するもの也

証　（甲の二）

一、本紙に添付の別紙契約書草案の通り漢冶萍公司を支那日本両国人の共同事業として経営の事及び右契約書草案各条項は中華民国政府にてこれを承認したる事を確証す

一、右共同事業として経営の方法に付き漢冶萍公司督弁盛宣懐氏が日本に於いて協定せる条件は中華民国政府に於いて公司の取締役としてこれを承認せし且つ公司の株主総会に於いてこれを通過せしむる事を確証す

一、前記株主総会開会前に於いて公司は先ず大冶鉄山を抵当として日本金二百万円乃至三百万円を借り受け、これを前記契約書草案中記載の公司より中華民国政府への貸金五百万円の内として中華民国政府へ支払い、残金は前記株主総会の決議を経たる上、支払の事を中華民国政府にて承認す

契　約　書　（乙の一）

一、本日締結したる中華民国政府と漢冶萍煤鉄鉱有限公司と三井物産株式会社との契約書により中華民国政府の借入金五百万円に対し中華民国政府は更に三井物産株式会社と左の契約を締結す

一、中華民国政府は将来支那に於ける鉱山、鉄道、電気、その他の事業を外国人に許可する場合には他

と同条件ならば三井物産株式会社にその許可を与える事を承諾す
一、本契約書は漢日両文各三通を作り各自各一通を分有す、もし字句に付き疑義を生じたる時はこれに添付の英訳文により決定すること（英訳文を略す）

証　（乙の二）

本紙添付の中華民国政府と三井洋行との契約書草案条項は中華民国政府にて承認せるものたることを確証す中華民国政府は漢冶萍公司の事業経営地たる湖北、湖南、江西各省官憲と交渉して地方的その他の事情により公司の事業に支障なからしむる様適切の処置をなすべき事を承認す

即ち以上の契約書によると支那全域における鉱山、鉄道、電気、その他の事業に亘り全般的に優越権を獲得した事が判る。**これは我が歴代政府は勿論のこと列国に於いてもその例を見ない空前の雄図で、直接には政府の力を借りず民間（山本、森の両氏）の手によってなされたことは驚異に価する出来事と言わねばならぬ。**

次に漢冶萍公司の趣意書を掲載するが、製鉄所との重大且つ根密なる関係並びに漢冶萍公司自身が如何に借款を求むるの急であったかを知ることが出来る。

漢冶萍公司を合弁事業とする趣旨（株主への説明報告書）

謹啓、旧歴八月武漢事起りて後、本公司所属漢陽鉄廠正に砲火の衝に当り職工離散、運搬の途又梗塞し停工已に数月を閲み、何の日か再び又開工の運に至るべき乎未だ逆睹すべからず、萍郷炭鉱又鉄廠の停工により骸炭及石炭の需要なく、加これ鉄廠以外の他の販路を兵乱のため阻滞し、坑夫らを解雇するの已む可からざるに至り、遂に石炭採掘及骸炭の製煉を停止するに至れり。

顧みるに本公司用款既に参千弐百余万両に達し、内株金壱千弐百余万元即ち銀九百余万両を除き、尚各商店及内外銀行よりの負債弐千参百余万両に上る、内日本の商店銀行よりの借入額壱千余万両あり、この時局に際し一方収入の途毫も存するなく、他方負債四方に逼る、中国の商店銀行より更に融通を仰ぐ能わざるは言を俟たざる所にして実に如何とも能わず、よりて更に日本の銀行に向て借款の交渉をなし以て焦眉の急を済わんとするも、而も従来借入れ居れるもの已に巨額に上がり、これらの借入金は日本製鉄所と販売契約を締結し在る銑鉄並びに鉱石代価を以て償還に引き当て居るものなるに、現在鉄廠停工せるを以て公布すべきの貨なく、既存の負債に関してすらその善後の方法を発見する能わずにこの上更に借款をなさんとするは、全く不可能事に属す、この如き状態を以て荏再施す所なくんば我公司は遂に破産の厄に会い債主は公司の財産を転売して債務を抵償せんとすべく正に彷徨策なきの際に当り、又国民政府より国家危急存亡の秋、款を需むる緊急なりとて公司に向け籌款を籌借し以て急を済むべきの命あり、更に艱難を加へ拱手殆んど策なし。たまたま日本商人この情勢を見、敢えて維持の法を講ぜんとし、国民政府に提議するに公司を改めて華日合同となさば日本商人は法を設けて借款に応ずべきを以てす。蓋し日商の合同経営を欲する所以は彼の工業日に興り鋼鉄の需要月に繁り、加これ彼地北海道に在る日英合同の製鋼所に於いて需鉄少なからず、目下その大半を遠く欧州諸国より購うの状態なれば中国に於いて大挙錬鉄をなし得ん乎、彼や近につきて購うを得、費用の節省甚だ大なるは言を要せず、於これ乎国民政府は如上の方法たる啻に国家の籌款上に対し稗益する所少なからざるのみならず、而も中国興業の前途外資を利用するにあらずんば不可なるは明らかなるを以て、即ち一は以て現時の急を済い、一は百年の大計に顧み、日商三井洋行に全権を授け同行をして速に公司と疑議せしむ。公司も又局勢を査察するに国民政府の需款緊切にしてその急一日を緩うす可からず、本公司株主諸君も又同じく国民として正に充分の尽力をなすべく義に於いて辞するを容さず、而も公司の負債弐千余万両に達し、金融逼迫借入の至難なるは残留し居れる技師役員らも相当の給与をなし、以てその離散を防ぎ置かざる可からず、中国金融界既に已に阻塞しこれが救済を欧米に仰がんと欲せば、彼は必ずや専門家を派遣し、親しく工場鉱山に赴き鉱産を測量値価し、機械溶鉱炉などを調査し帳簿を監査したる後ならざる可からず、その借款交渉曠日彌久せずんばその端緒だも得る能わず、唯日本とは交易往来已に久しく情形を熟知し居るを以て、方々この急需に応じて合弁の一法を講じ得たるに至りしなり。

公司一再熟籌し大局より打算するも将た公司を本意として攻量するもこの挙の他良法なく実に両全の策というべし。乃ち日商の意に同じ合弁仮契約を議定す、惟うに中外合同経営は本と鉱業条例の規程に遵由し許可せらるべきものにして、又広く東西各国に行われ居るもの、唯事公司の経営方法を更革するものなればその章程により応に各株主の公議により決せざる可成らず、但し国民政府の需款既に急に各株式又各省に散在し道路艱難株主総会を開かんとするも株主諸君の来会を期し難きを慮り、即ちこゝに合弁仮契約を添え公鑒に呈し、同時に可否議決に投票用紙を添呈す。講う各株式即日式の如くこれに記入し公司に寄せ以て彙集に便せよ。可否株数の多少を計算するには公司章程第三十九節により処理す可し。
（註：第三十九節　株主会に於いて議決権過半数に達する時はこれを議決となし、もし可否同数なれば議長これを決す、而も議長自己の議決権を行使し得ること故の如し）
もし新暦二月　日を経て議決票尚未だ公司に寄到せずんば即可決の株と認め計算すべし、こゝに特に御報告申上候
敬具
漢冶萍鉄鉱廠有限公司

華日合弁商議の由来

初め民政府に於いてその財政の急を済わんため三井洋行に向け借款の商議をなせり、三井重役山本条太郎はかねて東亜興業会社の取締役にて従来中国と連合し以て東亜に実業を発展せしむる事を以て念となす。我漢冶萍公司の日本に於ける銑鉄販売は三井その代理店たるより山本素より漢冶萍公司の内容を知れり。彼常に曰く、この如き巨大の工業断じて壱千余万の株金を以て経営し得べきものに非ず、特に況んや事未だ利を見るに至らずして先ず株金利子として一定の配当をなさざるべからざるが如き章程により経営するが如きは早晩蹉跌を免れざるべく、その影響の日本に及ぼす所又少なからざる可しと、その武漢義を起こして後公司の情形更に岌々乎として危なく山東もこれが救済の方法を講ぜんとするの意あり、たまたま民政府の借款交渉に接す、山本即ちもし漢冶萍を華日合弁とせば或はその借款に応ずることを得べしとてこれを民政府に提議す。初めより計画してこの提議をなしたるものに非ざるなり。民政府又能く中国の実業は将来外資を適宜に利用するにあらずんば発達を期す可からざるを知り、即この提

議を賛じ公司をして直接三井と妥商せしむ。公司は即ち内は各株主の株金に損失なからしめんことを慮り、又大にしては両湖両江その他南省治安の大局に顧み、その情形の止むを得ざるは前記報告の如く唯この際該提議に遵い商議を進むる他なきを以て即ち日商代表小田切萬壽之助と弁法を磋議し、先ず中国の利権を失わざるべきを根本主義となし、中国の商法鉱業法を遵據し、中国農工商部に註冊し、完全なる中国公司として商議を進む。日本又中国興業と連合を以て東亜の実業の発展をなさんとするには今回の合同経営を模範起点となさざる可からずとし、悉く公司の提議を容認し、その商議中一も意見の杆格をみたる事なし。総理盛宣懐は「驚弓の鳥」にして如この一も中国の主権に害なき条款なるも仍ほ敢えて據かに充さず、必ず民国政府の批准を竢して初めて仮契約に調印せんとす。維格日本製鉄所と銑鉄売買交渉のため日本に来る、予め中国の実業は外資を利用して発達せしめざる可からざるを以て念とす、しかも公司又この方法によるに非ざれば以て大局を済い株主の利益を安固ならしむる能わず、実に両全の策と信じたるを以てなり。但しこの合同経営は必ず公司章程に照らし、株主過半数の賛成議決を経ざる可からず、且つその工場、鉱山所在の各省又同じく権利利益を亨く可きものと信じ、日商代表小田切と商議し、中国持株百余万を増加発行しこの増株を湖北省六拾万元、江西省四拾万元、湖南省弐拾万元宛分配せんとす、即ちこれがため各省は等しく株主に対して他の株主と同じく董事を選挙する権を有し、公司の営業を観察することを得べし、査するに日本に於いても明治三十年以前は閉鎖時代にして外資の輸入さるゝを怖れこれを拒み居りたるも、爾後漸次欧米諸国と金融相通じ今日欧米諸国と合同経営に係る事業甚だ多し、実業の遂年発達し来られる寔に所由なきに非ず、想うに中国数年以後又必ず外資を歓迎するの時代来らん、中国の実業商務必ずこの時代に於いて初めて転機あらん耳

漢冶萍公司弁理盛宣懐代表
李　維　格　謹註

九　満洲買収計画

漢冶萍の三百万円借款と並行して、一方には黄興と日本郵船会社上海支店長伊東米次郎氏の間に、招商局の財産全部を抵当にして一千万円借款の話があり、現地の交渉は順調であったが、東京方面の種々な関係で遂に不成立に終わった。

「結局は漢冶萍だけの契約になって孫文は非常に困った」

と山田純三郎氏は語っている。


一九一三（大正二）年の夏、第二革命が起こった。しかしながら革命軍の旗色が悪く、袁世凱を打倒するには如何にしても金と武器が要るので、革命党はその調達に腐心している際であった。

時恰も、南京にあった山田純三郎氏は東京の森から、

「**二個師団の武器と二千万円の現金を渡すから、満洲を日本に譲渡せよとの交渉を孫文となせ**」

との電報を受け取った。余りにも大き過ぎる話だったので、山田氏は宮崎氏と顔を見合わせたほどであったが、兎に角やってみようという事になり、山田氏は宮崎氏と共に直ぐに南京城内蓬莱館で孫文と会見し、

「今私らが言わんと欲する事は非常に重大な事であるから、その前提としてもし不賛成ならばそれまでの事としてサラリと忘れてくれ。何時までも根に持っていては将来甚だ困る」

と言うと、孫文は、

「何でもよいから話せ」

と言うので人払いを頼むと孫文は、

「胡漢民は良いだろう」

と山田、宮崎、孫文、胡漢民の四人だけの部屋で、山田氏らは森から交渉を命じられた**満洲買収問題**を切り出した。

　孫文はウームと言ったが、

「一寸待ってくれ」

と言って別室へ出て行った。つまり黄興に相談に行ったのであった。そして約三十分ばかりして帰って来て
「宜しい、直ぐその事を進めてくれ」

と遂に承諾した。

　山田氏らは非常に喜んで直ちに森へ交渉顛末を打電すると、折り返し返電が来て、

「孫氏は直ちに日本へ来て貰いたい。軍艦を南京の下関に回すから、それで九州の三池までくればその所に桂公がいるから、桂公との会見で万事が解決する」

と言うのであった。当時桂太郎公は総理大臣を辞して静養中であったので、三池まで出向いて行って待つと言うのである。

　この電報を持って山田氏は再び宮崎氏と共に孫文に会った。革命軍の旗色はいよいよ悪いという場合だっ

たので、孫文がしばしの間だけども支那を去ればそれだけ革命の士気に影響するという状態であった。そこで孫文は、

「目下の情勢では自分が日本に行くことは不可能だから黄興を代理として派遣する」

と答えた。当時黄興は胃潰瘍の初期で床についており面会を謝絶していたので、山田氏がこれに目をつけて
「面会謝絶中という事にして密かに行っては」

と切り出したからであった。その旨森に回答してやると、

「それでも宜しい」

と返電があった。

その後山田氏らは毎日軍艦を待っているも軍艦は来ず、電報を打っても森からは杳として返事がないうちに革命軍は遂に敗退し、一九一三（大正二）年八月、孫文並びに黄興が日本に亡命するに至った。


——山田純三郎氏談——

満洲買収問題はその当時大概の者が眼を見張るような大問題であったが、今日の満洲国を見る時、やはりこれが大勢の趨くところであったことを是認せざるを得ない。**その当時に於いてこの問題をこゝまで運ばした森氏の識見に至っては流石に敬服に価するものがある**。当時、自分らの往復した電報書類などはその後全部焼き捨てゝしまったため、今私の手許にその証拠となるべきものが残っていないのは頗る遺憾である。森氏も存命中に満洲国の成立を親しく目睹せられたのであるから、この点については喜んで瞑目されたものと思われるのであるが、日支の関係正に紛糾の頂点に達している今日、森氏の如き力量手腕を有する人に俟つところ多きにも拘わらず、前途尚春秋に富むこの雄才を空しく二豎（にじゅ）（註：病気又は病魔のこと）の冒す所に任

ぜしめて、再びその音容に接する事が出来なくなったのを思えば誠に感慨の深いものがある。この大計画の提案者森氏、その共同者平田久氏（益田孝男爵秘書）、交渉係の宮崎滔天氏、支那側の孫文氏、胡漢民氏ら今は共に亡き人の数に入っている。

満洲買収計画の発案者森は益田男を通じて井上馨侯に会い、井上侯を介して桂公を動かしこの大計画を立て、八、九分通り成功したのだが、最後の土壇場で政府（山本内閣）の反対で結局立ち消えに終わったのであった。いうならばこの大計画は森と桂公の合作であった。桂公は遂に薨ずるまで「自分はもう一度台閣に上がって必ずこの計画を遂行する」と度々病床で言われたと伝えられている。

森が革命党から金の調達を頼まれて井上侯に会ったことがある。益田男や三井の重役連と共に、ある時井上侯と会食したのだが、森は井上侯を少しも恐れず、あぐらをかいて堂々と談じ込んだので重役連がハラハラしたという話だ。しかし当の井上侯は明治維新の動乱の中をくぐってきた人物だけに、少しも驚かず却って森青年の剛胆を愛したといわれている。

―田村羊三氏談―

○

―桂公は「君は支那を料理せよ」と俺に言われた。そしてそれが俺が政治家となった一つの動機だ。桂公が

―松山小三郎氏談―

――未だ生きていたら俺の政界入りはもう二、三年早かったのだが――と、これは私が幾度も聞かされた森さんの直話である。

支那革命援助に反対の親玉は山縣有朋公であった。外相内田康哉伯がやはり反対だったのも即ち山縣公に押さえられていたからであった。従って満洲買収借款問題が最後の土壇場で不調に終わったのもその故である。

「**満洲は日本の勢力範囲だから金をやって買い取る必要はない**」

というのが山縣公の根本意見であった。

森は当時、やはり満洲問題に関して山縣有朋公にも会っている。それで山縣公を次の如く評したことがある。

――松山小三郎氏談――

「頑固だが流石に偉い親爺だ」と森さんは感心して話されたことがある。

十　桂公と孫文の握手

第二革命に先立ち、孫文は常々、満洲は日本へ譲渡してもよいという考え方を抱いていた。第一革命後いよいよ資金欠乏し、計画の遂行も出来なくなったので、遂に袁世凱と妥協して袁にその後を譲り、孫文は暇になったので、当時の革命は元々日本のお蔭であったばかりでなく、日本の援助を得なければ革命は到底不可能だという見解からして、日本の先輩にお礼方々行こうということになって戴天仇らと日本を訪れた。それは一九一三（大正二）年の十一月紀元節の日であった。孫文一行は至る所で朝野の歓迎を受けた。

恰度後藤新平氏の歓迎会が華族会館で催された時の事であったが、孫文は戴天仇、山田純三郎両氏と共に三人でスモーキング・ルームに於いて桂公と会見した。その時桂公は、

「孫さん、日本の人口は一年に幾ら殖えるか知っていますか」

と問うと、孫文は、

「まァ二十万くらいでせう」

と答えた。桂公は更に、

「すると十年、五十年後は？」

と再問した時に、孫文は黙って手を差出し、桂公と長い間固い握手を交わした。これが桂公と孫文との最初の会見であった。

―山田純三郎氏手記より―

資料２５　桂太郎

非常に劇的な場面であった。両雄は実に肝胆相照していた。
第二回目の会見には私は行かなかったが、戴天仇氏が通訳した。その話を後で聞いてみると、桂公は孫文氏に向かって、日本の人口増加の趨勢から説き、将来どうしても日本人は満洲に発展するより他に方法がないので、協同の力によって満洲を楽土足らしめようではないかと言われ、孫文氏もこれに同意したとのことであった。

当時孫文の来朝を機として東京に於いて日支経済提携工作が進められたことは前にも述べたが、孫文は一九一三（大正二）二月十一日東京に着き、二十日には三井物産集会場に於ける中国興業創立準備第一回発起人会に出席したのであった。

——山本条太郎氏談（東京朝日新聞所蔵）——

森は孫文を神戸まで出迎えた。
支那南北妥協後、孫文君は北京に袁世凱を訪れ、その帰途日本に立ち寄ったことがある。僕は森恪君を使者として孫君を神戸まで出迎えにやり、孫君が上京して帝国ホテルに入ると直ぐに会見した。僕は孫君の来朝を機として年来提唱してきた日支経済提携を具体化したい目的があったから、会見後直にこれを孫君に話すと、僕の説を容れて澁澤子その他各方面の実業家に直接会見するなどのこともあった。これが動機となり澁澤子などの後援尽力によって成立ったのが現存の中日実業株式会社である。

その後第二革命が失敗に終わって孫文は日本へ亡命したが、当時桂公は病中であったため女婿長島隆二氏をしてしばしば孫文の寓居を訪れせしめた。

長島氏に托した桂公の伝言は「自分は今病気であるが、病気が治るともう一度日本の天下を取る。天下を取らないと本当の約束は出来ないから、自分の病気が治って天下を取るまで暫く待ってくれ」と言うのであったと、私は孫文氏から時々聞かされた。不幸にして桂公は志半ばにして亡くなられたが（一九一三（大正二）年九月）、桂公没後、孫文氏は常に「日本にその人なし」と歎じていた。

―山田純三郎氏手記より―

十一　第二革命と森

これより先、第一革命の主導力として活躍した**中国同盟会**は、共和新政体の樹立と共に秘密結社から公然たる政党となっていたが、国会組織法と衆議院選挙法の公布を機会として一九一二（大正元）年八月、新たに「**国民党**」を作った。

これに対抗する政党としては、一方に袁世凱の御用党たる共和党があり、二大政党の対立の陣容が整ったので、国民党は**臨時約法**による牽制政策に従って、議会に絶対多数の発言権を占めて袁の権勢を封鎖する方針を定め、宋教仁始め選り抜きの闘将は四方に遊説して大いに活躍した。

選挙は一九一三（大正二）年二月に終了し、その結果は衆議院議員五百九十六名のうち国民党二百六十九名、共和党百二十名、参議院議員二百七十四名のうち国民党百二十三名、共和党五十五名で、両院ともに共和党は多数党の名を国民党に奪われ、仮に群小諸党の全部が共和党に付いたとしても、表決権の可能範囲である全数の三分の二を占め得ない惨敗となり、袁をして極度に失望させたのであった。

臨時大総統就任以来袁世凱の武断統一政策は次第に露骨となり、国民党との関係も日を追って先鋭化しつゝあったが、この総選挙の意外な敗戦に直面するや、買収、脅迫、暗殺、監禁などあらゆる悪辣な手段を尽くして国民党の切り崩しをやった。

この時突発したのが**宋教仁暗殺事件**である。宋は国民党の手で政党内閣を組織しようと暗中飛躍を試み、『国民党の飛龍』といわれた人物であった。三十一歳の若手ながら、袁は政敵のうち最も彼を怖れていた。宋は国会に臨むため上海を出発しようとする際、北停車場のプラットホームで凶漢のピストルに斃れた。一九一三（大正二）年三月のことで、孫文の日本滞在中の出来事であった。

私共が東京の大歓迎会を辞して長崎に居た際に宋教仁が上海で暗殺されたのである。それは袁世凱の方の手であったことを聞いて、袁に誠意がないことが判り、一方李烈鈞が同志を糾合して九江で第二革命の烽火を挙げた情報が入ったので、私共は早々上海に引き揚げたのである。当時上海では陳其美が相応じ、その他各方面で挙兵したのであるが、これがまた線香花火的に悉く失敗に終わって、同年八月孫文派の者は已むなく又日本へ亡命したのであった。

——山田純三郎氏談——

袁の下に組織された暗殺団は北京天津を根城に暗躍して、次々に国民党要人を暗殺した。暗殺手段にはピストルの他に、巧妙なる毒薬または細菌が用いられた。

そこで国民党でもこれに対抗するため、その方面の研究をする専門家が必要とされた。森はその依頼を受けて知人山科多久馬氏にこれを委嘱した。山科氏は医を業とし、宮崎滔天氏の友人で早くより支那に渡り、革命運動の渦中に投じて宮崎氏らの側面運動の蔭に働いた人であった。

——山科多久馬氏談——

自分は北京に泌尿科専門の看板を掛けて、内実はその仕事をしていた。泌尿科というのは当時まだ日本内地にさえなかった。研究費用は国民党の黄興から密かに支給されていたが、のち革命党の旗色が次第に悪くなると、その支給が絶えてしまった。そこで私は森氏に、費用が続かなくなったがどうしようかと相談に行くと、森氏は、自分も乗りかかった船だから費用は自分が持つから続けてやってくれと言われ、その後半年くらい自分は森氏に面倒を見て貰った。その後この計画は目的を達するに至らないうちに袁世凱が病死した。

(註：山科多久馬(やましなたくま)は、生年不詳、一九四一(昭和十六)年二月八日歿。医師で有隣会会員であった。有隣会医療班として、一九一一(明治四十四)年十一月に革命軍の救護のため大陸に渡り、その後南京の陸軍病院に勤務する。一九一三(大正二)年九月、東京赤坂で孫文と会談。中国革命を支援した日本人の一人である)

国民党の憤慨は極度に達し、双方の関係いよいよ険悪となった。しかもこの成り行きを更に悪化させたものは**善後大借款問題**であった。即ち、正式国会は一九一三（大正二）年四月八日から北京で開会されたが、政界の風雲は殺気立つばかりである。そこへ、突然袁世凱が国会の承認を経ずに日英独仏露の五国銀行団との間に二千五百万ポンドの借款契約を調印したことが発表されたのである。この専断振りが宋教仁暗殺事件とからみついて遂に**第二次革命の導火線**となった。

尚、森は第一革命以後から天津支店長時代にかけて、その折々、我が支那駐屯軍や外務省宛てにしばしば現地情報を供し或は意見書を提出している。

「雲南挙兵に至りし始末」「支那政党の歴史と現状」「袁世凱の支那牽制復活問題」「山東軍司令部方面の情報」などがあるが、そのうち「袁世凱の事績について」を補遺に掲載して参考に供する。

付記

一　三井物産株式会社　英：MITSUI & CO., LTD.

三井グループの大手総合商社であり、いわゆる五大商社の一つ。三井不動産、三井銀行（現、三井住友銀行）と並ぶ『三井新御三家』の一つ。通称は物産。

源流は、明治初期外国の商館に牛耳られていた貿易を日本人の手に取り戻そうと、井上馨や益田孝らによって設立された先収会社。井上馨の政界復帰に伴い、益田孝らが三井家の支援を得て先収会社の志を引き継ぎその商権などを元に旧三井物産が一八七六（明治九）年に設立される。初代社長は益田孝。創立時の社員数は十八名（益田を含む）。

歴史上、まだ商事会社という日本語すら無かった明治初期に、あらゆる産品の貿易を手掛ける世界に類を見ない民間企業として発展し、後に「総合商社」と称される企業形態の原型を造った。

明治時代の日本企業による海外進出は、まず三井物産が進出し、日本郵船が航路を開き、横浜正金銀行（現、三菱東京ＵＦＪ銀行）が支店を出すといわれ、日本の外交官から「公館（大使館・領事館）無けれど物産あり」と言われるほど、官民を問わず日本の組織としていち早く海外の辺境地域へ進出していた。

戦後財閥解体により一時解散を余儀なくされるが、一九五九（昭和三十四）年二月、旧三井物産系商社が大合同し現在の三井物産が誕生した。

同社は多くの人材を輩出している。三井グループの中核企業には旧三井物産出身者の設立した企業が少なくないことから、「組織の三菱」に対し「人の三井」といわれる。

二　登場人物紹介

上巻にて、森恪に公私に亘り多大の影響を与えたり、関係した主な人物を列記して紹介する。

A　山本条太郎

一八六七（慶応三）年十一月六日、越前国福井藩士山本条悦の長男として生まれる。病気のため共立学校を中退後、十五歳で三井物産横浜支店に奉公する。

一九〇九（明治四十二）年、三井物産常務取締役。一九一四（大正三）年、シーメンス事件（P463参照）で起訴され引退を余儀なくされた。その後は事業家として再出発し、多くの会社の社長・役員を務める。

一九二〇（大正九）年の第十四回衆議院議員総選挙で、福井県第一区に立憲政友会から立候補して当選、以後四選される。政友会では幹事長、政務調査会長を歴任し、山崎猛ら十名前後の傘下議員を抱えていた。

一九二七（昭和二）年から一九二九（昭和四）年まで南満洲鉄道株式会社社長〔就任当時は理事会が廃止されて、満鉄トップの役職は「社長」となっていた。一九二九（昭和四）年六月二十日付で総裁に再変更〕。満洲への経済進出や東方会議に大きな役割を果たした。大胆な改革を行い「**満鉄中興の祖**」ともいわれたが、張作霖爆殺事件を期に後ろ盾であった田中義一内閣が瓦解し辞任する。

山本条太郎は森恪に多大なる影響を与えた人物なので以下詳述してみよう。

（一）山本条太郎が張り巡らせた東南アジアの情報網

上海にて三井物産清国総監督という地位にあった時の事である。

日露戦争勃発の報を聞くや、山本は香港、シンガポール、サイゴンまで情報網を張り巡らせ情報を収集し、海軍当局に通報する役割を買って出た。商社の持つ情報ルートは多岐に渡る。取引先や自らの支店網、更には外国商船の船長や水先案内人にまで懐柔の手を伸ばし情報を集めた。

バルチック艦隊が日本海に接近した時などは、森恪らに小型船舶を借り受けさせて監視活動を行わせた。その都度上海支店を経由し、東京の本店を経て海軍当局に電報は届けられた。

バルチック艦隊の対馬海峡通過の可能性をいち早く判断できたのも、山本が発した電報に負うところが大きかった。対馬沖に布陣し、日本連合艦隊がバルチック艦隊を待ち受けたいわゆる日本海海戦でバルチック艦隊が殲滅した。この時、山本は弱冠三十九歳。軍事探偵のような仕事をするとは、商売人としてはいささか逸脱の感もなくはない。勿論、山本が中国でやったのは軍事協力ばかりではない。

（二）商売の要諦は人材教育にあり！

商売というのは人と人の関係であり、結局は人間関係に収斂する。山本は、そのことをよく理解していた。そういう視点から取り組んだのが**人材教育**だった。まず社員に語学の研修を施したこと。彼が重視したのは語学ばかりではない。中国で商売をやるには、中国人の文化や心理も識る必要がある。このような構想からスタートしたのが「**支邦部商業見習制度**」であった。教育で強調されたのは「中国人の心を識る」だった。

この教育制度から後年政界で活躍する多くの人材が生まれた。森恪も山本の下で働いた優秀な商社マンであったことは確かである。

（三）上海紡績工場の再建に一役

さて、中国での働きを認められ参事に昇格し、大阪支店綿花部長に就任したのは、一八九七（明治三十）年十月のことである。しかし、山本は鬱々としていた。やはり、山本には国内よりも中国大陸が似合っている。再び中国に戻るのは一九〇一（明治三十四）年九月だった。四年ぶりの中国、山本が着目したのは中国の**綿紡績**である。

上海に再赴任した翌年、経営不振の現地紡績会社を買収し、これを**上海紡織有限公司**と名付けて取締役に就任する。まず工場の実情を調査するところから再建の道を探った。原料の買い付け、設備の改善、従業員の訓練教育、そして営業方針の見直しを行った。買収した現地法人は見事に立ち直り、好成績を収めるようになる。評判が立ち、中国人実業家盛宣懐から申し入れがあり、彼が所有する「大純紗廠」の立て直しに協力する。こうして中国に於ける本格的な産業投資が始まるのであった。

山本は中国紡績業の近代化に辣腕を振う一方で、本来の商社事業である貿易においても新規商品を次々と開発し、日中貿易の拡大に大きく貢献するのだった。いわゆる三**角貿易**という取引形態を開発するのも、この上海支店長時代である。今でもこのビジネスモデルは生きている。山本は四十代に入り、それまで暖めていたアイデアを次々事業化して行く。例えば、**原産品を輸出商品に育て上げ**、**これを欧米諸国に売り込み、更に欧米諸国の商品を中国に持ち帰るというビジネス方法**だったが、苦戦も強いられることにもなる。

（四）欧米資本を相手にした壮絶な闘い

中国市場の先駆者は欧米企業である。とりわけ大きな商権を持っているのは英国系の資本だった。上海にはこれら英国系資本が盤踞している。これら相手の商戦である。上海ばかりではない。中国各地に彼らは強力なネットワークを張り巡らせている。強大な国力を背景にした商権は、不動のように見えた。商売の規模が大きくなるにつれ、衝突する機会も増えてくる。挑戦を挑む日本はまだ二等国である。欧米資本を相手に山本はよく奮戦した。資本力や軍事力では適わない。そこで知恵を絞った。欧米資本も譲らない。相手は寸部も入れない構えなのである。揚子江の覇権をめぐる英国資本との闘いでは、ようやくのことで割り込みに成功した。

（五）山本条太郎本社常務に昇進す

三井物産の歴史をたどるなら、国際的な商社として大きく飛躍するきっかけとなったのは、中国市場で基盤を築き上げたことによる。そして、**世界の海に轟く三井物産の名声、特に中国に始まる三井物産の国際舞台での活躍の端緒を切り開いたのは山本条太郎である**。

中国での成功を評価されて、一九〇七（明治四十）年、凱旋将軍として三井物産東京本社に帰還する。本社も山本の働きをよく知っていた。彼に与えられた地位は**本社理事**だった。横浜支店の小僧から叩き上げ、中国の各地を転戦し、大きな戦果を上げての凱旋であった。

翌一九〇八（明治四十一）年に山本は**常務**に昇進する。山本が絶好調の時期だ。もう三井物産を背負って立つ社長への道もあとわずかだ。本人も周囲もそう信じた。山本の前途は栄光に満ちていたのである。

しかし、事態は暗転する。人の運命というのは判らぬもので、それから五年後、海軍上層部を巻き込む一大疑獄事件に連座するのだった。山本は山っ気の多い男だ。権力とも平気で結びつく。軍との関係は日露戦争以来続いていた。その関係を商売に利用した。**政商**と陰口を叩かれた所以でもあった。

（六）海軍某重大事件の連座

山本は**シーメンス事件**に巻き込まれる。事件の経過、性格とも、最初に報道したのは外電であった。軍艦など兵器輸入に関わる旧日本帝国海軍の**構造汚職事件**である。

事件発覚の端緒になったドイツの兵器会社シーメンス社の贈賄のほか、最後の輸入戦艦として知られる「金剛」の建造に際し、代理店の三井物産を介してイギリスのヴィッカース社からも多額の贈賄がなされていたことが摘発された。

事件は、沢崎寛猛海軍大佐らの収賄が摘発され、次いで戦艦「金剛」の建造（代金約二千四百万円）に関わって、輸入代理店三井物産が発注先のヴィッカース社から得たコミッションの三分の一、約四十万円を当時海軍艦政本部長であった呉鎮守府司令長官松本和中将へ渡していたことが明らかにされた。

三井物産は一九一〇（明治四十三）年の発注時に、技術顧問の元造船総監松尾鶴太郎を通じて海軍高官に発注工作をしていた。山本の関与も疑われた。受け取った金は、松本中将を海軍大臣に任官させるための政治資金だったものといわれ、収賄金の一部が斉藤實海軍大臣にも渡ったことも暴露される。

軍備拡張の下で噂になってきた財閥と政府、軍部との癒着結合の一端が白日の下に曝され、これに政争が加わり、尾崎行雄、犬養毅ら野党は激しく政府を糾弾したものだった。

収賄罪に問われた軍人たちは、高等軍法会議でそれぞれ免官・位記返上・勲等功級褫奪、三年以下の懲役並びに追徴金の判決を受け、贈賄罪の松尾、岩原謙三、山本ら三井物産関係者たちは、東京控訴院で執行猶予付きの懲役刑が確定した。

（七）金でポストを買う政治家

こうなると三井としても山本を庇う訳にはいかない。一九一五（大正四）年、山本は**三井物産重役を辞職**する。

失意の山本を救ったのは折からの大戦景気だった。都内ホテルに事務所を構え、次々と新規事業を興す。**大洋汽船**、**日本火薬**、**農州鉱山**など、山本が関与した事業会社の数は十指に余る。山本はシーメンス事件で世間の指弾を受けた。しかし、彼は平然と新しい事業に立ち向かったのだった。

とはいえ、三井財閥が抱える事業に比べれば事業規模も小さく実態は中小企業である。そんな事業に関わっていることも彼の自尊心が許さなかったのか、**政界転出**を決意するのだった。

生まれ故郷の福井選挙区から**衆議院議員に打って出る**のは、一九二〇（大正九）年の事である。所属したのは三井が支援する政友会だった。**政界に打って出たのは、シーメンス事件を政治の謀略だったと受け止め、反転攻勢に出ようと決意したからだったのである。**一九二三（大正十二）年に政友会政務調査会副会長、翌一九二四（大正十三）年行政整理特別委員長、一九二七（昭和二）年には政友会の幹事長に就任する。トントン拍子の出世といってよいだろう。

しかし、政治家としての評判は芳しいものではなかった。政友会での地位も、金をバラまき金で買った地位であったからだ。金でポストを仕留める手法は政界を堕落させただけだった。政友会の幹事長にまで上りつめながらも、政治家として最後まで固執した大臣の椅子への期待は空振りに終わる。シーメンス事件に連座したことが祟ったのである。

政界に出てからの山本は、あの少年時代のような覇気を失っている。大戦景気で儲けた金はふんだんにある。金をバラまき金でポストを買う、それが政党政治家の必須の条件と考えたのが間違いであった。今や自分が育てた森恪は犬養内閣で内閣書記官長を務めているのだから、面白かろうはずもない。やはり、山本には政治家は似合わなかったのである。

（八）最後の仕事・満鉄総裁

そんな失意の中にあった山本のもとに**満鉄総裁就任**の話が持ち込まれる。山本は小躍りして就任を受けた。一九二七（昭和二）年七月、山本は大連に赴任する。山本は根っからの商売人だ。政界転出は失敗に終わったが、満鉄の立て直しでは事業家として辣腕を発揮した。初代総裁後藤新平、第十四代総裁松岡洋右と並ぶ名総裁と呼ばれるにふさわしい仕事をしている。**化学工業を興し、製鉄事業の立ち上げに助力する**など、山本の満鉄での事績を尋ねるならば数え切れないほどある。**満鉄改革をやり遂げた**ことも特筆しなければならない。特に重視したのは**満鉄調査部の強化**だった。

満鉄総裁就任は短期間だった。一九二九（昭和四）年、山本は辞任する。山本が満洲から去った直後、満洲事変が勃発し、やがて日中全面戦争に突入する。その一九三六（昭和十一）年三月、切迫する大陸情勢を耳にしながら病に倒れた。同年三月二五日死去。享年六十八歳。（小島直記著『小説三井物産　上・下』より）

B　瓜生外吉夫妻（うりゅうそときち）

瓜生外吉は、加賀藩支藩の大聖寺藩士瓜生吟弥の次男として一八五七（安政四）年一月二日に生まれる。一八七二（明治五）年海軍兵学寮に入る。中途の一八七五（明治八）年にアメリカに留学。留学中に開拓使派遣留学生として渡米していた益田孝（後の三井物産社長）の妹繁子と知り合い、帰国後結婚した。一八八一（明治十四）年、**アナポリス海軍兵学校を卒業**し、同年十一月に海軍中尉任官。

その後、軍艦「摂津」分隊長、「海門」分隊長、「扶桑」分隊長、海軍大臣伝令使、将官会議書記、参謀本部海軍部第三局第二課長、防護巡洋艦「浪速」副長、砲艦「赤城」艦長などを歴任。

一八九一（明治二十四）年、海軍大佐・横須賀鎮守府海兵団長となり、フランス公使館付海軍武官、「秋津洲」艦長、「扶桑」艦長を歴任。一八九七（明治三十）年十月、瀬戸内海航海中に荒天のため「松島」「厳島」と接触し船体を大破する事故を起こし、翌年四月に軽禁固三カ月の判決を受けた。

復帰後、佐世保鎮守府軍港部長、「松島」艦長、「八島」艦長を経て、一九〇〇（明治三十三）年に海軍少将・軍令部第一局長に。さらに、常備艦隊司令官を経て第四戦隊司令官として**日露戦争**を迎え、仁川沖海戦で勝利。戦後、竹敷要港部司令官、佐世保鎮守府長官、将官会議議員、横須賀鎮守府長官を歴任し、一九〇

資料２６　瓜生外吉

七（明治四十）年に**男爵**を授けられた。

一九一二（大正元）年、**海軍大将**に昇級し、臨時博覧会臨時総裁を務める。一九一三（大正二）年、予備役に編入された。

一九二二（大正十一）年から三年間**貴族院男爵議員**を務め、一九二七（昭和二）年に退役した。一九三七（昭和十二）年十一月十一日、八十一歳で死去。

六年間のアメリカ留学経験があり、海軍有数のアメリカ通として知られた。旧友の米国海軍長官エドウィン・デンビから軍縮会議開催の動きを知らされ、瓜生は海外情勢を視察し、加藤友三郎海相に報告を行っている。

益田孝は義兄にあたり、**森恪**は女婿である。長男武雄は海兵三十三期出身の海軍少尉で、三十四期の遠洋航海に参加中、乗艦「松島」の爆発事故で殉職した。

他方、妻**瓜生繁子**は、一八六二（文久二）年三月二十日佐渡奉行属役益田孝義の四女として、江戸本郷猿飴横町に生まれた。五歳で幕府軍医永井久太郎（玄栄）の養女となり、一八六八（慶応四）年三月養父と共に沼津に移住した。

実兄孝が米国公使館詰だった関係で**開拓使留学生**に応募の機会を得た。

一八七一（明治四）年十一月三日、十歳の繁子は津田梅子、吉益亮子、上田貞子、山川捨松らと岩倉使節団に従い米国の首府ワシントンに渡った。

市内フェアヘイヴンのジョン・アボット家に預けられ、ヴァッサー・カレッジで**音楽**を学んだ。一八八一（明治十四）年帰国命令が届き、勉学の途中であったが、病気がちだったので同年秋に帰国して文部省音楽取調掛教授となった。

一八八二（明治十五）年、繁子は海軍軍人瓜生外吉と結婚した。二十歳であった。

結婚後もピアノ教師として多くの弟子を育成して音楽教育に重きをなした。繁子は日本でいち早く正式にピアノを習い、それを弟子に教授した**女流音楽家**であろう。

一八八六（明治十九）年十月には東京女子高等師範学校兼東京音楽学校教員となる。一八九〇（明治二十三）年に教諭となり、後に教授となった。退官後に従六位を贈られた。

一九二八（昭和三）年十一月三日、六十七歳で死去。

C　範多範三郎（通称ハンス・ハンター）

範多範三郎は本国名をエドワード・ハズレット・ハンター（通称ハンス・ハンター）という。ハンス・ハンターは、父E・H・ハンターと、大阪川口居留地の近くに住む薬種問屋・平野常助の娘愛子との間の次男として生まれる。

父E・H・ハンターは、北アイルランド出身で幕末に来日。横浜で貿易事業に携わった後、神戸に移住して外国人居留地で「E・H・ハンター商会」を創設した。主に建設材料や機械、工具、塗料などを取り扱っており、一八七七（明治十）年十月に始まった西南戦争で西郷軍の軍需物質を取り扱い財政基盤を固めたという。

妻**みどり**は、父は元判事で大阪市議会議長の**森作太郎**で、兄が**森恪**に当たる。

一九四〇（昭和十五）年十月一日、ハンス・ハンターは第五回国勢調査が実施された際に日本国籍の回復届けを提出し、「**範多範三郎**」**に改名**する手続きを行い、五日に受理された。

ハンターは貿易商、鉱山事業を主としていたが、並行して奥日光中禅寺湖畔に鱒釣りを中心とした会員制の「**東京アングリング・エンド・カンツリー倶楽部**」を大正末から昭和初期に運営した。在日外交官や日本の上流階級の紳士的な社交の場として設けた同倶楽部は、秩父宮、東久邇宮、朝香宮を賛助会員に、代表は佐賀藩主の家柄の鍋島直映侯爵、会長は時の加藤高明首相、副会長は三菱財閥の岩崎小弥太男爵、会員には後の日銀総裁土方久徴、古河財閥の古河虎之助男爵、崋山愛輔伯爵ら錚々たる人たちが名を連ね、ハンターの社会的地位と交際の広さを物語っている。

また、小金井カントリー倶楽部の北側一帯は、ハンターの農園（**範多農園**）だった。その範多農園の賓客の一人には後に総理大臣に就任した吉田茂がいた。

ハンターは一九四七（昭和二十二）年九月二十四日、波乱の人生を終えた。享年六十四歳。

遺骨は生前に設けていた川崎市鶴見の総持寺の墓地に埋葬された。**離婚した妻みどり**の実家、森家の墓と同じ区画内にあり、範多家と森家の墓石が並んでいる。それは、みどりの父森作太郎が他界した折りに、ハンターは森家と共同で墓地を求め、範多家の墓石も用意したからだという。元妻と並んで眠っているのは、常識では考えられない光景だが、破天荒に生きたハンターらしいとも思えなくもない。**無二の親友だった元妻の兄森恪とも隣り合って草深い墓に眠っている。**

資料２７　範多範三郎（エドワード・ハズレット・ハンター）

D　吉田茂

一八七八（明治十一）年九月二十二日生まれの吉田は、日本の外交官・政治家であり、外務大臣（第七三・七四・七五・七八・七九代）、貴族院議員（勅選）、内閣総理大臣（第四五・四八・四九・五〇・五一代）、第一復員大臣（第二代）、第二復員大臣（第二代）、農林水産大臣（第五代）を歴任した**衆議院議員**（当選七回）である。

森恪は、吉田茂の養父吉田健三（横浜・神戸の貿易商で資産家）の面識を得て、三井物産社員から実業界、政界に転じ昭和初期に政友会に入り、一九二七（昭和二）年田中義一内閣の外務政務次官として、対中国積極策の具体化を謀るためお膳立てした「東方会議」を企画しているが、それに吉田茂は奉天総領事として出席している。また、森が外務政務次官であった当時の外務事務次官が吉田である。

範多範三郎（ハンス・ハンター）が範多農園に常住し始めた一九三九（昭和十四）年、吉田茂は日独伊三国同盟に反対して駐英国大使の職を追われ帰国。外交官を辞して「浪人」生活を送っていたので、範多農園を訪れる機会も多かった。吉田茂と範多範三郎の接点は、範多の元妻の兄森恪を介して始まった。

一九六七（昭和四十二）年十月二十日死去。

資料２８　吉田茂

三　公司

中国に於いて「会社」を意味する語。独立した財産を持ち、法に従った経営の自主と独立採算の責任を負う法人格をもつ企業組織をいう。

公司の用語は、清国の商部奏定商律（一九〇三年）を端緒とするが、中華民国の公司法、中華人民共和国の私営企業暫行条例（一九五〇年）を経て現在の形になった。この間にその含意は、合股（人的組合）から私営企業全般を指すように変化し、現在の公司法で現代的会社の形態が確定した。

公司法で定める公司（会社）は、股份有限公司（株式会社）と有限責任公司（有限会社）である。代表的企業形態である股份有限公司は、股東大会（株主総会）の下に董事会（取締役会）と監事会（監査役会）をもつ三権分立型の企業統治をとり、その限りでは日本の監査役設置会社に似ているが、董事会は委員会を置く点で委員会設置会社に類似し、監事会は株主や従業員代表を含む点でドイツの株式会社に似ている。董事会には董事長（会長・代表取締役）が置かれ、董事会の下に総経理（社長）がいて業務執行に当たる。

四　借款（しゃっかん）

国際機関と国家間、またはそれぞれ異なる国家の政府や公的機関間における長期間に亘る資金の融資の事。英語における正しい表記は「ローン（loan）」である。また、政府と関係の深い民間の金融機関や企業が借款の貸し手・借り手となる場合もある。

円借款とは、開発途上国に対し、返済期間が長期で低金利の円資金を供与する日本政府の融資制度。開発途上国の産業開発や国際収支の改善など経済安定化のための援助を目的としている。

五　貨幣価値

過去の貨幣価値を調べる（明治以降）。

一、**過去の貨幣価値について**

「昔の○円は現在の○円に相当するのか」「昔の外国の貨幣は日本円でいくらになるのか」というような過去の貨幣価値を調べる資料を紹介する。

過去の貨幣の価値を現在に換算することは当時との価値基準の違いなどにより難しく、正確な値を出すことは出来ない。但し、こゝで紹介するような**物価指数**（ある年の物価の大きさを基準とし、それに対しての上昇下落の比率をみる指標）などを参照することでおゝよその値を出すことは可能である。

つまり貨幣価値を物価水準に置き換えて比較するもので、現在の物価水準が過去の何倍になるかを計算し、それを昔の価格に乗じて現在の価格を算出する事になる。

二、日本国内に於いて

日本国内では数種の物価指数が使われているが、企業物価指数（卸売物価指数）と消費者物価指数が基本的であり、且つ戦前或は戦後直後から継続して作成されている。

企業物価指数（卸売物価指数）は企業同士で取引される卸売段階の商品価格を、消費者物価指数は小売段階の商品とサービスの価格を、それぞれ対象とする。尚、江戸期については貨幣制度などが異なるため、基準となるものゝ物価（米、工賃など）を調べ、そこから換算する方法が挙げられる。例えば一両で買える米の量を計算し、現在の米相場と比較するとおゝよその値が算出出来る訳である。

A、企業物価指数（卸売物価指数）による換算

「企業物価指数」は明治期から現在まで継続して日本銀行が作成している。明治三十年に「東京卸売物価指数」として始まり、「卸売物価指数」（昭和二十七年～）、「企業物価指数」（平成十二年～）と改称された。

戦前戦後の物価水準を一貫して比較出来るようにするため、昭和九～十一年を基準時（昭和九～十一年平均＝一）として換算された指数が「戦前基準企業物価指数」である。但し、企業物価指数と異なり輸入品、

輸出品も含まれている。

戦前基準指数を用いた計算例は次の通りである。

(例)大正五年の千円は平成十八年当時の何円に相当するか?

698.4(平成十八年の指数)÷0.756(大正五年の指数)=923.8倍

1,000円(大正五年)×923.8=923,800円(平成十八年)

B、消費者物価指数による換算

戦後の物価水準は「消費者物価指数」でも調べることが出来る。この指数は昭和二十一年八月に内閣統計局(現、総務省統計局)が開始した。昭和二十三、二十六、三十年及びそれ以降五年ごとに基準時を改正している。

但し、開始時から現在まで一貫して比較できる統計表が見当たらないため、比較する時期によっては二段階で換算する必要がある。

(例)昭和二十五年の千円は平成十九年当時のいくらに相当するか?

(一)消費者物価指数による換算

『消費者物価指数年報』(年刊 総務省統計局)による各年の指数……

・昭和六十年版より 昭和二十五年=16.14 昭和六十年=114.4

・平成十九年版より 昭和六十年=88.1 平成十九年=100.3

114.4（昭和六十年）÷16.14（昭和二十五年）＝7.0倍
100.3（平成十九年）÷88.1（昭和六十年）＝1.1倍
1,000円（昭和二十五年）×7.0×1.1＝7,700円（平成十九年）

（二）戦前基準消費者物価（東京都区部）による換算
1767.6（平成十九年の指数）÷219.9（昭和二十五年の指数）＝8.0倍
1,000円（昭和二十五年）×8.0＝8,000円（平成十九年）

三、外国に於いて

外国では、過去の外国の貨幣価値を調べる際、以下のように三つのパターンで考える。

（一）まず当時の貨幣が日本円でいくらに相当したかを調べる必要がある。それには為替レートで換算する方法が挙げられる。

（二）次に「現在の日本円で何円に相当するのか」については、先述二項で述べたように物価指数で換算する。

（三）適当な対日為替レートが見当たらない場合は他の貨幣レートを経由して換算する。

【例一】大正九年のフランスの一フランは現在の日本円のいくらに相当するのか？

（1）まず、当時のフランスの一フランが当時の日本円でいくらに相当したかを調べるために、当時の為替レートで換算する。

大正九年における一円は6.32フラン（『明治以降本邦主要経済統計』復刻版　並木書房）なので、一円÷6.32フラン＝0.1582（円／一フラン当たり）となる。

（2）次に平成十八年当時の日本円で何円に相当するのかについては、戦前基準企業物価指数で換算する。

大正九年の戦前基準企業物価指数による指数……

大正九年＝1.678　　平成十八年＝698.4

698.4（平成十八年）÷1.678（大正九年）＝416.2倍

0.1582円（大正九年）×416.2＝65.8円（平成十八年）

【例二】明治二十六年のロシアの一ルーブルは日本円のいくらに相当するのか？

（1）まず、当時のロシアの一ルーブルが当時の日本円でいくらに相当したかを調べるために、当時の為替レートで換算する。

『世界新図』（六盟館　明治二十七年）の「内外貨幣度量衡比較表」によれば、一ルーブル＝七百銭＝七円となる。

（2）次に平成十八年当時の日本円で何円に相当するのかについては、戦前基準企業物価指数「明治以降物価推移」で換算する。

明治二十六年の指数＝0.319　平成十八年の指数＝698.4

698.4（平成十八年）÷0.319（明治二年）＝2189.3倍

七円（明治二十六年）×2189.3＝15,325円（平成十八年）

【例三】昭和四年のイタリア一リラは当時の日本円のいくらに相当するのか？

「適当な対日為替レートが見当たらない場合」に当たるため、他の貨幣のレートを経由して換算する。

『世界統計年鑑一九五二』（東京教育研究所一九五三）の「為替レート」によれば、

為替レート：一リラ＝5.238米セント　一円＝46.06米セント

5.238÷46.06＝0.11（円／一リラ当たり）

六　東亜新秩序

日本の大陸政策、中国侵略を正当化するために作り上げられたイデオロギー。

一九三八（昭和十三）年十一月三日、近衛文麿首相は「第二次近衛声明」ともいわれる声明を発表した。

この声明は、「**東亜新秩序**」を謳ったもので、「**東亜永遠の安定を確保すべき新秩序の建設が支那出兵の目的である**」と述べ、「『**新秩序**』**とは支那事変後の東アジアのあり方として、日本、満州、支那三国の提携により東亜に防共、経済統合を実現しようとすることである**」とした。「東亜新秩序」という言葉が使われた最初であり、後の「大東亜共栄圏」構想の出発点である。

更に声明は「国民政府といえども従来の指導政策を変更し、その人的構成を変更して更生の実を挙げ、新秩序建設に来たり参ずるに於いては、敢えてこれを拒否するもあらず」と述べ、新秩序建設への支那国民政府の参加を呼びかけたのであり、実はこの部分こそ、第二次近衛声明の主眼点なのであった。つまり、この声明は、一九三八（昭和十三）年一月十六日の第一次近衛声明「爾後国民政府を対手とせず、日本は新興支那政権の成立発展を期待する」との声明を修正するものだったのだ。

以後、南方進出の積極化に伴って拡大され、一九四〇（昭和十五）年七月に第二次近衛内閣が発表した「基本国策要綱」に至っては、八紘一宇の精神に基づき、日・満・支を中心に南洋地域を包含した自給自足体制の確立という大東亜新経済秩序、大東亜共栄圏の主張にまで拡大された。

森恪　年表（生誕～一九一八年）

西暦	年号	年齢	事績	参照事項
一八八三	明治一六	一歳	二月　大阪市西区江戸堀にて作太郎の次男として生まれる。時に父作太郎二十九歳、母サダ二十五歳。（二十八日） ○この年、京都府大原郡八瀬村の農家に預けられる。	八月　伊藤博文、憲法及び制度の研究を終わり欧州より帰朝する。
一八八四	一七	二歳		十月　自由党解党。 十二月　甲申事変。
一八八五	一八	三歳		一月　日韓講和条約成立。 四月　天津条約成立。 十一月　大阪事件。 十二月　第一次伊藤博文内閣成立。
一八八六	一九	四歳	○この年、神奈川県上足柄郡下怒田、加藤彦左衛門に預けらる。	四月　改進党大会を東京に開く。
一八八七	二〇	五歳		○仏領インド支那、組織される。
一八八八	二一	六歳		四月　黒田清隆内閣成立。 七月　東京朝日新聞、十一月大阪毎日新聞創刊される。
一八八九	二二	七歳	○この年、南足柄村小学校下怒田分教場に入学。	二月　帝国憲法発布。 〃　文部大臣森有禮刺される。 十月　大隈重信、傷けられる（玄洋社員来島恒喜）。 十二月　第一次山縣有朋内閣成立。

一八九〇	二三	八歳		八月　愛国、自由両党解散し、九月 立憲自由党組織される。 十一月　第一回帝国議会開院式挙行。
一八九一	二四	九歳	四月　南足柄村小学校に転ずる。 十一月　生母サダ死亡、享年三十四歳。（九日）	三月　立憲自由党、板垣退助を総理に推し、自由党と改称。 五月　大津事件。 〃　第一次松方内閣成立。
一八九二	二五	十歳	一月　上京、慶応義塾幼稚舎に転学。 三月　継母ノブ、森家に嫁ぐ。	八月　第二次伊藤博文内閣成立。
一八九三	二六	十一歳	三月　慶応義塾幼稚舎卒業。 四月　大阪師範付属高等小学校入学。 〃　継母ノブの父漢学者横山直翁の塾に入る。 九月　弟潤三郎生まれる。	八月　文部省、「君が代」を国家に選定。
一八九四	二七	十二歳	四月　成績優秀につき第二学年を飛び、第一学年終了に次いで直ちに第三学年に編入される。	八月　清国に対する宣戦の詔勅下る。 〃　日韓攻守同盟成立。 九月　大本営を広島に移す。黄海海戦。
一八九五	二八	十三歳	三月　大阪師範付属高等小学校卒業。 〃　妹みどり生まれる。	四月　下関条約成立。露仏独の三国干渉。 五月　遼東還付の詔下る。 〃　台湾を征し、十月ほぼ平定。 十月　閔妃殺害される（乙未事変）。

西暦	年号	年齢	事項	一般
一八九六	二九	十四歳	四月　大阪北野中学入学。	九月　第二次松方正義内閣成立。
一八九七	三〇	十五歳		三月　金本位制施行。 八月　朝鮮、国号を韓国と改める（大韓民国と改称）。
一八九八	三一	十六歳	三月　上京する。 四月　商工中学三学年に入学。 八月　弟直吉生まれる。	二月　ドイツ、膠州湾租借を約す。 三月　ロシア、旅順大連湾租借を約す。 〃　ロシア、清国の租借地拡張を約す。 〃　英国、九龍の租借及び香港租界拡張を約す。 〃　清国と福建省不割譲を約す。 〃　英国、威海衛租借を約す。 〃　清国、各国と長江通商条約を修正する。
一八九九	三二	十七歳	○この年、伊庭惣太郎の塾に入り、一年足らずして同塾を去る。	二月　フィリピンに反乱起こり、アメリカ軍マニラを攻撃する。 八月　アメリカ国務卿ヘイ、支那に門戸開放政策を提唱。 十月　フランス、清国に逼って広州湾を租借する。
一九〇〇	三三	十八歳		六月　義和団事件起こる。 九月　政友会成る。犬養毅ら国民同盟会結成。 十月　第四次伊藤博文内閣成立。

一九〇一	三四	十九歳	三月　商工中学校卒業。 ○東京高等商業学校入学試験不合格 ○三井物産上海支店支那修業生採用試験に合格。 十二月　初めて支那に渡る（上海）。	六月　第一次桂内閣成立。 〃　星享暗殺される（犯人・伊庭想太郎）。 十一月　李鴻章歿す。袁世凱、直隷総督兼北洋大臣に任ぜられる。
一九〇二	三五	二十歳	一月　三井物産上海支店支那修業生となる。	一月　日英攻守同盟条約調印。 十二月　帝国国勢調査を十ヵ年毎に施行の件公布。
一九〇三	三六	二十一歳		○この年、対露開戦論盛んに起こる。 八月　満韓問題につき協商議案を露国に提出する。 十月　追加日清通商条約成立。 十二月　日露交戦について清国中立を決する。連合艦隊編成。
一九〇四	三七	二十二歳	二月　修業生修了（三年制なるも成績優良につき二ヵ年にて終了）。直ちに三井物産上海支店社員見習勤務。	二月　旅順及び仁川の戦い。十日、対露宣戦布告。 〃　日韓議定書成立。 〃　第一回旅順港閉塞。 三月　第二回旅順港閉塞。 五月　第三回旅順港閉塞。 八月　黄海海戦。 十二月　露国旅順艦隊全滅。
一九〇五	三八	二十三歳	四月　三井物産上海支店社員を命じられる。綿糸係勤務。 五月　バルチック艦隊発見に活躍。	一月　旅順開城。 三月　奉天占領。 五月　日本海海戦。

一九〇五	三八	二十三歳		七月　樺太占領。 八月　第二次日英同盟協約調印。 九月　日露講和条約調印。
一九〇六	三九	二十四歳	○この夏、湖南省調査出張を命じられる。	一月　第一次西園寺内閣成立。 六月　ロシアより樺太北緯五十度以南を受領する。 十一月　満鉄創立総会、東京で開催。総裁・後藤新平。
一九〇七	四〇	二十五歳	十二月　湖南省長沙に三井物産出張所新設され、駐在員となる。 ○この年、陝西省延長県の石油坑を調査する。	三月　南満洲鉄道株式会社設立。 七月　第一次日露協約調印。 九月　陸軍管轄区を改正し十二ヶ師団を十九ヶ師団とする。 十月　陸軍三年兵制を二年に改める。
一九〇八	四一	二十六歳	○この春、上海支店に転勤。輸入雑貨係を命じられ石炭部詰めとなる。 ○この年、渡支以来七年振りにて帰朝。次いで上海の任につく。	一月　日米紳士協約成立。 七月　第二次桂内閣成立。 十月　戊申詔書換発。 十一月　光緒帝・西太后没、宣統帝即位。
一九〇九	四二	二十七歳		七月　日清新協約成立。 十月　伊藤博文暗殺される（犯人・韓国人安重根）。
一九一〇	四三	二十八歳	十二月　ニューヨーク支店長室付を命じられる。	五月　ロンドンに日英博覧会開会。 七月　日露協商、満洲現状維持を約す。

西暦	年号	年齢	事項	一般事項
				八月　日韓併合条約調印。韓国を朝鮮と改称。 十月　寺内正毅を初代朝鮮総督とする。
一九一一	四四	二十九歳	二月　ニューヨーク支店に赴任。 十二月　東京三井物産本店勤務。 〃　海軍大将瓜生外吉三女栄枝と婚約。 ○支那革命運動及び孫文との借款問題に奔走。大正二年まで支那—東京間を頻繁に往来する。	二月　日米新通商航海条約調印（移民制限）。 五月　英清阿片条約調印。 七月　第三次日英同盟協約更新。
一九一二	四五 ※七月三十日より大正一	三十歳	一月　支那革命軍陳其美と三井物産との間に三十万円借款成立。 〃　孫文と三井物産の間に漢冶萍五百万円借款成立。 〃　桂首相と会見、対支政策を論ずる。 五月　上海支店勤務。輸出品係、輸入品係を経て新設の穀肥係主任となる。 ○中国興業創立に奔走。	一月　孫文大総統就任、共和政体宣布。国名を中華民国とする。 二月　宣統帝退位を宣布。袁世凱仮政府を組織する。孫文辞職。袁世凱大総統となる。 九月　明治天皇御大葬挙行。 十二月　第三次桂内閣成立。
一九一三	二	三十一歳	七月　支那第二革命資金調達に奔走。満洲買収を孫文と約す。 八月　中国興業株式会社創立、取締役となる。（十一日）	二月　第一次山本内閣成立。桂公立憲同志会を組織する。 三月　宋教仁上海にて暗殺される。 四月　各国中華民国を承認。

一九一三	二	三十一歳	十月　瓜生栄枝と結婚。（三十日） ○天津に壽星麵粉公司を設立、専務取締役となる。 ○内地飢饉につき、孫文と契約して支那米を買付ける。 ○太平府付近鉱山調査の結果、鄱陽湖付近に三十鉱区の炭鉱、太平府十七鉱区の鉄鉱の採掘出願する。	七月　公文に清国を「支那国」と改称。 八月　孫文・黄興日本に渡る。 十月　十日、桂太郎死亡。 〃　日本、中華民国政府を承認。「支那共和国」と呼称。
一九一四	三	三十二歳	二月　天津支店長となる。（二十八日） 四月　中国興業株式会社は組織を改め、「中日実業株式会社」と改称、引き続き取締役となる。 十月　桃冲鉱山の買鉱権を獲得する。	一月　海軍収賄問題起こる（シーメンス事件）。 七月　第一次世界大戦勃発。オーストリア、セルビアに宣戦する。 八月　対独宣戦詔勅下る。 〃　オーストリアと国交断絶。 〃　膠州湾封鎖を宣言する。 十一月　青島陥落。膠州湾封鎖解除。
一九一五	四	三十三歳	七月　三井物産罷役被命。 九月　長男新誕生。（九日）	一月　日本、支那に対し二十一ヵ条の要求を提出。 五月　日本、対支最後通牒（第五条削除）を提出。 日本の要求を承認し、日支交渉解決。
一九一六	五	三十四歳	○この春、隴海沿線の物資集散状況を調査する。 六月　上仲尚明氏と共に搭連炭鉱鉱業権を獲る。	一月　大隈重信狙撃される（不発）。 六月　袁世凱歿し、黎元洪大総統となる。

年		年齢	森恪の事績	内外の出来事
一九一七	六	三十五歳	三月　東洋炭鉱株式会社を興す。 〃　東京海上ビルに森恪事務所を設け、上海北京青島に支部を置く。 〃　小田原紡織株式会社を興し、取締役となる。 四月　青島に東洋塩業株式会社を興し、専務取締役となる。 七月　東洋製鉄株式会社を創立する。 八月　隴海沿線第二回調査。 十月　加藤彦左衛門歿す（八十余歳）。	三月　支那、対独国交断絶通告。 〃　ロシア革命勃発（ロシア二月革命）。ロマノフ王朝滅亡。 七月　張勲・康有為ら復辟運動開始。 〃　馮国璋大総統となる。 八月　支那、対独オーストリア宣戦布告。 九月　孫文らの逮捕命令発せられる。 十一月　ソビエト政権樹立（ロシア十月革命）。
一九一八	七	三十六歳	十一月　上海に東華造船株式会社を興し、専務取締役となる。 ○上海に上海印刷株式会社を興す。 ○満洲に満洲鉱業株式会社を興す。 ○中日実業株式会社取締役を辞す。 ○支那を引き揚げる。 ○この秋、政友会に入党する。	五月　日中共同防敵軍事協定締結。 七月　米価暴騰し、各都市に暴動起こる。 八月　シベリア出兵。 九月　原敬内閣成立。 十一月　第一次世界大戦終わる。

●一九一九年以降の出来事については下巻収録の年表を参照されたし。

おわりに

「親の意見と茄子の花は千に一つも無駄はない」の含蓄は、子を持ってみて実感できる諺である。
森父子の生涯を通覧するに、父親と、父親の人脈が如何に大きな力を有するか、また、如何に継承されていくのかを知ることが出来る。生誕より幼少期、父作太郎、叔父加藤彦左衛門及びそれらに繋がる関連者の薫陶が森恪生涯に如何ほどの影響を与えたか、いろいろ考えさせられ、反省させられること頗る多いことを実感する。
実母への思慕、継母との齟齬は、現代に於いても変わりなく続く古くて新しい家庭問題の一つとしても考えさせられるものである。

支那に於いての商社マンとしての活躍、事業を通しての上司の薫陶、先輩・朋友・友人・三井社員時の交友支那人などとの人脈構築を駆使しての事業確立に於けるその発意とその意欲、そして、それを成し遂げるための旺盛なる努力、行動、根性が基本的に人並み以上に違うことは特筆すべきものであろう。その手段ともいうべき説得力、文章力を駆使しての陳述とその技術たるや、薫陶により育まれた才能であろう。

即ち事業家としては、支那大陸の鉱業のみならず琉球に南洋に産業開拓の鍬を差し伸べ、或は化学肥料資源としての燐鉱を探り、或は南洋漁業の開拓に私財を投じて果然魁をなし、我が国家の重要産業たる製糸に紡績に、或はまたは文化的国家の発展の一助として東京地下鉄道を目論むなど、これ悉く彼の理想抱負からなる思想及び政治的意図の実践に過ぎなかった。

並みの実業家ならば、利潤に走るのは当然であるし、また、そうなるように努力を惜しまないのは、それが目的故でもあろう。が、しかし森にはそれが微塵にも感じられない。森の旺盛なる事業意欲の根本は、その目的が国家的見地、即ち、持論とする大陸政策上の抱負にあった。すなわち森にとっては事業の経営そのものが目的ではなかった。森は生来決していわゆる事業家ではなく、徹頭徹尾政治家であった。それは彼のなしてきた種々なる事業の跡を総覧しても理解できる事であろう。

事業を他の信頼する人へ説き伏せて依託、推進するという、しかもその根底には国家的見地からの発露があるという、そしてそのためには政治を確立しなければどうにもならないという意欲彷彿は尋常の人間では到底行きつかぬ着眼である。更に、事業の切り上げ時の決断は敬服に価するし、支那革命への関与（第一、第二革命）など、なかでも孫文との満洲買収計画に関与したことは特記すべき痛快事でなかろうか。

後の政治家への転身は、確かな国策あって初めて東洋の平和、世界の平和が叶えられるという崇高な信念あってのものであった。その政治家としては、多分に父親譲りの国士的活躍を見せ、それは将に森恪そのものであった。

【著者プロフィール】

樋口正士（ひぐち まさひと）

１９４２（昭和１７）年　東京都町田市生まれ
日本泌尿器科学会認定専門医　医学博士

著書『石原莞爾将帥見聞記―達観した生涯の蔭の壮絶闘病録―』（原人舎）
『―日本の命運を担って活躍した外交官―芳澤謙吉波瀾の生涯』（グッドタイム出版）
『下剋上大元帥―張作霖爆殺事件―』（グッドタイム出版）
『藪のかなた―駐華公使・佐分利貞男変死事件―』（グッドタイム出版）
『ＡＲＡ密約―リットン調査団の陰謀―』（カクワークス社）
『捨石たらん！満蒙開拓移民の父　東宮鉄男』（カクワークス社）
『福岡が生んだ硬骨鬼才外交官　山座圓次郎』（カクワークス社）

趣味　家庭菜園

東亜新秩序の先駆　森恪―上巻　薫陶を活かした男―

2018年1月1日　初版第1刷発行

著　　者　樋口正士
発 行 人　福永成秀
発 行 所　株式会社カクワークス社
〒150-0043　東京都渋谷区道玄坂2-18-11　サンモール道玄坂212
電話　03（5428）8468　ファクス03（6416）1295
ホームページ　http://kakuworks.com

印刷・製本　日本ハイコム株式会社
装　　丁　なかじま制作
D　T　P　スタジオエビスケ

ISBN978-4-907424-14-5